Nuestro hijo

EDICIONES NAUTA

Autor:

Dr. José María Torrescasana (*Pediatra y puericultor. Director del curso de atención a la salud en el niño de la Sociedad Catalana de Pediatría*)

EQUIPO EDITORIAL:

dirección: J. Barnat; *producción:* A. Llord, C. Pérez, V. Ruiz de Villa; *diseño:* C. Tomás, *coordinación:* P. Ballús, D. Barnat, R. Escartín, Ll. Gil, M. Mercé, *coordinación general:* M.ª D. Mascasas

Los editores agradecen la colaboración que en la ilustración han prestado las firmas PRENATAL y CHICCO (Hospitalet de Llobregat), SOCIEDAD NESTLE, A.E.P.A., ESCOLA GARBI y CENTRE JOAN AMADES (Esplugues de Llobregat), CLINICA NTRA. SRA. DEL PILAR, NYEC, CENTRE DE PREPARACIO MATERNAL, FUNDACIO CAIXA DE PENSIONS, PILAR VILLARRAZO y EDICIONES B (Barcelona)

Procedencia de las ilustraciones:

Archivo Nauta (Barcelona), Elsevier (Amsterdam), Gruppo Editoriale Fabbri-Bompiani, Sonzogno, Etas, S.p.A. (Milán), Editorial Portada (Santiago de Chile), Spectrum Naslagwerken (De Meern), J.M. Taure (Barcelona), Archivo Mas (Barcelona)

© EDICIONES NAUTA, S.A.
Editado por Ediciones Nauta, S.A.
Loreto, 16 - 08029 Barcelona
Impreso por Gráficas Estella, S.A.
Estella - Navarra
ISBN: 84-278-1543-3
Depósito Legal: NA-175-1992
Impreso en España / Printed in Spain
9110B001
EDICION 1992

Prólogo

El objetivo fundamental de una obra de Puericultura, situada en el contexto de una temática global de educación maternal, debe ser el de facilitar a sus lectores un conjunto de conocimientos básicos destinados a proporcionar a los hijos las condiciones idóneas para un máximo bienestar físico, psíquico y social. Así considerada, nuestra tarea desarrollará, del modo más claro y pedagógico posible, los temas que permitan a la pareja responsable adquirir los conocimientos que les garanticen afrontar con seguridad el cuidado y educación de sus hijos.

Es probable que, para muchos padres, el nacimiento del primer hijo les suponga una incógnita, a veces angustiosa, sobre sus capacidades reales para la conducción de este nuevo ser hasta una edad adulta, físicamente sano, mentalmente equilibrado y además feliz en el ambiente que va a vivir. Por ello, suponemos que este texto ha de servir a los progenitores de una eficaz ayuda al desvelarles muchos aspectos desconocidos de la edad infantil, al confirmarles algunos de los conocimientos ya adquiridos y, como no, al hacer de contrapunto a ciertas propias convicciones.

Cuidar y educar a los hijos puede parecer una tarea llena de dificultades y solamente alcanzable por parejas de un determinado nivel cultural, pero esta suposición queda inmediatamente desmentida con sólo pensar en los millones de niños que crecen en el mundo, cuyos padres sólo disponen de los conocimientos que les proporciona la intuición, el sentido común y aquellas normas y tradiciones que se transmiten de generación en generación. Bien es verdad que cuando sólo se dispone de este bagaje, el número de problemas que surgen puede ser elevado, pero debemos admitir que llevar hijos al mundo, alimentarlos, cuidarlos y educarlos es algo ligado a la propia Naturaleza y, por tanto, con dificultades limitadas a aspectos muy concretos. Sin duda, las explicaciones, ideas, consejos y sugerencias que esta obra va a proporcionar a los padres, les facilitará mucho su labor.

Lo habitual es que este libro sea leído por aquellas parejas que han tenido o están a punto de tener su primer hijo, pero lo ideal sería que fuera accesible a aquellos individuos, hembras o varones, que se han planteado de forma consciente tener descendencia. Tras bastantes años de experiencia, hemos llegado a la convicción de que el primer paso para desarrollar una acción paternal o maternal adecuada debe ser el de plantearse, responsablemente, si se desea o no tener hijos. Para muchas parejas recelosas de la paternidad, el conocimiento profundo de todo cuanto acontece en el crecimiento y desarrollo de un niño puede servir para que se planteen de forma consciente acceder a la formación de una familia completa, esto es, con descendencia que perpetúe a la pareja.

JOSÉ MARÍA TORRESCASANA
Pediatra

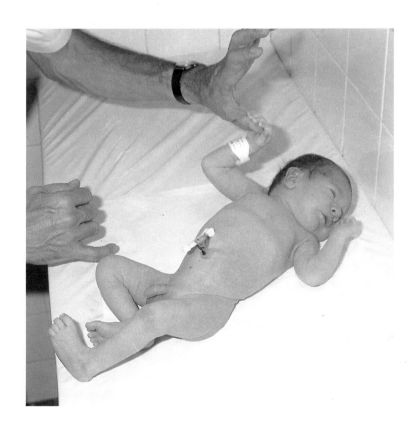

SUMARIO

Indicaciones para una paternidad consciente

La paternidad representa llevar a cabo unos cuidados físicos, una transmisión de conocimientos, una implantación de deberes morales y sociales que requieren una dedicación completa para quien pretende hacerla realidad de forma consciente. Por ello hay unas épocas, unas edades y unas condiciones que son las más adecuadas para ejercerla. La responsabilidad se inicia en el momento en que surge el deseo de ser padres.

La sociedad se complica y dificulta el ejercicio de la paternidad responsable, ya que las tensiones económicas, el estrés y la rapidez con que se suceden los acontecimientos, disminuyen el tiempo y la paciencia que es necesario dedicar a la educación de los hijos. Sin embargo, la vida se perpetúa a través de la paternidad y la satisfacción de subir unos hijos mejores y más equilibrados no se puede comparar con ninguna otra experiencia.

Paternidad responsable no tiene nada que ver con egoísmo; saber encontrar esa diferencia es elegir el buen camino, destinado a los grandes de espíritu.

Momento óptimo para tener hijos

Son múltiples las cuestiones que pueden plantearse a la pareja ante la posibilidad de tener descendencia. Es probable que aquellas que renuncian a esta posibilidad nunca lean este libro. Por tanto, podemos partir de la base de que nuestros lectores tienen, esperan o desean un hijo, para desarrollar previamente, a los temas de Puericultura en sí, una serie de cuestiones sobre la paternidad.

Probablemente todas las parejas se plantean en un momento determinado cuál será el momento ideal para tener uno o varios hijos, y en la decisión final van a jugar distintos factores cuyo peso específico dependerá de la personalidad y el status socio-cultural de cada individuo. Habrá quienes supeditarán este momento al alcance de una determinada solidez económica, otros que lo condicionarán a una situación laboral, habrá parejas en las que privará una motivación afectiva y en las que dominará la carga educativa de que son portadoras. Podríamos contemplar infinidad de situaciones distintas con planteamientos muy diversos, pero lo que nos interesa es proporcionar la opinión de quien, a través del conocimiento de los niños, ha podido constatar qué es lo que resulta mejor para ellos.

Quizás el aspecto más determinante para escoger el momento de tener hijos es, a nues-tro modo de ver, el de la edad de la pareja, pero en especial la de la madre. Desde un punto de vista médico, es perfectamente conocido, por un simple estudio como la recopilación estadística, que la mejor edad en una mujer para la procreación es la que transcurre desde los veinte a los treinta años. A esta edad, la mujer se encuentra en el cénit de su madurez física y es cuando está biológicamente más dotada para tener descendencia. La edad del padre es menos determinante, por cuanto su papel queda limitado a su capacidad fértil. Pero en la mujer, por la simbiosis materno-fetal del embarazo, el procrear en el mejor momento de su biología es muy importante. Nuestra opinión es pues, que el momento ideal de tener hijos es «pronto y en corto espacio de tiempo», sin grandes pausas entre uno y otro hijo. Para la pareja significa un intenso período de su vida, con dedicación plena al cuidado de los hijos, a veces en detrimento de otras actividades, pero es preferible que este período coincida con la época en la que dispone de las mejores condiciones físicas que proporciona la juventud. Para los hijos no hay nada mejor que tener padres jóvenes y vitales, con los que va a ser más fácil la relación y las transferencias.

Esta opinión, basada en aspectos puramente médicos y psicológicos, contrasta a menudo con los aspectos laborales y económicos de la pareja. Lo más probable es que la pareja joven disponga de menos recursos que la más madura o que la mujer que ha accedido recientemente a una profesión o

La paternidad responsable significa mucho más que la limitación o regulación de los hijos que se deseen procrear, ya que tal responsabilidad abarca todo el complejo camino de su correcta nutrición, protección y educación, en la parte que les corresponde a los padres dentro de los esquemas propios de cada estructura social.

trabajo remunerado se muestre reticente a abandonarlo por su maternidad, pero la realidad es que es necesario tomar decisiones en el momento adecuado. Bien es verdad que cada hijo supone un incremento en los gastos de una familia y que este aspecto económico ha condicionado más que ningún otro las fluctuaciones de los índices de natalidad de este siglo, que existen situaciones que no permiten tener alegremente cuatro o cinco hijos, aunque se deseen intensamente, pero resulta difícil creer que ello es motivo fundamental para demorar el tener descendencia hasta edades menos aconsejables. También es verdad que la mujer que trabaja dispone —con diferencias notables entre distintos países— de una protección para su maternidad que le debe permitir afrontarla sin excesivos temores hacia su futuro laboral.

Número ideal de hijos

Aquí también van a jugar un papel determinante distintos factores. Aunque toda pareja puede tener una idea aproximada del número de hijos que desea, el resultado final no es fácilmente previsible. Por un lado, debe contarse con el factor fertilidad, es decir, la mayor o menor capacidad de la pareja para procrear, por otro debe contarse con que no siempre un embarazo llega a su feliz término. Hay parejas que, por convicción, aceptan todos los hijos que la Naturaleza les proporcione, pero en el extremo opuesto hay parejas que ejercen un control riguroso de la natalidad, procurando no tener ningún hijo no deseado. Creemos que la decisión sobre el número de hijos es muy personal y no siempre se tienen los que en principio se habían deseado.

Sin embargo, el pediatra puede tener algo que decir en este aspecto concreto. En principio, el hijo único no es aconsejable porque es un solitario que acumula protección y que muy frecuentemente sufre inestabilidad, nerviosismo y retardo madurativo. La familia numerosa corre el riesgo de la carencia afectiva y el descontrol, porque los padres no puedan abarcar los múltiples aspectos de la crianza física y afectiva. Indudablemente, la familia que consideramos más equilibrada en todos sus aspectos es la que la forman de dos a cuatro hijos.

Existe otro factor a tener en cuenta, aunque sea un aspecto social más que individual. Es el aspecto demográfico de la cuestión. Cuando en un país la media de hijos por pareja baja de dos, el crecimiento demográfico de este país es 0. Ello comporta automáticamente un envejecimiento de la población, que tendrá repercusiones importantes en pocos años, especialmente desde el punto de vista económico, en la medida en que aumenten las clases pasivas y disminuyan las activas. Varios países europeos, al llegar a esta situación demográfica, se han visto obligados a primar el nacimiento de un tercer hijo, proporcionando ventajas sociales y fiscales a las parejas que lo tengan.

Diferencia de edad adecuada entre los hijos

Este es un aspecto importante a tener en cuenta cuando se constituye una familia, si se desea que ésta resulte lo más equilibrada posible. Aunque muchas veces no se puede programar de un modo muy preciso el nacimiento de un hijo, es conveniente tener en cuenta qué ventajas e inconvenientes reporta a la familia las distintas diferencias de edad entre los hermanos. Nuestro criterio, tal como hemos apuntado anteriormente, es que los hijos deben tenerse «pronto y en corto espacio de tiempo». Con ello queremos decir que somos decididamente partidarios de cortas diferencias de edad entre los hermanos. Cuando esta diferencia no sobrepasa los tres años, la relación entre ellos es mucho más fluida que cuando se supera esta edad. Para los padres, el grupo de hijos mantiene unas necesidades similares que facilita la labor parental y educativa. Con mayores diferencias de edad, los requerimientos van distanciándose y los cuidados y atenciones para unos y otros son notablemente diferentes, suponiendo una sobrecarga para los padres. Entre los cinco y siete años de diferencia es cuando tienen lugar las crisis de celos más intensas. Dos hermanos de seis años de diferencia nunca, durante la infancia, desarrollarán actividades comunes en plenitud. Debemos citar aquí, porque creemos que lo resume de una forma muy gráfica, un comentario de una madre: «Nosotros, que hemos tenido 4 hijos, conscientemente cada 5 años, porque pensábamos que así nos dedicábamos más plenamente a cada uno de ellos, hemos conseguido tener 4 hijos únicos.»

Garantías de tener un hijo sano

Mucha gente está informada de la existencia de malformaciones y enfermedades hereditarias y también de la existencia de factores que, actuando sobre la gestación, pueden influir negativamente sobre el fruto de la misma. Todo ello puede plantear a la pareja deseosa de descendencia una serie de dudas y temores que es muy importante ayudar a desvelar.

En principio, todas las parejas están expuestas a que su descendencia presente algu-

> Se entiende por paternidad responsable el control y regulación de la natalidad por parte de los padres, dentro de la libre y consciente decisión de éstos de tener a sus hijos en el número y momentos más aptos y oportunos para que nazcan en las mejores condiciones, y luego puedan ser criados y educados dignamente, y de tal modo que no se altere el equilibrio social o afectivo de la familia.

La regulación de la natalidad no es, en sí misma, un concepto restrictivo del número de hijos, sino que significa la aplicación de unos criterios racionales al importante hecho humano de aportar nuevos seres al mundo.

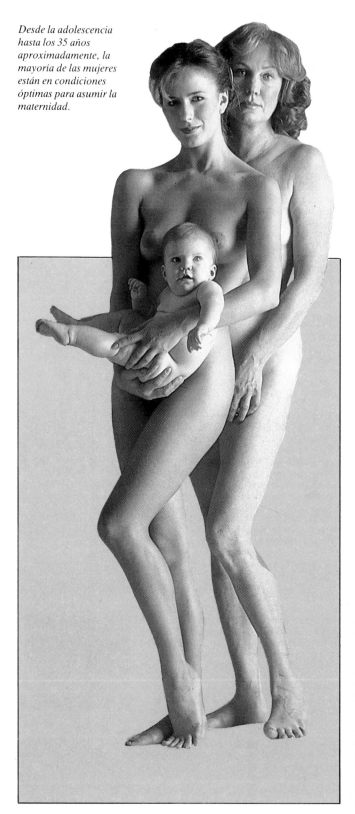

Desde la adolescencia hasta los 35 años aproximadamente, la mayoría de las mujeres están en condiciones óptimas para asumir la maternidad.

na anomalía congénita, pero sólo en algunos —pocos— casos este riesgo se incrementa por una serie de factores, hereditarios o no. Las enfermedades hereditarias serán siempre congénitas, pero existen muchas anomalías congénitas que no son hereditarias.

Las anomalías congénitas no hereditarias se presentan como consecuencia de la actuación de un agente nocivo durante la gestación. Estos agentes son, en general, de origen externo (enfermedades de la madre, alcoholismo, drogas, radiaciones, etc.) y actúan durante un tiempo limitado, por lo que el riesgo de presentación de lesiones quedará limitado a una gestación determinada y no tiene por qué afectar a gestaciones futuras. En la mayoría de los casos, este tipo de defectos serán claramente visibles desde el nacimiento, pero antes de este momento no podremos asegurar con certeza la existencia de lesiones fetales ni pronosticar la gravedad de las mismas.

En cambio, las enfermedades hereditarias son ocasionadas por un error en la carga genética, que en la mayoría de los casos se encuentra ya implícita en la carga genética de los progenitores. Este error, presente desde los primeros momentos de la fecundación, perdurará toda la vida. Es cuando nos percatamos del defecto en el recién nacido cuando sospechamos la existencia de un trastorno genético en los padres y podemos proceder a su estudio, porque hasta aquel momento no habían manifestado síntoma alguno de enfermedad. Es decir, el nacimiento de un niño con determinadas alteraciones nos descubre que alguno —o ambos— de los progenitores es portador de una alteración genética que puede ser transmitida a su descendencia.

Planteadas a grandes rasgos las posibilidades de alteraciones congénitas en el recién nacido, debemos orientar a la pareja que teme por la salud del hijo que desea o va a tener, pero siempre a partir de un análisis de su caso concreto que permita decidir si en la pareja se dan las condiciones precisas para temer que el riesgo de una anomalía determinada es superior al de la población general. Cuando estas condiciones precisas se dan en un caso determinado, nos encontramos ante una «gestación de riesgo elevado», si el factor de riesgo es de carácter personal y circunstancial, o ante una «pareja de riesgo elevado», si el factor de riesgo es de tipo hereditario.

Prevención del hijo minusválido

Dadas las características de la sociedad actual y su carácter competitivo, las parejas están muy sensibilizadas y, en ocasiones, angustiadas por el temor a tener un hijo minusválido, en especial la minusvalía psíquica, subnormalidad o deficiencia mental, lo cual motiva un gran número de consultas a los expertos. La única forma que tenemos, por el momento, de luchar contra estas enfermedades es a través de las actitudes preventivas, que para ser eficaces deben ser suficientemente divulgadas.

La prevención sólo es posible a través de las siguientes vías:

1. Planes de detección precoz, en los casos en que exista algún tipo de tratamiento.

2. Detección de portadores de anomalías hereditarias y *consejo genético*, lo que equivale a detección de parejas de riesgo elevado.

3. Evitar los factores externos que sabemos pueden causar anomalías congénitas, o sea evitar que se produzcan aquellas gestaciones de riesgo elevado.

Este conjunto de medidas que se ofrecen a las parejas y su descendencia, y que constituyen lo que podríamos denominar *consejo reproductivo,* no deben ser aplicadas de un modo generalizado a toda la población, sino que deben seguirse unos criterios de selección, es decir, estarán justificadas en los casos siguientes:

a. *Parejas que hayan tenido un hijo afecto de subnormalidad,* malformaciones físicas o cualquier tipo de enfermedad grave, incurable y congénita.

b. *Parejas que hayan tenido nacidos muertos* o fallecidos dentro del primer mes de vida, especialmente si no se ha establecido un diagnóstico, pues algunas enfermedades hereditarias son letales a corto plazo.

c. *Mujeres que hayan tenido abortos repetidos,* pues se sabe que muchas de las anomalías cromosómicas (enfermedades congénitas en que existe un error en la carga genética que afecta a la estructura o número de los cromosomas) son responsables de un 40-60 % de los abortos espontáneos y de un 5-7 % de las muertes fetales en los últimos períodos de la gestación. Podríamos decir que, en este caso, la naturaleza se protege contra anomalías graves, pero los avances en el campo de la obstetricia favorecen que algunos de estos fetos lleguen a nacer. La mujer que desea tener un hijo y ha sufrido más de un aborto, debe ser examinada desde el punto de vista genético.

d. *Parejas que se sepan portadoras de alguna enfermedad hereditaria,* aunque es más corriente que el carácter de portador se conozca a partir del nacimiento de un niño con dicha enfermedad.

e. *Las mujeres de edad superior a los 35 años,* dado que hoy en día se sabe que existe una relación muy estrecha entre la edad materna y algunas enfermedades congénitas, como el mongolismo, que es una de las principales causas de subnormalidad congénita en cuanto a frecuencia se refiere. Los datos son muy elocuentes: nace un niño con anomalías cromosómicas, de cada 600, entre la población general, pero por encima de los 40 años de la madre, esta proporción es de 1 por cada 40-45 nacidos.

f. *Mujeres que durante las primeras épocas de la gestación* hayan padecido algunas enfermedades como la *rubéola.*

g. *Mujeres* que hayan sido objeto de *tratamientos medicamentosos* cuyos efectos sobre el feto puedan dar lugar a *malformaciones.*

h. *Mujeres* que hayan estado expuestas a *radiaciones* durante el embarazo.

i. *Parejas alcohólicas y/o drogadictas.*

Existen una serie de medidas sanitarias que, en un futuro no muy lejano, deben conducir a dejar solucionados muchos de los aspectos enunciados, como las campañas de vacunación contra la rubéola que hagan que todas las mujeres lleguen a su edad fértil debidamente inmunizadas; la prevención frente a exploraciones radiológicas en las mujeres en edad fértil después de los 10 primeros días del ciclo; la lucha contra el alcoholismo, la drogadicción y la automedicación; el control sanitario sobre los medicamentos, etc... Pero son otras las medidas que se hallan al alcance de la mayoría de la gente, siempre que sean debidamente conocidas.

En el caso de que una gestante haya padecido alguna enfermedad capaz de ocasionar malformaciones fetales, lo primero que debe hacerse es aclarar si el riesgo existió realmente. En el caso de la rubéola, por ejemplo, la consulta se produce generalmente porque la gestante ha estado en contacto con algún niño afecto de dicha enfermedad, y lo primero que debe hacerse es averiguar si el contagio llegó a establecerse realmente. La embriopatía rubeólica se producirá cuando el feto padezca la enfermedad, y este contagio fetal no es posible si la madre no padece la enfermedad. El médico, en este caso el tocólogo, dispone de medios para poder determinar si una mujer ha pasado o no la rubéola, aun en aquellos casos cuya sintomatología haya sido muy leve. Si la conclusión final apunta a que, efectivamente, la madre gestante ha sufrido la rubéola en los primeros meses de embarazo, ésta debe ser conocedora de que su hijo «puede» sufrir malformaciones graves, que no existe ningún medio que permita la confirmación, antes de nacer, de que está afectado y que, por lo tanto, las posibilidades que se le plantearán a la madre son: recurrir al aborto, corriendo el riesgo de abortar un hijo sano (siempre que la consulta se haya realizado en época adecuada) o dejar que la gestación siga su curso, corriendo el riesgo de tener un hijo afectado.

Cuando durante la gestación la mujer ha sido sometida a la acción de drogas, alcohol o radiaciones, el consejo reproductivo va a ser siempre difícil, pues aunque se reconoce que estos factores están relacionados con una mayor incidencia de anomalías congénitas, se desconoce su mecanismo de acción. Quizás el caso de las gestantes alcohólicas es el que resulta hoy en día más claro, pues se ha descrito el llamado Síndrome de alcoholismo fetal. Parece ser que los recién nacidos de madres alcohólicas pueden presentar unos rasgos comunes que incluyen una serie de

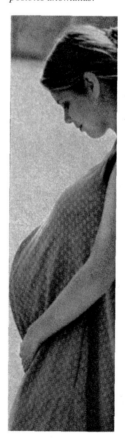

Mediante el asesoramiento genético, los futuros padres pueden saber la probabilidad de una anomalía hereditaria recurrente, si ya se ha advertido ésta en un hijo anterior o en algún miembro de la familia paterna o materna. En caso de que el embarazo ya esté en su curso, el análisis del líquido amniótico y de la sangre en busca de la alfafetoproteína puede revelar algunas de las posibles anomalías.

malformaciones faciales, un bajo peso de nacimiento y problemas cardíacos. La frecuencia con la que se producirán dichas anomalías se desconoce, pero lo que sí resulta seguro es que el alcoholismo materno será causa de una elevada mortalidad neonatal y repercutirá en el desarrollo intelectual del niño cuando éste sobreviva. En estos casos, la medida más adecuada para prevenir los trastornos será la contracepción, hasta que se haya realizado un tratamiento de deshabituación. Idéntica conducta deberá seguirse cuando el problema es la drogadicción. El caso de las radiaciones es muy complejo, pues resulta imposible predecir la existencia de lesiones fetales en gestantes que hayan recibido algún tipo de radiación y, en la actualidad, tampoco disponemos de ningún medio de diagnóstico antenatal que nos permita explorar al feto y diagnosticar si está afectado o no.

Consejo genético

Cuando la problemática se centra en una pareja de riesgo elevado, debe recurrirse al consejo genético, que sólo puede ser proporcionado por personal especializado. En este caso es necesario seguir los siguientes pasos:

1. Comprobar que el factor de riesgo es real, o sea que la enfermedad que motiva la consulta es hereditaria y que los progenitores son portadores de la misma.

2. La pareja debe ser informada sobre la gravedad de la enfermedad y el porcentaje de riesgo de transmisión a su descendencia. Esta información será más precisa en estos casos, ya que las enfermedades hereditarias obedecen a unas reglas conocidas.

3. En algunos casos, se dispone de medios de diagnóstico antenatal que permitirán asegurar a la pareja si el feto sufre o no la enfermedad que ha motivado la consulta.

4. La madre podrá recurrir al aborto cuando se demuestre que el feto padece la enfermedad, o podrá dejar que la gestación llegue a su término cuando se demuestre que el feto no la padece.

5. Es muy importante que se sepa que el diagnóstico antenatal, el consejo reproductivo y el consejo genético sólo descartarán una anomalía en concreto, aquella para la que existe un factor de riesgo superior al de la población general, pero nunca permitirán asegurar que el feto será sano y normal.

El diagnóstico antenatal no sólo permite impedir que nazcan niños afectos de enfermedades realmente graves, sino que permite también ofrecer, a aquellas parejas que no han logrado aún descendencia sana, la posibilidad de tenerla, en función de la información que se obtiene del feto y que permite la selección de aquellos que no están afectados.

Cuando el diagnóstico antenatal no es posible, la pareja de riesgo elevado debe ser informada del riesgo que corre su descendencia y será necesario que adopte las medidas contraceptivas oportunas, pero también debe conocer las posibilidades de la insemi-nación artificial o de la adopción, según los casos, para satisfacer su apetencia de paternidad.

Cuando no viene el hijo deseado

Un 15 % de los matrimonios no tienen hijos; de ellos, dos tercios consultan al médico por este motivo y el tercio restante no desean tener hijos o se resignan a no tenerlos sin consultar al médico. El 25 % de las parejas que inician sus relaciones sexuales sin protección anticonceptiva se embarazan en el curso del primer mes y un 80 % en el primer año. Por este motivo, una pareja con más de un año de relaciones sexuales normales debe consultar a un ginecólogo si la mujer no ha quedado gestante.

Se define como pareja estéril la que lleva más de dos años de relaciones sexuales normales, con finalidad procreadora, sin descendencia. Esto no quiere decir que no pueda concebir espontáneamente pasado este plazo de dos años, pero es muy probable que precisará un tratamiento para conseguirlo.

Un 35 % de parejas estériles lo son por causa masculina, siendo la mujer responsable del 65 % restante. Existen casos mixtos,

> La misión del asesor genético es aportar el máximo de información sobre la posible aparición de anomalías congénitas en el neonato, pero no impedir que la pareja tenga o no un hijo. La decisión, a última instancia, deben tomarla los padres. Sin embargo, muchas parejas consideran más fácil llegar a una decisión de paternidad cuando el asesor les ha hecho el diagnóstico antenatal.

La fertilidad femenina depende de la capacidad de los ovarios de la mujer para producir por lo menos un óvulo fertilizable en casi todos los meses del año, y de unos órganos genitales internos en perfecto funcionamiento.

en los que las distintas causas se potencian; así, un hombre subfértil casado con una mujer también subfértil formarán una pareja estéril y estos mismos sujetos, casados con parejas normales, probablemente tendrán hijos. Entre las causas femeninas de esterilidad debemos citar el factor ovárico (35 %), por el que hay una ausencia o mala ovulación y, en consecuencia, trastornos hormonales que no permiten una adecuada preparación del útero para recibir el óvulo fecundado. En un 30 % de los casos, la causa de esterilidad femenina radica en una anomalía de las trompas, que están obstruidas, estrechadas o adheridas, no permitiendo el encuentro entre los espermatozoides y el óvulo. En menos ocasiones, la dificultad radica en un trastorno de la matriz que no permite que el embrión anide en su interior, así como otros factores menos corrientes aún, como alteraciones del cuello uterino, de la vulva, vagina y factores inmunológicos. También debemos tener en cuenta que hay un 10 a 15 % de casos de esterilidad en los que no se encuentra una causa clara, entre los que deberán incluirse los factores psicológicos, pues se han comprobado en muchas ocasiones que parejas etiquetadas de esterilidad de causa desconocida han quedado gestantes espontáneamente al eliminar precisamente su preocupación por la esterilidad con motivo de un viaje, la adopción de un niño, etc.

Toda pareja estéril debe someterse a una serie de exploraciones que conduzcan a un diagnóstico: curva de temperatura basal, que permite al ginecólogo saber si la mujer ovula, cuándo lo hace y la calidad de su ovulación; seminograma o estudio del número, calidad y movilidad de los espermatozoides; test post-coito, que permite la comprobación del comportamiento de los espermatozoides a distintos niveles del aparato genital femenino; estudios analíticos de las distintas hormonas que intervienen en el proceso, y un buen número de exploraciones más tecnificadas, algunas de las cuales pueden requerir la hospitalización de la mujer.

Éxito ante la esterilidad

En el momento actual, un buen número de casos de esterilidad son susceptibles de ser tratados con éxito, de modo que las esperanzas de las parejas estériles de tener cuando menos un hijo, pueden ser grandes. Muchas veces, la gestación tiene lugar ya en el curso de la exploración, pues el médico puede adoptar medidas que resulten eficaces de entrada. En ocasiones, el tratamiento médico resuelve el problema, como ocurre con los trastornos de ovulación, hormonales, etc., pero en otras, puede ser preciso recurrir a la cirugía, como ocurre con las malformaciones o tumoraciones uterinas en la mujer, o con el varicocele en el hombre (varices que rodean al testículo, elevando su temperatura y dificultando la producción normal de espermatozoides).

En los casos de causa tubárica, debe recurrirse a una cirugía especial, la microcirugía bajo microscopio, para conseguir una reconstrucción perfecta, sin hemorragia, utilizando hilos de sutura tan delgados que son invisibles al ojo humano. Cuando las trompas no son operables o la intervención quirúrgica no ha tenido éxito, puede ensayarse la «fecundación in vitro». Este procedimiento consiste en recoger un óvulo materno con el laparoscopio (instrumento que aborda la cavidad abdominal a través de una diminuta abertura junto al ombligo, permitiendo la visualización y manipulación) y mezclarlo con espermatozoides del marido en un tubo de ensayo («bebé probeta» para el público) en condiciones adecuadas de calor, medio de cultivo, pH, etc., tal y como podrían encontrarse en la trompa de la mujer. Si se consigue que el óvulo sea fecundado por los espermatozoides, a las 48 horas podremos observar al microscopio un embrión de cuatro células, que es el tamaño adecuado para ser introducido en el útero de la mujer a través del cuello uterino. Gracias a este método, en el mundo hay ya muchas mujeres que han podido tener un hijo cuando, por los procedimientos anteriores, les habría sido imposible conseguirlo.

Cuando la esterilidad es secundaria a un déficit de espermatozoides en el varón, cabe la posibilidad de mejorar la calidad del semen seleccionando en el laboratorio los espermatozoides mejores e introducirlos artificialmente en el útero de la mujer. Este método es el conocido como «inseminación artificial». Si la esterilidad masculina es irreversible, se puede recurrir a un banco de semen, que es un laboratorio donde muestras de semen de dadores anónimos están seleccionadas, catalogadas y congeladas, a disposición de individuos estériles. Por el método de la inseminación artificial, el ginecólogo introduce el semen del dador en el útero de la mujer en el momento de la ovulación y las perspectivas de embarazo son muy elevadas.

De todo lo expuesto podemos deducir que para las parejas estériles, las posibilidades de tener un hijo son bastante elevadas, siempre que sometan su situación a profesionales expertos. A pesar de las buenas perspectivas anuales, un 30 % de parejas estériles deben recurrir a la adopción para satisfacer su deseo de paternidad. Para poder llevar a cabo la adopción es necesario un acuerdo mutuo de la pareja al que debe llegarse tras una meditada reflexión. Las posibilidades de adopción son variables, según los distintos lugares y países, en función, básicamente, de la integración social de la madre soltera, de las posibilidades prácticas y legales del aborto, etc. Actualmente, en nuestro país ha disminuido notablemente el número de niños susceptibles de adoptar al mejorar las posibilidades de contracepción y por la mejor integración social de la madre soltera, que en una gran mayoría de los casos no se ve sometida a la presión que le obliga a renunciar a su hijo.

La esterilidad y la infertilidad no deben confundirse, ya que ésta supone la imposibilidad de que lleguen a término los embarazos, pero se posee la capacidad de concepción. La mujer es sólo responsable de una tercera parte de las esterilidades conyugales; menos de otra tercera parte se debe también a la mujer, pero es originada por una enfermedad venérea contagiada, y una última parte es de causa marital, como escasez o alteración de los espermatozoides, impotencia y defectos orgánicos.

En la actualidad, las posibilidades de que las parejas estériles puedan tener un hijo son bastante elevadas. Tanto la fecundación in vitro como la inseminación artificial han hecho posible la maternidad y paternidad a muchas parejas sin descendencia.

Embarazo y parto

La ciencia desvela las grandes posibilidades que tiene la madre para lograr un mejor desarrollo del embrión y del feto, para conseguir un ser más perfecto desde el punto de vista biológico. El conocimiento humano ayuda a la naturaleza para lograr unos individuos más sanos, más capaces y más inteligentes, y probablemente con valores morales más elevados. Los padres participan de forma activa en la formación del hijo esperado, de tal suerte que pueden pensar, pasados los años, que esa corpulencia activa, esa agilidad, incluso esa armonía de músculo y espíritu han sido una conquista propia, consecuencia de los esfuerzos de nueve meses ilusionados y conscientes.

El médico es el especialista que sabe y transmite su saber sobre fisiología, patología y nutrición para lograr el mejor desarrollo del hijo. La asistencia y el consejo médicos durante todo el embarazo son un índice del desarrollo de una sociedad. El médico debe convertirse en el consejero permanente del embarazo y de los primeros años de la vida del bebé.

El proceso de la fecundación

A pesar de que la humanidad siempre ha sentido una natural curiosidad hacia aquellos signos que pudieran orientarle sobre los orígenes de la vida del ser humano, sólo hasta hace unas pocas décadas no se sentaron bases científicas verosímiles sobre la génesis humana. Hasta entonces se derrocharon teorías más o menos pintorescas, que en algunos casos pudieron ser muy aproximadas, pero que en la mayoría la fantasía jugaba un papel predominante.

Actualmente, gracias a las más modernas técnicas de investigación, en las que han contribuido decisivamente los experimentos de fecundación artificial en laboratorio, podemos decir que se conoce con mayor perfección el proceso de la fecundación, el desarrollo del feto durante el embarazo y los mecanismos por los que se desencadena el parto.

Para comprender mejor todo este complejo proceso, debe partirse de unos conocimientos anatómicos suficientes de los órganos genitales masculino y femenino. Sin estos conocimientos sería imposible adentrarse en el estudio del funcionalismo sexual ni comprender las leyes de la transmisión hereditaria.

Morfología genital en el hombre

Los *testículos* son los órganos principales del sistema, ya que su función es la formación de los *espermatozoides* (células germinales masculinas) y la elaboración de las hormonas sexuales masculinas. Tienen forma oval, de unos 3 a 5 cm de longitud, y se hallan alojados en el escroto, que es una formación de piel a modo de bolsa que se encuentra en posición colgante entre los muslos. Se explica esta situación por la temperatura que precisan los espermatozoides para madurar, que ha de ser inferior a la corporal. Si los testículos se hallaran alojados en el interior del abdomen, no sería posible esta maduración, la cual se realiza de modo continuado. El hombre no se halla pues sujeto a ningún tipo de ciclo sexual y está constantemente en disposición de fecundar.

Los espermatozoides maduros tienen una longitud que oscila entre los 0,04 y 0,06 milímetros. Diferencian claramente cabeza, cuerpo y cola. En la cabeza, de forma oval, se albergan los caracteres hereditarios y sustancias químicas que influyen en su movimiento entre el líquido seminal. El cuerpo contiene los elementos impulsores para dicho movimiento y la cola, mediante latiga-

zos, interviene como elemento motriz para el avance del espermatozoide que, como veremos más adelante, es fundamental en el proceso de fecundación.

El sistema excretor del producto seminal está constituido por un conducto denominado *deferente,* que desde los testículos se dirige a la cavidad abdominal, rodea la vejiga urinaria y, atravesando la próstata, va a desembocar en la uretra, que es el conducto excretor de la orina, que se utiliza en su tramo final para las dos funciones, la genital y la urinaria. La *próstata* es la glándula que se encarga de la secreción de un líquido viscoso que, mezclándose con los espermatozoides *(semen),* pasa a la uretra en el momento de la eyaculación.

El *pene,* o miembro viril, aloja en su interior la uretra en su porción extraabdominal. Está formado por los denominados cuerpos cavernosos, auténticos depositarios de sangre, susceptibles de aumentar considerablemente de tamaño y consistencia por la excitación sexual. Uno de estos cuerpos cavernosos, el posterior, que aloja la uretra en su interior, termina en un ensanchamiento redondeado que se conoce como *glande,* y en cuyo centro se encuentra el orificio de la uretra. La piel que recubre el glande dispone de unos corpúsculos sensitivos, que juegan un importante papel en la excitación sexual. La piel que recubre el pene es muy fina y sensible y la parte que envuelve el glande debe ser lo suficientemente retráctil para permitir que éste quede al descubierto durante la erección.

Con la erección, el pene aumenta de tamaño, pasando de sus 16-12 cm en estado de flaccidez a 15-20 cm y se dirige hacia arriba y adelante, lo cual permite una fácil introducción en la vagina de la mujer. Con el orgasmo, culminación del acto sexual, se produce la eyaculación, por la que se deposita el

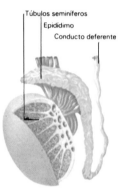

Túbulos seminíferos
Epidídimo
Conducto deferente

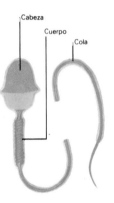

Cabeza
Cuerpo
Cola

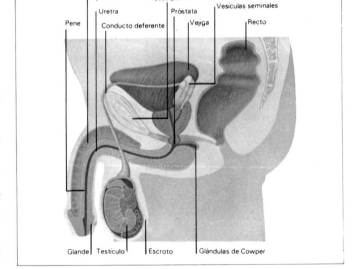

Tejido eréctil — Hueso púbico
Pene — Uretra — Próstata — Vesículas seminales
Conducto deferente — Vejiga — Recto
Glande — Testículo — Escroto — Glándulas de Cowper

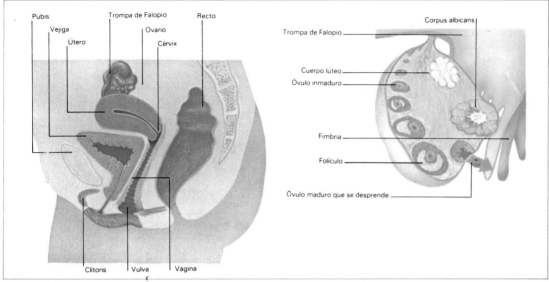

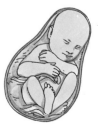

En la mujer, los óvulos se producen en los ovarios y se dirigen a través de las trompas de Falopio al útero, donde se desarrollarán si han sido fecundados (arriba, izquierda).
Los ovarios de una niña contienen miles de óvulos inmaduros (arriba, derecha).
Después de la pubertad, cada mes madura y se desprende un óvulo. La fecundación suele producirse en las fimbrias de las trompas de Falopio.
Los espermatozoides se producen en los túbulos seminíferos del testículo, almacenándose en el epidídimo hasta el coito (izquierda, arriba). El espermatozoide tiene una cabeza con material genético, un «cuerpo» que aporta energía y una cola para moverse (izquierda, centro).
En el varón, el esperma se produce en los testículos (izquierda, abajo).

semen en el fondo de la vagina, a nivel del cuello uterino, y los espermatozoides inician su ascenso por la matriz en busca de un óvulo que fecundar.

Morfología genital en la mujer

Del mismo modo que los testículos son los principales órganos del sistema reproductor masculino, en la mujer, los ovarios o glándulas sexuales femeninas, desempeñan el papel principal para la reproducción. Sin ovarios, la mujer no es fértil, aunque conserve la totalidad de los restantes órganos sexuales.

En el aparato genital femenino debemos distinguir, además, otros órganos que están configurados de forma idónea para la recepción de los espermatozoides (vulva y vagina), para la fecundación (útero y trompas) y para el desarrollo del nuevo ser (útero).

Los *ovarios* se localizan a ambos lados de la cavidad abdominal y en su interior se encuentran miles de folículos, en cuyo centro hay un *óvulo* o célula germinal femenina. Estos folículos sufren un proceso de maduración (gracias a la acción de unas hormonas producidas por la hipófisis, denominadas gonadotropinas) de modo que cada 28 días un folículo alcanza la madurez, se rompe y un óvulo es expulsado fuera del ovario. Este momento es el que conocemos como ovulación. El óvulo es una célula de considerable tamaño, la mayor del organismo, y es portadora de los caracteres hereditarios que transmite la madre. Los restos del folículo, que con su ruptura ha permitido la ovulación, se transforman en el denominado *cuerpo lúteo*,

cuya función es la de producción de hormonas femeninas: en especial la progesterona.

Las *trompas de Falopio* son dos formaciones tubulares que salen de los extremos superiores de la matriz y se dirigen hacia ambos lados, terminando en un ensanchamiento parecido a los pétalos de una flor. Esta forma especial del extremo de las trompas permite el fácil recogida del óvulo en el momento de la ovulación. Desde aquí, el óvulo inicia su recorrido hacia la matriz, favorecido por los movimientos de la trompa, tanto si ha sido fecundado como no.

La *matriz* o *útero* se encuentra en la parte media y baja del abdomen y tiene forma de pera invertida. Su tamaño es de unos 7 cm en circunstancias normales y su peso de unos 30-40 gramos. Sus paredes son muy gruesas, pero están dotadas de una gran elasticidad que, en caso de embarazo, permiten un aumento considerable de sus proporciones, pudiendo llegar a alcanzar 35-36 cm de longitud y cerca de 1.500 gramos de peso. Al mismo tiempo, sus fibras musculares están dotadas de una gran capacidad de contracción para facilitar la expulsión del feto llegado el final del embarazo.

El funcionalismo de la matriz es distinto si el óvulo ha sido fecundado o no. En el primer caso se convierte en receptáculo del huevo gracias a la implantación del mismo en su mucosa (endometrio), que se encuentra debidamente preparada para recibirlo y alimentarlo. El huevo penetra y se hunde en la mucosa uterina, formándose un nido en el que proseguirá su desarrollo, aumentando de volumen con un ritmo de crecimiento que se acelera aún más por el continuo aporte de los principios nutritivos que le llegan por la sangre materna, con la que el huevo establece un íntimo contacto. En caso de que el óvulo no haya resultado fecundado, el endometrio que mensualmente se ha preparado para recibir al huevo, ya no tiene función y se descama bruscamente, dando lugar a la menstruación.

Los genitales externos tienen como misión la recepción del pene masculino y, por tanto, de los espermatozoides. La *vagina* es una cavidad que comunica el útero con el exterior y dispone del tamaño y elasticidad suficientes para albergar el pene durante el coito. Se halla rodeada de una capa muscular que tanto permite la contracción para adaptarse al pene, como la relajación que permita el paso del feto durante el parto.

La parte más externa de la vagina es la *vulva,* que está formada por unos pliegues denominados labios, cuya función es mantenerla cerrada y protegida del exterior. En la unión superior de los labios se encuentra el *clítoris,* que es una especie de pene de diminuto tamaño y juega un papel importante en la excitación sexual al hallarse dotado de unos cuerpos cavernosos susceptibles de entrar en erección.

Ciclo sexual de la mujer

Desde la pubertad hasta la menopausia, la mujer sufre mensualmente una pérdida sanguínea genital conocida como *regla o menstruación.* Entendemos como ciclo sexual de la mujer el tiempo que transcurre entre el primer día de una regla hasta el día anterior de la siguiente. De modo general, este ciclo suele durar 28 días, pero hay variaciones personales, que normalmente deben ser tenidas en cuenta en el momento del embarazo, para fijar la posible duración del mismo. No es corriente que todos los ciclos de una mujer duren exactamente 28 días y suelen existir oscilaciones en el transcurso de la vida sexual.

En el ciclo menstrual hay una participación global de todo el organismo femenino y su objetivo es conseguir que la mujer quede embarazada. Al final de la menstruación, la hipófisis —glándula situada en la base del cráneo— segrega unas hormonas, las gonadotropinas, que estimulan la maduración de un folículo ovárico, hasta conseguir la ovulación. El folículo, a su vez, produce una hormona llamada foliculina, que actúa sobre la mucosa que recubre la parte interna del útero, de modo que prolifere para su reconstrucción postmenstrual. Una vez ha tenido lugar la ovulación, en una fecha correspondiente al día medio del ciclo (del 13° al 15°), el cuerpo lúteo mantiene la secreción de foliculina y además otra hormona, la progesterona, que también actúa sobre la mucosa uterina para que esté en condiciones óptimas para recibir un posible óvulo fecundado. Si la fecundación no tiene lugar, todo este proceso resulta inútil y al llegar al día 28° del ciclo se produce la menstruación, con descamación de todo el endometrio. Al final de la

menstruación, la hipófisis entra de nuevo en actividad y se inicia un nuevo ciclo, con la estimulación de un nuevo folículo.

Control del ciclo sexual

La mujer puede llevar un control de este ciclo con la determinación de la temperatura basal. Se trata de una medición de la temperatura rectal por la mañana, justo en el momento de despertarse, antes de iniciar cualquier actividad, como levantarse, sentarse en la cama, comer o beber, tener relaciones sexuales, etc. Se coloca el termómetro en el recto durante 3-5 minutos y se lee a continuación, anotándolo convenientemente. Durante los días correspondientes a la regla, la temperatura desciende paulatinamente de 37° a 36,5°. Esta temperatura se mantiene estable hasta el 14-15 días del ciclo, momento en que experimenta un aumento, coincidiendo con la ovulación. En el día 17 se alcanzan de nuevo los 37°, que deben mantenerse inamovibles hasta el final del ciclo.

Sobre la gráfica efectuada con estas temperaturas se pueden establecer los períodos de esterilidad y fecundidad, que pueden concretarse así: del 1.° al 8.° día, período estéril, del 9.° al 18.°, período de fecundidad, del 19.° al 28.° nuevamente período estéril. En estos datos se basa el método Ogino del control de la natalidad, pero también resulta útil para determinar el momento de mayor fecundidad que es el que coincide con la ovulación, período óptimo para que una relación sexual pueda suponer un embarazo. Este sistema de control de la natalidad y paternidad responsable, tiene indudables fallos, generalmente debidos a ovulaciones espontáneas fuera de la fecha correspondiente.

La fecundación

Como hemos visto anteriormente, el momento óptimo para la fecundación es el que coincide con la ovulación, que ocurre aproximadamente en la mitad del ciclo. Entre los días 9.° al 18.° es cuando existen mayores probabilidades de que una mujer quede embarazada, tras unas relaciones sexuales normales, pero si los ciclos son anormalmente cortos o largos, este período debe fijarse entre los tres o cuatro precedentes y posteriores al día medio del ciclo. No obstante, la experiencia ha demostrado la posibilidad de fecundación en fechas lejanas de las consideradas como óptimas. Son muchos los factores que concurren en el proceso de fecundación, y para que ésta tenga lugar debe existir una perfecta armonía entre ellos.

La fecundación consiste en la toma de contacto y consiguiente penetración del espermatozoide en el óvulo. Ello tiene lugar en la trompa de Falopio, mientras el óvulo efectúa

La hipófisis es una glándula pequeña, del tamaño de una nuez, situada debajo del cerebro. Es una especie de computadora central que programa cada una de las glándulas del cuerpo y controla sus diversas glándulas «dependientes», especialmente los ovarios. Segrega hormonas que ordenan al ovario cuándo tiene que desarrollar y expulsar óvulos, y también cuándo tiene que producir progesterona.

Hipófisis

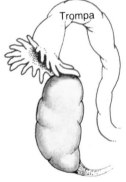

Trompa

Ovario

su recorrido hacia la matriz. Se calcula que el óvulo es apto para ser fecundado dentro de las 12 horas siguientes a su salida del ovario, momento a partir del cual empieza a perder su vitalidad y muere dentro de las 48 horas siguientes, desintegrándose y siendo expulsado, en el momento de la regla, conjuntamente con los residuos del endometrio. Si durante las horas que siguen a la ovulación tienen lugar relaciones sexuales, los espermatozoides, dotados del sistema propulsor que les es propio, ascienden por la matriz y se introducen en las trompas, donde entran en contacto con el óvulo. Existe la posibilidad de que los espermatozoides se encuentren ya en la trompa esperando al óvulo, con capacidad para fecundarlo, si proceden de unas relaciones anteriores a la ovulación, pero debe tenerse en cuenta que, en este medio, la vida de estas células no sobrepasa las 48-72 horas. Aunque el número de espermatozoides que llega a las trompas es muy elevado, sólo uno de ellos logra penetrar en el óvulo, pues una vez producida la impregnación, los demás resultan rechazados. Parece ser que en la superficie esférica del óvulo existe algún punto donde la penetración es más fácil, y cuando uno de los espermatozoides logra encontrarlo, se producen unas modificaciones en la membrana que impiden la penetración de los demás. Del espermatozoide fecundante sólo penetra la cabeza, portadora de los caracteres hereditarios mientras que el cuerpo y la cola quedan fuera. Los otros millones de espermatozoides (en cada eyaculación se depositan de 200 a 500 millones en los genitales femeninos) resultan destruidos, bien en la vagina, en el útero o en las trompas.

Una vez se ha producido la impregnación del óvulo, los núcleos de ambas células germinales se fusionan y se efectúa con ello la unión de los caracteres hereditarios de que son portadoras. Éstos se encuentran en los *cromosomas,* que son unos elementos que se encuentran en el núcleo de la célula. Toda especie animal tiene un número par de cromosomas que les es característico. Las células humanas poseen, invariablemente, 46 cromosomas, excepto el óvulo y el espermatozoide, que poseen 23. Ello es debido a que si poseyeran 46, en la fecundación, la nueva célula formada tendría 92 cromosomas y cada vez que hubiera una fecundación el número se duplicaría. Para que la especie pueda conservar su dotación cromosómica constante, durante la maduración de las células sexuales tiene lugar una escisión cromosómica, con reducción a la mitad de su número.

Uno de los 23 cromosomas de que está dotado el núcleo del óvulo y del espermatozoide es el portador del carácter sexual, denominándose cromosoma X para el sexo femenino y cromosoma Y para el masculino. En la dotación cromosómica completa, la hembra posee dos cromosomas sexuales X y los varones un cromosoma X y otro Y. Al producirse la escisión, durante la fase de maduración, los óvulos resultantes poseerán siempre un cromosoma X, pero en cambio, los espermatozoides podrán poseer un cromosoma X, la mitad de ellos, y un cromosoma Y la otra mitad.

Cuando tiene lugar la fecundación, si el espermatozoide fecundante lleva el cromosoma Y, al unirse con el cromosoma X del

Dibujo esquemático representando la actividad de las hormonas gonadotropina coriónica, progesterona y estrógeno durante la gestación. Las hormonas regulan el ciclo menstrual. El óvulo madura bajo la influencia de la hormona foliculoestimulante, los estrógenos desarrollan la mucosa del útero y la hormona luteinizante controla la liberación del óvulo. La progesterona completa la mucosa del útero. Si el óvulo no es fecundado, cesa la secreción de hormonas y se produce la menstruación. En cambio, si es fecundado, el óvulo se divide formando una masa de células. Se implanta en la mucosa uterina una semana después de la fecundación. Una vez en el útero se desarrolla.

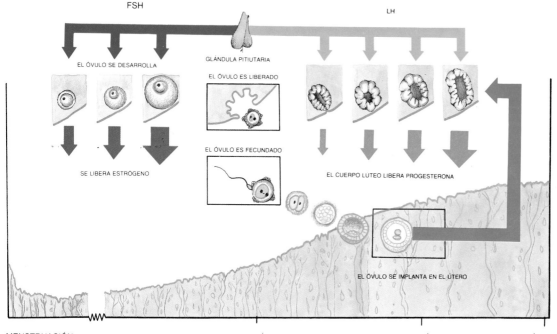

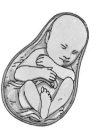

Feto dentro de la cavidad amniótica.

El método de la temperatura basal se utiliza para calcular el día de la ovulación, ya que cuando ésta se produce se registran variaciones mínimas de temperatura, apreciables en el recto o en la vagina.

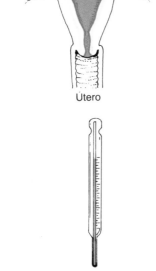

Útero

Temperatura

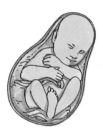

óvulo, darán lugar a un varón (XY), pero si lleva el cromosoma X, el nuevo ser formado será una hembra (XX).

Una vez efectuada la fusión de los núcleos con toda su dotación cromosómica, el óvulo fecundado recibe el nombre de *huevo*, e inicia un lento viaje hacia el útero, que durará aproximadamente tres o cuatro días, nutriéndose de las sustancias que contiene y que han ido acumulándose en su interior durante la fase de maduración ovárica.

Llegada del huevo al útero

Cuando el huevo llega a la cavidad uterina, se encuentra con una mucosa de revestimiento (endometrio), espesa, turgente y preparada para acogerlo y alimentarlo. El huevo penetra profundamente en esta mucosa, sumergiéndose totalmente en la misma y entrando en contacto rápidamente con la red vascular de la matriz, gracias a lo que inicia la recepción nutritiva de la madre, que le permite su desarrollo.

Durante los días que dura el recorrido por la trompa y en el momento de la anidación en la mucosa uterina, ya se han producido importantes cambios en la estructura del huevo. Inmediatamente después de la fusión de los dos núcleos, la nueva célula formada inicia su división en progresión geométrica. Gracias a las sucesivas divisiones de las células formadas, llega a convertirse en un conglomerado esférico de células cada vez más pequeñas que, por su parecido a una mora, recibe el nombre de *mórula*.

En el momento de producirse la anidación, se forman en el interior de la mórula dos cavidades, separadas por un grupo de células que se conocen como el disco embrionario, constituido por tres capas, a partir de cada una de las cuales se formará un grupo de órganos del embrión. Una de las cavidades aumentará rápidamente de tamaño, englobando al pequeño embrión y constituyendo la *cavidad amniótica*, que se reviste de una membrana sutil y transparente, el amnios, donde el embrión se verá contenido hasta el fin de la gravidez. El amnios contiene un líquido, el líquido amniótico, que es el medio donde se desarrolla el feto, y tendrá un volumen considerable en el momento del parto (600-800 c.c.).

Mientras tanto, el ovario no ha permanecido inactivo. Después de la ovulación, el cuerpo lúteo segrega activamente la hormona *progesterona*, cuya función primordial consiste en enriquecer la mucosa uterina para recibir y alimentar el huevo fecundado. En cierto sentido esta actividad es comparable a la preparación de una casa (la matriz) para recibir a un huésped distinguido (el huevo). Si el invitado no llega (si el óvulo no resulta fecundado), todos los preparativos se habrán efectuado en vano. Todos los enseres de la casa son recogidos y suprimidos (la menstruación). Con la fecundación, el invitado llega y toda la preparación ha sido útil.

Diagnóstico del embarazo

La primera señal que puede hacer sospechar a una mujer que se encuentra encinta es la falta de menstruación. Un retraso de diez días de la fecha en que debería haberse presentado una regla, en una mujer con ciclos normales y regulares, con antecedente de coito dentro del ciclo anterior, debe hacer sospechar una gestación. Si transcurre un ciclo completo y la nueva regla tampoco se presenta, puede tenerse casi la certeza de que ha tenido lugar un embarazo.

Ante la ausencia de menstruación, debe acudirse a la consulta del tocólogo para que dictamine si se trata de un embarazo, un trastorno de tipo hormonal o una enfermedad general, aunque en estos casos la ausencia de regla no suele ser brusca sino ir precedida de otros retrasos o ausencias menstruales.

Las pruebas de laboratorio suelen ser concluyentes si no se realizan muy precozmente. Muchas madres, ante la ilusión de tener un bebé, suelen solicitar pruebas de embarazo tan precozmente que reciben disgustos innecesarios, pues un análisis que de entrada resulta negativo, puede ser positivo pocos días más tarde. Todas las pruebas se basan en la presencia en la sangre y orina de la embarazada de una hormona segregada por la incipiente placenta, la gonadotropina coriónica. La famosa prueba del Galli-Mainini, que se efectúa por inyección de orina de la presunta embarazada en una rana macho, actualmente está siendo sustituida por tests inmunológicos que son más sensibles y rápidos en sus resultados.

De todos modos, a veces el médico sospecha el embarazo antes de realizar los exámenes de laboratorio, gracias a otros síntomas y manifestaciones. La misma embarazada, cuando no se trata de una primera gestación, es capaz de sospecharla antes de la falta de la regla. Estas manifestaciones son: aumento del sueño, mayor fatigabilidad, tensión y aumento de tamaño de los pechos, percepción exagerada de malos olores, ligera depresión psíquica, pero lo más frecuente y evidente es la aparición de inapetencia, salivación, náuseas y vómitos. Normalmente los vómitos se presentan por la mañana, al levantarse, pero en algunas mujeres pueden persistir durante todo el día, llegando a afectar el estado general y provocar un ligero adelgazamiento.

Calendario del embarazo

En cuanto la mujer sabe que está encinta, su primera preocupación es determinar la fecha probable de nacimiento del bebé. Resulta muy difícil poder predecir el día del parto de una forma exacta, porque son muchos los factores que inciden en el embarazo.

De todos modos, en la primera visita al tocólogo suele hacerse una previsión aproximada de la fecha en que podrá tener lugar el importante acontecimiento.

La norma común es considerar que el parto tendrá lugar 280 días después de la concepción. Estos 280 días corresponden a 10 meses lunares de 4 semanas cada uno (un ciclo sexual equivale a un mes lunar) o sea 40 semanas. Los 9 meses reales contienen, en efecto, 10 ciclos normales. Si la mujer tiene ciclos regulares, es posible que surjan variaciones en la duración del embarazo, por lo tanto, siempre es interesante tener en cuenta los días que normalmente transcurren entre regla y regla, a la hora de calcular la duración del embarazo.

Como en la mayoría de ocasiones no es posible saber con exactitud el día correspondiente a la concepción, se calcula la fecha probable del parto sobre el calendario, descontando tres meses reales a la fecha del primer día de la última regla y añadiendo de siete a diez días. Pongamos un ejemplo: el primer día de la última regla fue el 8 de julio; descontando tres meses, tenemos el 8 de abril. La fecha probable del parto será el 15 de abril del año siguiente. De todos modos resultará más útil consultar el calendario adjunto, donde, bajo la cifra indicativa del primer día de la última regla, se encuentra la fecha probable del parto.

Evolución del embarazo

Durante la gestación, la mujer sufre una serie de pequeñas molestias que generalmente no tienen gran trascendencia ni justifican que el embarazo sea considerado como una enfermedad. El embarazo es un estado normal y fisiológico de la mujer y los trastornos que en él puedan aparecer son manifestación de hechos fisiológicos del organismo femenino. La actitud de la futura madre ante estas molestias cobra una gran importancia para la evolución del embarazo. La gestante que está constantemente pendiente de su estado, de los vómitos matutinos, de los mareos y palpitaciones, sufrirá más que aquella que, aun experimentando idénticas molestias, sabe distraerse y resta importancia a las mismas. En muchas ocasiones, los trastornos que acompañan al embarazo tienen un importante componente psíquico y se compensan más fácilmente con un régimen de vida sano, con agradable distracción o realizando un trabajo moderado, que recurriendo a una extensa e intensa farmacopea. Debe pensarse que estos trastornos son un hecho natural de la gravidez y que se sufrirán igualmente si la mujer se queda en cama, rehusando realizar una vida normal. Los mareos, vómitos, repugnancia a ciertos alimentos o irresistibles deseos de otros, el sueño soporífero, se presentan casi constantemente durante los tres primeros meses, con mayor o menor intensidad. Asimismo, no es raro que la mujer acostumbrada al tabaco, deje de fumar durante este tiempo, e igualmente sienta aversión hacia algunas bebidas, como café, alcohol, etc.

Entre estos trastornos destacan en gran manera las náuseas y vómitos matutinos, por su mayor espectacularidad. Solamente en caso de una intensidad tal que provoque adelgazamiento de la embarazada, deben ser tenidos seriamente en cuenta, siendo entonces indispensable la consulta al médico. En los demás casos, bastará con seguir un régimen sano, no comer excesivamente, prescindir del café, té y tabaco, no abusando de las bebidas durante las comidas, recurriendo en todo caso al agua mineral, que resulta más digestiva. Los molestos mareos matutinos se

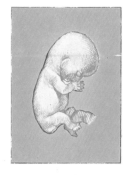

Hacia el final del cuarto mes, el feto presenta movimientos, aunque la madre puede tardar bastante tiempo en notarlos; por lo general, las multíparas, mujeres que han tenido ya varios hijos, notan estos movimientos antes que las nulíparas, mujeres que tienen su primer embarazo.

CALENDARIO DE EMBARAZO																															
Ene.	1	2	3	4	5	6	7	8	9	10	11	12	13	14	15	16	17	18	19	20	21	22	23	24	25	26	27	28	29	30	31
Oct.	8	9	10	11	12	13	14	15	16	17	18	19	20	21	22	23	24	25	26	27	28	29	30	31	1	2	3	4	5	6	7	Nov.
Febr.	1	2	3	4	5	6	7	8	9	10	11	12	13	14	15	16	17	18	19	20	21	22	23	24	25	26	27	28			
Nov.	8	9	10	11	12	13	14	15	16	17	18	19	20	21	22	23	24	25	26	27	28	29	30	1	2	3	4	5			Dic.
Mar.	1	2	3	4	5	6	7	8	9	10	11	12	13	14	15	16	17	18	19	20	21	22	23	24	25	26	27	28	29	30	31
Dic.	6	7	8	9	10	11	12	13	14	15	16	17	18	19	20	21	22	23	24	25	26	27	28	29	30	1	2	3	4	5	Ene.
Abril	1	2	3	4	5	6	7	8	9	10	11	12	13	14	15	16	17	18	19	20	21	22	23	24	25	26	27	28	29	30	
Ener.	6	7	8	9	10	11	12	13	14	15	16	17	18	19	20	20	21	22	23	24	25	26	27	28	29	30	1	2	3	4	Feb.
Mayo	1	2	3	4	5	6	7	8	9	10	11	12	13	14	15	16	17	18	19	20	21	22	23	24	25	26	27	28	29	30	31
Febr.	5	6	7	8	9	10	11	12	13	14	15	16	17	18	19	23	24	25	26	27	28	29	30	31	1	2	3	4	5	6	7	Mar.
Junio	1	2	3	4	5	6	7	8	9	10	11	12	13	14	15	16	17	18	19	20	21	22	23	24	25	26	27	28	29	30	
Marzo	8	9	10	11	12	13	14	15	16	17	18	19	20	21	22	23	24	25	26	27	28	29	30	31	1	2	3	4	5	6	Abril
Julio	1	2	3	4	5	6	7	8	9	10	11	12	13	14	15	16	17	18	19	20	21	22	23	24	25	26	27	28	29	30	31
Abril	7	8	9	10	11	12	13	14	15	16	17	18	19	20	21	23	24	25	26	27	28	29	30	31	1	2	3	4	5	6	7	Mayo
Agos.	1	2	3	4	5	6	7	8	9	10	11	12	13	14	15	16	17	18	19	20	21	22	23	24	25	26	27	28	29	30	31
Mayo	8	9	10	11	12	13	14	15	16	17	18	19	20	21	22	23	24	25	26	27	28	29	30	31	1	2	3	4	5	6	7	Junio
Sept.	1	2	3	4	5	6	7	8	9	10	11	12	13	14	15	16	17	18	19	20	21	22	23	24	25	26	27	28	29	30	
Junio	8	9	10	11	12	13	14	15	16	17	18	19	20	21	22	23	24	25	26	27	28	29	30	1	2	3	4	5	6	7	Julio
Oct.	1	2	3	4	5	6	7	8	9	10	11	12	13	14	15	16	17	18	19	20	21	22	23	24	25	26	27	28	29	30	31
Julio	8	9	10	11	12	13	14	15	16	17	18	19	20	21	22	23	24	25	26	27	28	29	30	1	2	3	4	5	6	7	Agos.
Nov.	1	2	3	4	5	6	7	8	9	10	11	12	13	14	15	16	17	18	19	20	21	22	23	24	25	26	27	28	29	30	
Agos.	8	9	10	11	12	13	14	15	16	17	18	19	20	21	22	23	24	25	26	27	28	29	30	31	1	2	3	4	5	6	Sept.
Dic.	1	2	3	4	5	6	7	8	9	10	11	12	13	14	15	16	17	18	19	20	21	22	23	24	25	26	27	28	29	30	31
Sept.	7	8	9	10	11	12	13	14	15	16	17	18	19	20	21	23	24	25	26	27	28	29	30	31	1	2	3	4	5	6	7	Oct.

evitarán muchas veces con la simple medida de desayunar en la cama antes de levantarse. Existen además algunos productos farmacéuticos que, administrados con prudencia y bajo control médico, pueden evitar o disminuir estas molestias.

Los vértigos, las palpitaciones y la hipotensión, suelen ser de origen nervioso y tienen escasa importancia. La causa radica en que el estómago, el hígado y el sistema nervioso, encuentran difícil adaptarse a la nueva situación. Para evitar estos trastornos, lo ideal es relajarse algunas veces durante el día y no pensar demasiado en ello.

Los últimos seis meses

A partir del cuarto o quinto mes de gestación, muchas embarazadas dejan de sentir las molestias citadas y, en cambio, puede aparecer un cierto incremento del apetito. Este bienestar general coincide con un franco aumento del vientre, pues el útero crece rápidamente de tamaño y hacia el final del 4.º mes puede percibirse por palpación en la parte inferior del abdomen. A partir de este momento, el ritmo de crecimiento es más aparente, de tal forma que, hacia el sexto mes, su situación corresponde al ombligo y al noveno mes llega ya a las costillas. En su crecimiento, el útero desplaza los órganos abdominales hacia atrás, los cuales se distienden considerablemente para conseguirlo. El intestino se vuelve a veces tan laxo que puede aparecer un estreñimiento exagerado. No es recomendable, en este caso, recurrir a cualquier tipo de laxante sin consultar previamente al tocólogo, pues alguno de estos productos puede resultar excesivamente irritante y su reiterada utilización podría acarrear algún trastorno. Muchas veces, una dieta con abundancia de verduras puede solucionar el problema. Los órganos urinarios también resultan afectados y se produce una emisión de orina frecuente y lenta. Los músculos de la pared abdominal también se relajarán para permitir la ocupación de un mayor espacio por parte del útero grávido. Pero además puede sobrevenir una distensión pasiva de la piel que dé lugar a una aparición de estrías cutáneas, localizadas preferentemente en la parte alta del abdomen y en las caderas. Estas estrías aparecen más frecuentemente en el último tercio del embarazo y pueden persistir después del parto.

Se inician los movimientos fetales a partir del cuarto mes, haciéndose más evidentes durante el quinto mes de gestación. Estos movimientos producen una sensación de oleada (el feto pone en movimiento el líquido amniótico) al principio, para ser más manifiestos al final del sexto mes, cuando el útero alcanza el ombligo.

El aumento de tamaño del útero es también responsable de la aparición de varices en las gestantes, con una deficiente circulación venosa, pues oprime las venas encargadas de recoger la sangre que proviene de las

piernas, con lo que ésta se remansa en las extremidades inferiores, favoreciendo la dilatación de las pequeñas venitas. Cuando ello ocurre, debe evitarse al máximo pasar mucho tiempo de pie sin moverse. En cambio, resulta muy beneficioso andar un poco cada día, ya que el ejercicio activa la circulación de las piernas. Durante el día, si se comprueba que los pies se hinchan se procurará descansar unos minutos sentada, con las piernas sobre una silla, y por las noches se dormirá con una almohada bajo los pies.

Los calambres en las extremidades inferiores, tampoco tienen gran importancia, aunque pueden ser muy dolorosos. También son debidos al aumento de tamaño de la matriz, que puede comprimir algún tronco nervioso, y a la deficiente circulación sanguínea. La utilización de una buena faja de maternidad y tacones no muy altos en los zapatos, ayudarán a evitarlos. Si, a pesar de ello, aparecen, pueden aliviarse mediante un ligero masaje, o bien andando un rato sin zapatos, con lo que se relajan los músculos contraídos.

Es muy corriente que durante el embarazo se presente una anemia que no suele ser grave. En cambio, al final del embarazo la cantidad total de sangre de la gestante puede haber aumentado en cerca de un litro. Ello explica lo bien que normalmente soportan las pérdidas sanguíneas del parto las mujeres que, en otras circunstancias, acusarían notablemente la pérdida de cantidades similares.

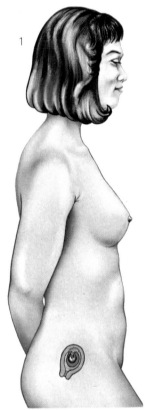
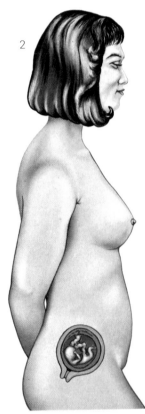

Cinco estadios del desarrollo del feto durante los nueve meses en el útero materno. A las 4 semanas, el corazón del feto se ha desarrollado, y en la 8ª ya tiene casi todos los órganos. A partir de la 12ª, las mamas de la madre aumentan y el abdomen se ensancha. A

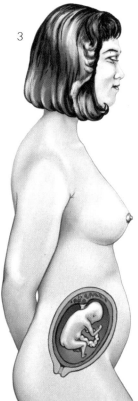
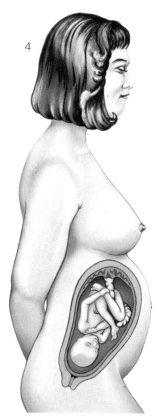

las 28 semanas, el feto suele quedarse en posición fija, con la cabeza hacia abajo. El útero sigue aumentando de tamaño hasta unas dos semanas antes del parto. En este momento del embarazo, la mujer puede sentir contracciones ocasionales irregulares, pero firmes, del útero.

Cuando al séptimo u octavo mes el útero alcanza el nivel de las costillas inferiores, puede presentarse dificultad para respirar. Nada puede hacerse para evitarlo, sino esperar pacientemente que llegue el último mes de embarazo, en el que el nivel superior de la matriz desciende porque el feto encaja su cabeza en la pelvis materna, en posición de salida. Durante el tiempo en que existan dificultades respiratorias, es recomendable no efectuar esfuerzos físicos fatigantes: subir escaleras demasiado altas, agacharse, etc.

La leucorrea o emisión de flujo blanco es frecuente también en la embarazada y no suele tener ninguna importancia, si no es excesivamente abundante, maloliente o se acompaña de otras molestias, como escozor. Pero es preferible consultar al tocólogo.

A partir del sexto mes ya es muy frecuente el dolor en la región lumbar («dolor de riñones») ocasionado por el arqueamiento a que se ve sometida la columna vertebral a nivel de la parte baja de la espalda, para contrarrestar el balanceo que hacia adelante provoca el voluminoso vientre. Asimismo, la vejiga urinaria sufre una compresión por la matriz que le impide una total distensión, con lo que se siente frecuente necesidad de orinar, aunque en cada ocasión es poca la cantidad que se elimina. Si durante esta época se aprecian molestias al orinar o fiebre, debe consultarse al médico, pues son frecuentes las infecciones urinarias en el curso del embarazo.

Durante el último mes de embarazo puede aparecer insomnio por el dolor de espalda, por la intensificación de los movimientos fetales y por el natural nerviosismo.

Orientación médica durante el embarazo

Como estado fisiológico que es, el embarazo transcurre felizmente en la mayor parte de las ocasiones y a buena parte de las embarazadas les proporciona, del principio al fin, una agradable sensación de bienestar que incluso puede inducirle a prescindir de todo control médico.

Desde la primera sospecha de embarazo, la mujer debe acudir a la consulta del tocólogo, quien es la persona idónea para llevar a cabo las medidas preventivas encaminadas a conseguir un embarazo normal y acompañar a la gestante en el trascendental momento del parto. Muchos de los problemas que aparecen durante el parto son previsibles, pero sin el previo control obstétrico pocos podrían ser evitados. Es aconsejable realizar visitas mensuales al tocólogo durante los dos primeros tercios de la gestación y, a partir del 8.º mes, acudir a su consulta cada quince días.

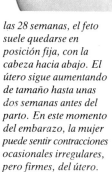

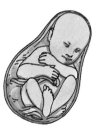

La futura madre debe conocer desde muy pronto en qué condiciones transcurrirá su embarazo, especialmente en cuanto a su salud, régimen de vida, higiene, alimentación, trabajo, viajes, vestuario, etc. y al mismo tiempo llevará un control riguroso de las modificaciones y cambios que sufrirá su organismo durante la gestación, así como una vigilancia estricta de los trastornos que puedan aparecer durante la misma.

Se realizarán periódicos exámenes de orina, encaminados a detectar la posible presencia de albúmina en la misma, hecho indicativo del funcionalismo del riñón durante el embarazo. El estudio del sedimento urinario proporcionará asimismo un precoz diagnóstico de las infecciones urinarias que podrían interferir la buena marcha de la gestación. Los análisis de sangre proporcionarán datos sobre posibles infecciones que cursen solapadamente y serán útiles asimismo para detectar la anemia que, con frecuencia, se presenta durante la gestación. Al mismo tiempo es muy importante el control de la glucemia (azúcar en sangre) y del grupo sanguíneo y Rh, por la importancia que su papel juega para la descendencia.

Hay una serie de pequeños trastornos que podríamos denominar como «signos de alarma», que deben ser comunicados al médico:
–pérdidas de sangre por vía vaginal
–pérdida brusca de líquido por la vagina
–hinchazón de las piernas, manos y cara
–dolores abdominales interminentes
–dolor de cabeza persistente
–visión borrosa
–ausencia de movimientos fetales
–aumento o pérdida brusca de peso
–aparición de fiebre

Estos signos pueden tener una importancia variable según los casos y siempre debe ser el médico quien los valore.

La visita obstétrica en la fase final del embarazo permite al tocólogo comprobar el estado del feto, su situación, posición y presentación y asimismo una orientación sobre forma en que se realizará el inminente parto. Cuando el embarazo se prolonga más allá de las fechas previstas según el día de la última regla, los controles deben aumentar a ritmo diario, si es necesario, para determinar las causas de la demora y tomar determinaciones oportunas para desencadenar un parto dirigido que proporcione un mayor margen de seguridad a la madre y al niño.

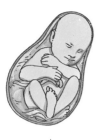

La incompatibilidad Rh

Uno de los factores que más trascendencia suele adquirir durante el embarazo, es el de una posible incompatibilidad del Rh sanguíneo, que a veces puede ocasionar graves consecuencias para el recién nacido. Este problema, desde el descubrimiento del factor Rh hasta la actual utilización de la gammaglobu-lina anti-Rh como medida preventiva, ha sido objeto de rápidas y fecundas investigaciones, pudiéndose considerar que, en la actualidad, ha dejado de ser un problema, salvo para aquellas mujeres que resultaron sensibilizadas en la fase previa al descubrimiento de la citada gammaglobulina. A pesar de todo, consideramos que vale la pena hacer un amplio comentario porque, a pesar de su difusión, muchos aspectos no están suficientemente claros y sería verdaderamente lamentable que no se evitaran serios trastornos por ignorancia.

Los grupos sanguíneos

La sangre está compuesta por la mezcla de una parte sólida, los glóbulos, y otra líquida, el plasma. Hace ya muchos años, a un austríaco, llamado Landsteiner, se le ocurrió mezclar plasma de unos individuos con glóbulos procedentes de otros y observó que, en algunas ocasiones, se formaba una sangre normal y en otras, en cambio, no podía formarse porque los glóbulos se apelotonaban, es decir se aglutinaban. Esto explicó el que muchas personas murieran al serle trasfundida sangre de otros individuos, pues lo mismo que sucedía en el tubo de ensayo ocurría en el organismo. Es decir si se inyectaba una sangre incompatible con la que poseía aquel individuo, se producía una aglutinación de sus glóbulos, que dejaban así de cumplir su misión indispensable para la vida. De esta forma se descubrieron los grupos sanguíneos, que son cuatro: A, B, AB, O.

La aglutinación es la respuesta al enfrentamiento entre dos sustancias, los antígenos, contenidos en los glóbulos, y los anticuerpos, que se encuentran en el plasma. Cada grupo sanguíneo posee un tipo determinado de estas sustancias:

Grupo A: En los glóbulos, antígeno A
En el plasma, anticuerpos anti-B
Grupo B: En los glóbulos, antígeno B
En el plasma, anticuerpos anti-A
Grupo AB: En los glóbulos, antígenos A y B
En el plasma, no se encuentran anticuerpos
Grupo O: En los glóbulos, no hay antígenos
En el plasma, anticuerpos anti-A y anti-B

Si se enfrentan glóbulos del grupo A, por ejemplo, con sangre del grupo B, en cuyo plasma hay anticuerpos anti-A, como ocurre en el caso de una transfusión, tendrá lugar una aglutinación. Estas sangres, son, pues, incompatibles. Lo mismo ocurrirá con otros enfrentamientos de distinto signo. En el esquema adjunto puede apreciarse que, en una transfusión, podrá darse sangre del grupo O a individuos del mismo grupo y a todos los demás, pues sus glóbulos no contienen antígenos. Los glóbulos del grupo A podrán ser trasfundidos al propio grupo A y al grupo AB; los del grupo B al mismo grupo B y al

AB, mientras que éstos sólo podrán transfundirse a individuos que pertenezcan al mismo grupo.

O	anti A anti B	A	anti B
B	anti A	AB	

De todos modos, se observó que, en ocasiones, aparecían accidentes transfusionales a pesar de utilizar grupos compatibles, lo cual venía a suponer que debían existir otras incompatibilidades independientes de los grupos ya conocidos. Los estudios efectuados para esclarecer este problema llegaron al descubrimiento del factor Rh y su participación en la enfermedad que podían padecer algunos recién nacidos y que era conocida como eritroblastosis fetal.

El factor Rh

En el año 1940, Wiener, discípulo de Landsteiner, profundizando en el tema de las incompatibilidades sanguíneas, descubrió el factor Rh. Observó que la mayoría de las personas, aproximadamente el 85% de la población mundial, presentan en sus glóbulos, además del antígeno A, B, AB, o ninguno como en el grupo O, otro antígeno de distinta naturaleza al que se llamó Rh. El 15% de la población, en cambio, no lo posee, pero tampoco posee, en principio, en su plasma, ningún anticuerpo dirigido contra este antígeno.

A los individuos que poseen el antígeno Rh en sus glóbulos se les llama Rh positivos, y a los que no lo poseen, Rh negativos.

Si un individuo Rh positivo recibe sangre de un individuo Rh negativo, no ocurre ningún accidente, pues no posee ningún anticuerpo ni tampoco recibe ningún antígeno. Cuando, por el contrario, un individuo Rh negativo recibe sangre de otro que es Rh positivo, tampoco ocurre nada pues no posee tampoco ningún anticuerpo que reaccione frente al antígeno Rh de los glóbulos transfundidos, pero en cambio, esta transfusión actúa como un estímulo que hace que se fabriquen en el organismo receptor anticuerpos contra el antígeno extraño que ha sido transfundido, o sea que el receptor queda sensibilizado y, en caso de realizarse una nueva transfusión con sangre Rh positiva, como posee ya anticuerpos que aglutinan los glóbulos transfundidos, puede sobrevenir el accidente y la muerte del individuo, siempre que se hubieran fabricado anticuerpos en gran cantidad. La respuesta de una persona Rh negativa frente a una transfusión de sangre Rh positiva no siempre es igualmente intensa, dependiendo de la cantidad de anticuerpos que se hubieran fabricado previamente.

Cuando una mujer Rh negativa espera un hijo que por razones hereditarias es Rh positivo, se establece a nivel de la placenta un intercambio, de modo que glóbulos del feto pasan a la circulación materna y son capaces de provocar la síntesis de anticuerpos anti Rh, los cuales, a través de la placenta, se incorporan a la circulación fetal, provocando una paulatina destrucción de glóbulos rojos con la consiguinte anemia e ictericia. El problema, pues, sólo se presenta cuando la madre Rh negativa espera un hijo que resulta ser Rh positivo. Las posibilidades de que una madre Rh negativa espere un hijo de signo contrario, dependen exclusivamente de las leyes genéticas. Para una mejor comprensión, podemos decir que el factor Rh consta en cada individuo de dos signos, uno heredado del padre y otro de la madre. El signo positivo es dominante, de modo que un individuo que ha heredado un signo positivo y otro negativo actúa como Rh positivo, del mismo modo que si ha recibido dos signos positivos. En cambio, si ha recibido los dos signos negativos es Rh negativo. De estos signos sólo se transmite uno de ellos, que unido al del cónyuge, caracterizarán el Rh del hijo. Dado que el problema de incompatibilidad sólo surge cuando la madre es Rh negativa y el hijo Rh positivo, vamos a ver las posibilidades hereditarias según sea el tipo Rh del padre. Si el padre es Rh positivo, poseedor de dos signos positivos (los abuelos eran ambos positivos), se producirá este tipo de transmisión genética:

Todos los hijos seran Rh positivos.

Cuando el padre es Rh positivo, pero poseedor de un signo positivo y otro negativo, el proceso hereditario nos dará un 50% de hijos Rh positivos y un 50% de Rh negativos.

Si ambos cónyuges son Rh negativos, por tanto poseedores de dos signos negativos cada uno, todos los hijos del matrimonio serán Rh negativos y nunca podrá haber problema de incompatibilidad sanguínea.

En el caso de un matrimonio en el que el varón es Rh positivo y la mujer negativa, al quedar ésta embarazada por primera vez, si el feto es Rh negativo, no ocurre ningún problema, pero si es positivo, la madre puede quedar sensibilizada por la fabricación de anticuerpos anti Rh. El feto de momento no sufre trastorno alguno, pues la sensibilización tiene lugar hacia el final del embarazo, cuando la cantidad de glóbulos fetales que pueden atravesar la placenta es mayor, en relación directa a la mayor cantidad de

Años atrás, la llamada incompatibilidad Rh ocasionaba a menudo el nacimiento de niños gravemente anémicos o ictéricos. A veces su sangre tenía que ser sustituida mediante transfusión poco después del nacimiento, y muchos neonatos morían. Actualmente, en los hospitales, todas las madres Rh negativo reciben una inyección de anticuerpos Rh al final del parto o de un aborto. Ello las desensibiliza y protege contra los anticuerpos que podrían ser peligrosos en un posterior embarazo.

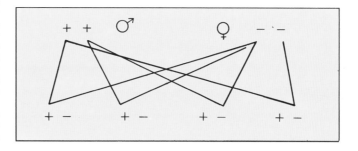

CÓMO EVOLUCIONA LA ENFERMEDAD DEL RH

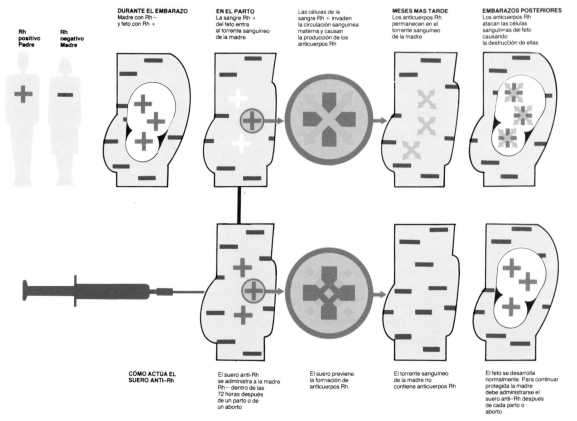

Rh positivo Padre

Rh negativo Madre

DURANTE EL EMBARAZO Madre con Rh− y feto con Rh +

EN EL PARTO La sangre Rh + del feto entra al torrente sanguíneo de la madre

Las células de la sangre Rh + invaden la circulación sanguínea materna y causan la producción de los anticuerpos Rh.

MESES MAS TARDE Los anticuerpos Rh permanecen en el torrente sanguíneo de la madre

EMBARAZOS POSTERIORES Los anticuerpos Rh atacan las células sanguíneas del feto causando la destrucción de ellas.

CÓMO ACTÚA EL SUERO ANTI−Rh

El suero anti-Rh se administra a la madre Rh− dentro de las 72 horas después de un parto o de un aborto

El suero previene la formación de anticuerpos Rh.

El torrente sanguíneo de la madre no contiene anticuerpos Rh

El feto se desarrolla normalmente. Para continuar protegida la madre debe administrarse el suero anti-Rh después de cada parto o aborto.

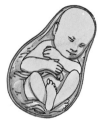

sangre. Los anticuerpos formados en la sangre materna quedan allí y no actúan hasta que la mujer recibe una transfusión o queda nuevamente embarazada. En el primer caso puede tener lugar un shock transfusional, y en el segundo, si el feto es nuevamente positivo, puede tener lugar una destrucción más o menos intensa de glóbulos por el paso de anticuerpos maternos a la sangre del feto. Esta destrucción de glóbulos se manifiesta en una anemia importante y el niño, a las pocas horas de nacer, empieza a ponerse amarillo (ictericia). Ante el peligro de que el niño fallezca por la anemia o resulte con el cerebro lesionado por alcanzar la ictericia niveles muy altos, resulta necesario practicar una exsanguinotransfusión para cambiar un elevado porcentaje de la sangre del recién nacido. Esta enfermedad del recién nacido se conoce como eritroblastosis fetal o enfermedad hemolítica del recién nacido.

Si la madre Rh negativa hubiera recibido previamente a su primer embarazo una transfusión sanguínea con sangre positiva, poseería ya anticuerpos, en el primer embarazo, que podrían ocasionar un aborto o el nacimiento de un niño enfermo.

Se comprenderá, pues, la importancia de la determinación del grupo sanguíneo y Rh

de toda mujer en su primer embarazo, y del marido, en caso de que ella sea Rh negativa. Si el marido es Rh positivo, hacia el final del embarazo se efectuará una prueba capaz de determinar si la mujer ha creado anticuerpos anti Rh. En la primera gestación no es normal que ocurra, pero la sensibilización podría ser debida a un aborto anterior, una transfusión u otras medidas terapéuticas, como ocurría hace unos años con las inyecciones intramusculares de sangre que se administraban para aumentar el nivel de las defensas ante infecciones.

Cuando la sensibilización ha tenido lugar, deben efectuarse controles repetidos de la sangre materna, que pueden ir orientando sobre el grado de afectación del feto. Llegado un cierto momento, es posible hacer estudios con el líquido amniótico obtenido a través de punción abdominal (amniocentesis), cuyos resultados son más exactos y pueden proporcionar un diagnóstico más preciso. Si se encuentra un grado importante de afectación fetal, es posible efectuar transfusiones intrauterinas bajo control radiológico, gracias a las cuales se proporciona al feto sangre Rh negativa que alivie su difícil situación por la destrucción de sus glóbulos rojos, en espera de que llegue el momento en que, valorando el grado de madurez, el peso del feto y sus posibilidades de supervivencia extrauterina, activar el parto (si es necesario con una cesárea) y se proceda a efectuar un cambio masivo de la sangre del recién nacido (exsanguinotransfusión).

Toda esta heroica actuación de la medicina perinatal, se ha visto aliviada hoy en día por la aparición de la gammaglobulina anti-Rh, que es un producto capaz de impedir la formación de anticuerpos anti-Rh en la sangre materna, cuando es inyectada a la madre que acaba de tener un hijo Rh positivo, antes de transcurridas 72 horas del parto.

En resumen, cuando existe una incompatibilidad de Rh sanguíneo entre los cónyuges, debe tenerse en cuenta lo siguiente:

1. Sólo podrían producirse problemas cuando la madre es Rh negativo, el padre Rh positivo y el feto igual que el padre.

2. Los hijos serán siempre positivos si el padre es a su vez hijo de padres positivos. En caso contrario, el matrimonio puede tener hijos Rh negativos, que no ejercen influencia alguna en el conflicto.

3. Todo matrimonio debe conocer sus grupos sanguíneos y Rh para poder actuar precozmente en caso de incompatibilidad.

4. En cuanto nazca el primer hijo de una madre Rh negativa y padre Rh positivo, debe recogerse sangre del cordón umbilical y analizarla dentro de las primeras 24 horas. Si el hijo resulta ser Rh negativo, no debe hacerse nada, pero si es positivo, debe aplicarse a la madre una dosis de gammaglobulina anti Rh antes de que transcurran 72 horas del parto.

5. Esta gammaglobulina deberá ser administrada después del nacimiento de todos los hijos Rh positivos.

6. Si la madre se hallara ya sensibilizada por embarazos anteriores a la aparición de la gammaglobulina anti-Rh, ante un nuevo embarazo deberá ponerse en manos de un equipo asistencial competente, que actúe según las normas vigentes de un embarazo de «alto riesgo».

Desarrollo del feto

En el momento actual se conocen muchos detalles del desarrollo intrauterino del ser humano, gracias a los progresos que se han realizado en el terreno de la Perinatología. Prácticamente hasta el inicio de la segunda mitad de este siglo, la vida del embrión ha permanecido oculta en el refugio inviolable del seno materno, pero en los últimos años se ha sentido la necesidad de investigar profundamente en el desarrollo del nuevo ser, que empieza en el momento de la concepción y continúa, siempre oculta a nuestros ojos, hasta el momento del nacimiento. El creciente interés de conseguir que cada vez la Medicina tenga un carisma

más preventivo, ha despertado la necesidad de conocer cómo se desarrolla un embrión en el claustro materno, qué íntimas correlaciones se establecen entre madre e hijo y cuáles son los mecanismos por los que aparecen ciertas enfermedades o malformaciones congénitas.

Ha sido preciso introducir elementos nuevos en el estudio del embrión para poder esclarecer, paso a paso, todas las fases de su desarrollo, entre los que han jugado un importante papel los ultrasonidos, el cine y la fotografía. La recuperación de embriones obtenidos de abortos terapéuticos, a los que se les ha podido mantener un cierto tiempo con vida en medios artificiales, ha permitido efectuar estudios de la dinámica fetal, del mismo modo que habrían podido realizarse dentro de la matriz materna.

En cuanto el huevo ha anidado en el seno de la mucosa uterina, el embrión prosigue su crecimiento, de modo que al final de la octava semana ha alcanzado un tamaño de 2 o 3 cm y pueden distinguirse en él la cabeza y unas extremidades rudimentarias, en las que se diferenciarán claramente las manos y los pies al final del tercer mes. En este momento ya puede distinguirse el hígado, el cerebro y la retina.

Durante el cuarto mes experimenta un desarrollo muy manifiesto, pasando de los 9 a los 17 cm de longitud y llegando a alcanzar ya los 120 o 130 grs de peso. Durante este mes la cabeza experimenta un desarrollo muy importante y en ella se pueden apreciar claramente la nariz, ojos, orejas y boca. Todo el cuerpo se recubre de un finísimo pelo y una sustancia grasa que le protege del constante contacto húmedo con el líquido amniótico. A partir de las 16 semanas ya es posible que se perciban algunos movimientos incoordinados en forma de oleada, más por el movimiento del líquido amniótico que por el contacto directo de las extremidades del feto con la pared uterina.

En el sexto mes puede alcanzar ya un tamaño de 30 cm y experimenta un gran desarrollo en todos sus órganos, lo cual permite que, a las 24 semanas, ya alcance un peso de unos 700 grs. A partir de este momento su aspecto se va perfeccionando y es ya muy similar al del recién nacido. Empiezan a formarse las uñas, a separarse los párpados –hasta entonces habían permanecido unidos– y crecen el cabello y las pestañas.

A partir del séptimo mes, las posibilidades de supervivencia, si se adelantara al parto, son considerables, pues su grado de madurez pulmonar le podría permitir una respiración aérea suficiente. Suele tener en estos momentos de 1.200 a 1.500 gramos de peso y una talla de 35 cm, de modo que ya ocupa un espacio notable. Es probable que ya se disponga en la postura necesaria para nacer, esto es, con la cabeza hacia la parte baja del útero. Si no lo hace, el tocólogo podrá intentar hacerle una versión que lo coloque en la postura idónea o prepararse para un parto de nalgas. Cuando el feto queda en po-

El nombre de factor Rhesus procede de los pequeños macacos «Rhesus», utilizados en el trabajo experimental que aportó importantes conocimientos en el control del embarazo y en la salud del recién nacido. La mayor parte de la población es Rh positivo, pero existen diferencias entre las razas, ya que los blancos son positivos en un 85%, los negros en un 90% y las razas mongoloides en un 100%.

sición transversal y no existe la posibilidad de hacer una versión, será preferible optar por hacerle nacer mediante una cesárea.

El aumento de peso y talla es muy ostensible en los dos últimos meses del embarazo, pues al nacer, el feto suele haber alcanzado, como término medio, 3 kg de peso y 50 cm de altura. Su aspecto externo apenas cambia en estas semanas y los órganos van ultimando su madurez, para hacerles capaces de vivir sin la ayuda directa y constante de la madre.

Factores que intervienen en el parto

Desde hace más de 20 siglos se han formulado numerosas hipótesis sobre el mecanismo de inicio del parto, y en ellas se conjugan las supersticiones con la objetiva observación de la naturaleza. La explicación más sencilla y sugestiva es quizá la más antigua, formulada más de 400 años antes del nacimiento de Cristo, por Hipócrates, quien ha sido considerado como el padre de la Medicina. Según este griego, médico y filósofo notable, se inicia el parto cuando el feto, impulsado por el hombre, hace fuerza para salir del útero, apoyando los pies en el fondo de éste. Esta teoría, pintoresca en cierto modo no deja de tener un fundamento científico, pues al final del embarazo la placenta muestra evidentes signos de envejecimiento y, de no tener lugar el parto, la alimentación del feto se vería seriamente comprometida. El parto tiene lugar, pues, en el momento en que el feto ha alcanzado el grado de desarrollo suficiente que le permita vivir separado de la madre, y este momento suele coincidir con el agotamiento de la capacidad nutritiva de la placenta.

Actualmente, gracias a los estudios realizados, se ha llegado a la conclusión de que el inicio del parto depende de la acción de un conjunto de hormonas que, actuando en perfecta coordinación y con una precisión casi matemática, estimulan las contracciones uterinas.

Determinación de la fecha del parto

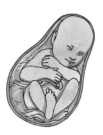

Fijar previamente, con exactitud, el día que va a tener lugar el parto, es poco menos que imposible. Siempre se señala una fecha probable y aproximada del parto, pero nunca puede decirse el día exacto en que éste va a tener lugar. Ya sabemos que el embarazo tiene una duración aproximada de 280 días, a partir del primero de la última menstruación. Con este dato puede calcularse la fecha probable del parto, tal como indicamos en páginas anteriores. Aproximadamente en un 40% de casos, el parto tiene lugar durante la semana que contiene la fecha probable, y cerca de un 20% en el período que comprende 10 días antes y 10 días después de esta fecha. En los restantes casos, el error de previsión superará estos márgenes, correspondiendo las máximas inexactitudes a los casos de aborto y a los nacimientos de niños prematuros.

Existen ciertos signos que actúan como indicio de que la fecha se encuentra próxima. El fondo del útero, en el octavo mes, alcanza el nivel de las últimas costillas y desciende de nuevo durante las tres o cuatro últimas semanas, observando la embarazada que la falda le ajusta mejor, que no siente tanta opresión sobre el estómago y la respiración se efectúa de modo más desahogado. Aunque estos signos son muy típicos, sin embargo no proporcionan indicación alguna acerca del día en que va a suceder el parto, y su único significado es la confirmación de que el último mes de embarazo se ha iniciado. Otros signos que señalan la proximidad de la fecha del parto consisten en dolores difusos y sensación de compresión en la parte baja del abdomen, así como disminución de los movimientos fetales, insomnio, tensión nerviosa, etcétera.

Los primeros dolores y contracciones

Los síntomas de certeza aparecen bruscamente y son generalmente muy claros. Los más característicos son los dolores periódicos por inicio de las contracciones uterinas, la ruptura de la bolsa de las aguas, con emisión del líquido amniótico y la expulsión de un tapón mucoso teñido de sangre, lo cual indica que se ha iniciado la dilatación del cuello uterino.

El comienzo de las contracciones se manifiesta por la aparición de dolores abdominales no demasiado bien localizados, pero que, en muchas ocasiones, se manifiestan primero en la espalda, para fijarse más tarde en la parte media y baja del abdomen. Estos dolores son regulares y periódicos, correspondiendo a las rítmicas contracciones que efectúa el útero para conseguir la expulsión del feto. Los primeros dolores aparecen de forma muy intermitente y revisten poca intensidad, para ir aumentando progresivamente, en frecuencia e intensidad, a medida que se acerca el momento del parto. Al final de este período la frecuencia de los dolores puede señalarse como un minuto de duración por uno de descanso.

Presentaciones del feto

La situación del feto dentro del útero, durante el último mes de gestación, suele ser la más favorable para su salida. La cabeza se orienta hacia abajo y queda encajada entre los huesos de la cadera, mientras que el resto del cuerpo se pliega, encogiendo los brazos y las piernas, con lo que el feto adopta en conjunto la forma de un huevo, cuyo extremo más puntiagudo está dirigido hacia abajo. A consecuencia de esta posición, la madre se da cuenta de que lleva al niño más bajo, se siente más cómoda y ya no precisa andar arqueándose tanto hacia atrás, como había ocurrido durante la segunda mitad del embarazo. La posición más normal y corriente, en el momento de iniciarse el parto, es la siguiente: cabeza hacia abajo, inclinada hacia adelante, de modo que la barbilla contacte con el pecho, espalda hacia un lado, más frecuentemente hacia la izquierda, brazos cruzados y pies encogidos, pero hacia arriba, como si se apoyara en el fondo del útero. En este caso decimos que el feto se halla en presentación cefálica y ello ocurre en un 96 % de los casos. En un 3 % de ocasiones la presentación es de nalgas y el feto se encuentra en la postura inversa a la anterior, como si se encontrara sentado en el interior de la pelvis femenina. Si se adivina con antelación esta postura, puede intentarse una maniobra de versión con el fin de colocarle en presentación cefálica, más fácil para el momento del parto, pero ello es muy difícil de conseguir con maniobras externas y generalmente el tocólogo opta por practicar una cesárea. Debe tenerse en cuenta que la cabeza del feto es la parte que, por su tamaño, proporciona mayores dificultades de extracción, y cuando el feto nace de nalgas, es posible que, una vez ha salido al exterior todo el cuerpo, se presenten dificultades para que salga la cabeza, y se prolongue demasiado el parto. Por ello, ante una presentación de nalgas, es criterio muy difundido entre los tocólogos practicar una operación cesárea.

Es muy raro que se presente el feto de forma distinta a las dos anteriormente citadas. En un 1 % de casos puede encontrarse en presentación transversa (sin haberse encajado) o en presentación de cara (con la cabeza encajada pero sin flexionarla sobre el pecho). En el primer caso puede intentarse una versión interna, que consiste en que el tocólogo busque con su mano una pierna del feto y, tirando de ella, girar al feto hasta colocarle y extraerle como si de una presentación de nalgas se tratara; pero esta maniobra puede resultar muy traumatizante, tanto para la madre como para el niño y, en general, ante una presentación transversa se opta por practicar una cesárea. Las dificultades del parto de cara vienen dadas porque el feto ofrece el perímetro máximo de su cabeza para pasar por el canal del parto (en la presentación de occipucio ofrece el perímetro mínimo) dificultándolo enormemente. La presentación podálica (lo primero que emergen son los pies) es aún más rara, entrañando las mismas dificultades que la presentación de nalgas.

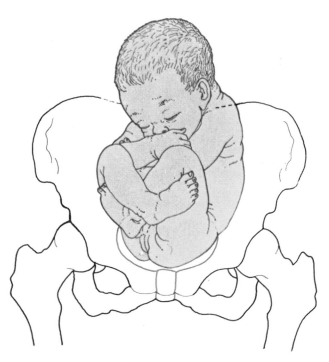

Para salir al exterior, el feto deberá atravesar el denominado canal del parto, que está constituido por una parte ósea y unas partes blandas. La porción ósea está constituida por el hueso de la cadera, denominado pelvis, que tiene una forma de embudo y representa una importante encrucijada del sistema de estabilidad de la mujer, pues en ella se articulan la columna vertebral, por una parte, y los huesos de las piernas, por otra. Las medidas de la pelvis son muy importantes para la gestante, especialmente las relativas a su orificio inferior (que es el de menor tamaño), pues son las que debe salvar el niño al nacer. Si se presume que las medidas de la cabeza del feto superan las de la pelvis de la madre, deberá renunciarse a un parto normal y será preciso efectuar una cesárea. Las partes blandas del canal del parto comprenden el cuello uterino, la vagina, la vulva y la musculatura de la zona, no representando, por su elasticidad, ningún problema para el parto normal.

Las contracciones de la matriz representan la fuerza efectiva del parto, permitiendo la expulsión del feto. El sistema de fibras musculares, que se encuentra en el espesor de las paredes uterinas, permite que estas contracciones se efectúen de forma ordenada, sin dañar al feto. Tienen lugar de forma involuntaria, rítmica e intermitente, y están separadas por períodos de reposo, bastante amplios al principio (15 a 30 minutos) para reducirse progresivamente y producirse cada 2 a 5 minutos en el momento mismo de la expulsión. Se inician en un determinado punto de la matriz y se propagan difusamente por toda la masa muscular, de modo que el feto recibe

La presentación de nalgas requiere la intervención del tocólogo, ya que hay que recolocar la cabeza fetal mediante manipulación interna, con la ayuda de fórceps o con las manos.

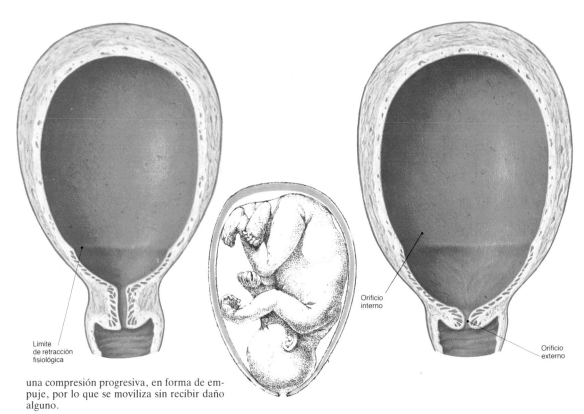

Límite
de retracción
fisiológica

Orificio
interno

Orificio
externo

una compresión progresiva, en forma de empuje, por lo que se moviliza sin recibir daño alguno.

Período de dilatación o pre-parto

Para que el feto pueda salir de la matriz que lo alberga, es preciso que ésta sufra modificaciones destinadas a facilitarle el paso. Simultáneamente a la aparición de las contracciones, debe iniciarse la dilatación del cuello de la matriz, pues de nada serviría el esfuerzo para expulsar al feto si la puerta permaneciera cerrada. Ya hemos dicho que uno de los primeros síntomas de que el mecanismo del parto se ha puesto en marcha es la expulsión del tapón mucoso, secreción de consistencia gelatinosa, manchada de sangre, que llenaba el conducto que forma el cuello de la matriz. Ello puede ocurrir a veces antes de que se hayan iniciado los primeros dolores y no debe significar, por el momento, más que un toque de atención por la inminencia del acontecimiento. Este es el momento de tener preparadas las cosas para ir a la clínica en cuanto sea necesario.

La determinación del traslado a la clínica nos vendrá dada por la observación cuidadosa de las contracciones uterinas. En tanto éstas se produzcan cada 20 o 30 minutos y sean de poca intensidad, no es conveniente precipitarse. Se continuará cronometrando los intervalos entre dolores y el tiempo de duración de cada contracción. Mientras tanto deberá instaurarse una abstinencia total de alimentos sólidos, y en cuanto se aprecie que los dolores tienen lugar cada 5 minutos, se efectuará el traslado a la clínica. Si durante este tiempo hubiera tenido lugar una ruptura espontánea de la bolsa de las aguas, será mejor que el traslado se efectúe sin demora y con la precaución de colocarse una compresa estéril, para evitar contaminaciones. A no ser que la frecuencia e intensidad de las contracciones aconseje lo contrario, el traslado se efectuará con serenidad, evitando las carreras innecesarias o una velocidad exagerada, que podrían ser causa de accidente.

Una vez en la clínica, la paciente es explorada minuciosamente, comprobando el grado de dilatación del cuello de la matriz, el ritmo de las contracciones, la tensión arterial y los latidos del feto. Si las cosas marchan bien y no se precipitan los acontecimientos, se aprovecha el tiempo que dura este período para preparar a la mujer para el parto propiamente dicho. Esta preparación comprende una correcta higiene de la zona vulvovaginal, el rasurado del vello pubiano y la pincelación con una solución antiséptica. Mediante la aplicación de un enema, se provoca el vaciado del contenido intestinal, con lo que se consigue facilitar un mayor espacio al feto y evitar posibles contaminaciones de la zona anogenital.

Secuencia gráfica del período de dilatación. En él comienzan las contracciones del útero, desde la parte superior hasta el cuello: su finalidad es dilatar el cuello del útero para que el feto pueda pasar a su través. En este período es importante que la bolsa de aguas esté íntegra, pues así ayuda a la dilatación al introducirse como una cuña en el cuello y transmitir las contracciones del útero a través del líquido

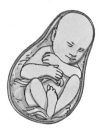

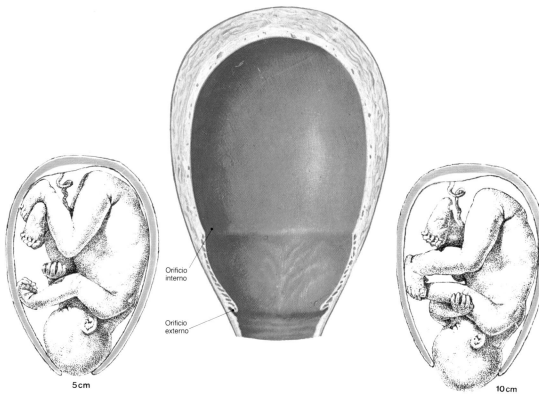

Orificio
interno

Orificio
externo

5 cm   10 cm

amniótico, actuando como una bomba hidráulica. De ahí que cuando la rotura de la bolsa de aguas es precoz, el parto se hace más laborioso, «parto seco», pues la fuerza de las contracciones no se aprovecha íntegramente y en la dirección adecuada. La duración de este período es muy variable, y oscila desde algunas horas hasta varios días, dependiendo mucho de la edad de la madre o de que sea primípara o no.

Duración de este período

El período de dilatación puede durar un tiempo variable, que suele ser más prolongado en las primíparas. Los sufrimientos varían de modo considerable según la resistencia de la mujer, su estado nervioso y, en gran manera, del autodominio, el temperamento y la fuerza de voluntad. La apertura del cuello uterino suele tener lugar de forma más lenta en las mujeres que van a tener su primer hijo que en las que ya han tenido otros. El cuello va abriéndose lentamente, de modo que permita la salida de la bolsa de las aguas que, por efecto de la presión a que se ve sometida, se halla en tensión y puede llegar a romperse espontáneamente, pero en algunas ocasiones la ruptura debe provocarse en el momento del parto, saliendo al exterior el líquido amniótico que bañaba al fetó. La ruptura de la bolsa no siempre se presenta al final del período de dilatación, sino que algunas veces puede ser el primer síntoma de parto. En la mayoría de casos de ruptura anticipada, las contracciones no suelen tardar en aparecer, pero si se retrasaran, la gestante debe guardar reposo en cama hasta que se inicien.

Las modificaciones que sufre el cuello uterino se conocen en términos obstétricos como fase de borramiento del cuello uterino y culminan cuando la dilatación ha alcanzado aproximadamente unos 10 cm de diámetro, que es el tamaño suficiente para permitir el paso de la cabeza del niño. La comprobación

del estado del cuello de la matriz la realiza el tocólogo mediante tacto manual, de modo que puede determinar el momento justo en que la mujer debe ser trasladada a la sala de partos para proceder a instaurar los cuidados que acompañan al período expulsivo.

Durante todo el preparto, la gestante debe procurar permanecer tranquila al máximo, manteniéndose relajada, respirando pausadamente y atendiendo a las indicaciones que recibe por parte del personal a su cuidado. Los controles de tensión arterial y de los latidos cardíacos fetales se repiten para comprobar que todo marcha bien, y se iniciará si es preciso la medicación oportuna con productos que estimulen las contracciones, si éstas no son suficientes, y calmantes en pequeñas dosis para atenuar las molestias.

Período expulsivo

La mesa de partos está diseñada para que todas las maniobras de extracción se realicen con comodidad y la paciente se encuentre en una postura que facilite su esfuerzo. La denominada postura ginecológica, con las piernas separadas y elevadas, descansando en las perneras, y los hombros apoyados en unos soportes especiales, permite un máximo rendimiento a las contracciones uterinas y un

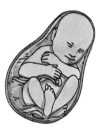

notable relajamiento de las partes blandas del canal del parto.

El período expulsivo empieza cuando el feto ha iniciado su recorrido y se halla encajado en la pelvis materna; el cuello de la matriz se encuentra completamente borrado y las contracciones, en este momento, transmiten un movimiento más evidente al feto; la mujer siente una imperiosa necesidad de cooperar a la expulsión, ejerciendo una fuerte compresión con los músculos del abdomen, elevando la mitad superior del cuerpo y buscando un sólido asidero para las manos y un firme apoyo para los pies. Las contracciones —que después de la ruptura de la bolsa han sufrido una ligera pausa para permitir que el útero se adapte mejor a su contenido— a partir de este momento se hacen mucho más intensas.

Las mujeres deportistas, bien dotadas físicamente, y aquellas que durante el embarazo han efectuado ejercicios físicos preparatorios para el parto, cooperan más eficazmente durante el expulsivo y, consecuentemente, sufren menos. Es óptima la adaptación al parto cuando la mujer reúne las condiciones siguientes: buena capacidad muscular, suficiente elasticidad de los tejidos, capacidad de control de las naturales reacciones de defensa al dolor y ausencia total de temor al parto.

En el momento en que la cabeza del feto —o la parte correspondiente a la presentación— asoma al exterior, muchas veces es preciso efectuar una sección, denominada *episiotomía*, en la vulva, para evitar el posible desgarro de la misma. De esta forma la sutura posterior es mucho más fácil y perfecta. Para evitar sufrimientos innecesarios, para hacer la episiotomía se puede aplicar anestesia local o bien seccionar, coincidiendo con una de las contracciones.

La presión que ejercen las partes blandas del canal del parto sobre la cabeza del feto no pueden ocasionarle daño alguno gracias a que los huesos del cráneo no están soldados entre sí y son muy blandos todavía. La amplitud de las suturas permite un cierto grado de acabalgamiento o aproximación que hace disminuir ligeramente el volumen de la cabeza y facilitar su paso.

Una vez ha emergido la cabeza se efectúa una tracción sobre la misma, aprovechando una de las contracciones, hasta conseguir sacarla del todo. Al mismo tiempo se le imprime un movimiento de rotación hasta lograr que los hombros se sitúen longitudinalmente. Se baja ligeramente la cabeza hasta que emerge el hombro, situado más arriba, y se eleva seguidamente para que salga el hombro que se halla situado en la parte baja. La extracción del resto del cuerpo no presenta dificultades después de la salida de los hombros, y se consigue mediante suave tracción del niño con ambas manos, aguantando la cabeza y pasando los índices por sus axilas.

En cuanto el niño ha nacido, se le alza sujetándolo por los pies, con la cabeza hacia abajo, para que por acción de la gravedad, durante el primer movimiento respiratorio,

se evite que las mucosidades que alberga en su boca y tracto respiratorio alto penetren por aspiración en las vías respiratorias bajas. Una vez iniciada la respiración, se coloca al feto de nuevo entre las piernas de la madre para efectuar la sección del cordón umbilical. Más adelante hablaremos de los primeros cuidados del recién nacido; ahora vamos a centrar nuestra atención en la madre, pues si bien el niño ya ha nacido, el parto no ha finalizado.

Alumbramiento

Después de un corto intervalo en el que la matriz se adapta a su menor contenido, reaparecen las contracciones destinadas a expulsar los anexos fetales: la placenta y las membranas. Esto es lo que conocemos como alumbramiento. El médico realiza una suave tracción del resto del cordón umbilical seccionado, hasta que los anexos salen al exterior. Antes de dar el parto por terminado, el tocólogo se asegura de que no ha quedado ningún resto de placenta en el interior de la matriz, pues en caso de que ello ocurriera existiría un grave peligro de hemorragia. Seguidamente se comprueba el aspecto, integridad y peso de la placenta, datos todos ellos de gran interés, pues a veces hay trastornos del recién nacido que pueden estar íntimamente ligados con problemas placentarios.

Debe efectuarse también una buena revisión del canal del parto y zonas adyacentes; se sutura la episiotomía y se comprueba que no existan desgarros en el cuello uterino o vagina, se hace un tacto rectal y vaginal y se

El período de expulsión comienza por la aparición de la cabeza en la vulva femenina (abajo). Al terminar el período de expulsión, el feto está todavía unido a la madre a través del cordón umbilical y la placenta (arriba). El cordón se liga entre dos pinzas y se secciona, con lo que el nuevo ser queda separado de la madre, pero la placenta continúa unida al útero, el cual sigue contrayéndose hasta que la desprende.

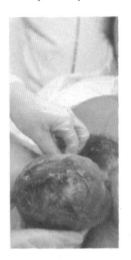

coloca una sonda para vaciar la vejiga urinaria. Antes de que la paciente pueda ser trasladada a su habitación, es preciso cerciorarse de que sus constantes son correctas: pulso, tensión, color de la piel, labios y conjuntivas.

Parto con analgesia

No obstante la bondad de este sistema, no siempre es factible que las mujeres inmersas en el trabajo y actividades profesionales puedan prepararse adecuadamente, tanto física como psicológicamente, para el parto y es necesario proporcionarles un medio de mitigar los dolores en el momento del parto que no precise excesiva preparación previa. La utilización del pentothal, anestésico del grupo de los barbitúricos, ha proporcionado el deseado triunfo sobre el dolor en el parto y actualmente pueden contarse por millones las mujeres que, después de haber tenido varios hijos, desconocen la auténtica magnitud de los dolores del período expulsivo. El parto con analgesia debe ser realizado por un tocólogo y un anestesista expertos, para emplear las dosis adecuadas y en el momento preciso, pues el pentothal puede llegar al feto a través de la placenta y provocarle una depresión de sus funciones vitales. Afortunadamente, la técnica de utilización de este analgésico ha llegado a tal grado de perfección que los riesgos son prácticamente nulos y no podemos decir que provoque alteraciones en el recién nacido.

La analgesia epidural consiste en la aplicación de un anestésico en los nervios que parten de la porción final de la médula espinal y que son los encargados de la sensibilidad de la zona inferior del cuerpo. De este modo se produce una anestesia local de toda la zona del canal del parto, la mujer no siente dolores, pero en cambio se conserva despierta y completamente capaz de colaborar en las tareas del parto. Su aplicación es lenta, por lo que no puede ser empleada si el parto se presenta con rapidez.

Cuidados inmediatos al recién nacido

En el momento en que el feto ha emergido totalmente, el tocólogo lo sujeta por ambos pies y lo levanta verticalmente, con la cabeza hacia abajo, en espera de que lance su primer vagido y rompa a llorar. Este primer grito es lo que nos anuncia que todo ha sido bien y el nuevo ser ha iniciado su vida extrauterina. La razón de esperar el inicio del llanto con el bebé suspendido boca abajo radica en impedir, en lo posible, que aspi-

Una vez el niño ha acabado de nacer, el tocólogo lo levanta por los pies, cabeza abajo, a fin de que fluyan al exterior las eventuales mucosidades de las vías aéreas.

Dibujo esquemático de la zona donde se administra la inyección epidural a fin de anestesiar la parte baja del abdomen en el parto. La inyección del anestésico produce tan sólo una pequeña molestia, y permite a la mujer estar consciente durante todo el proceso del parto, pero se necesita un anestesista experimentado para llevar a cabo este procedimiento.

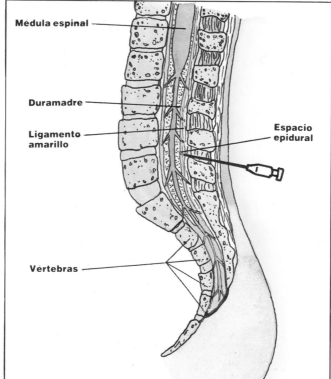

Médula espinal

Duramadre

Ligamento amarillo

Espacio epidural

Vértebras

re mucosidades hacia sus pulmones. Acto seguido, se envuelve al recién nacido en una talla estéril, su colocan dos pinzas en el cordón y, con unas tijeras, se corta entre las dos pinzas. El recién nacido ya queda separado de la madre e inicia su camino por la vida.

Normalmente, el recién nacido necesita una atención constante e intensa durante los primeros diez minutos de vida. El reanimador cuida de limpiar de mucosidades sus vías respiratorias. Durante el período expulsivo, el feto puede iniciar ya algunos movimientos respiratorios propios que condicionan la aspiración de secreciones que se encuentran en la boca o en el canal del parto; incluso es posible que aspire líquido amniótico antes de la ruptura de la bolsa de las aguas. La «toilette» de las vías respiratorias se efectúa con una fina sonda conectada a un aspirador, que se introduce en la boca y nariz del recién nacido. Al mismo tiempo, si es necesario, se le administra oxígeno con una mascarilla y, en caso de que tarde en instaurarse un buen ritmo respiratorio, se puede recurrir a sistemas reanimatorios más efectivos.

Acto seguido se procede a ligar el cordón umbilical, a unos dos o tres centímetros del ombligo, mediante un hilo de seda o con una pinza especial de plástico, seccionando la porción sobrante. Se espolvorea con polvos secantes y se cubre con gasa estéril, envolviendo todo el abdomen con una faja o venda de gasa.

Es muy importante que el reanimador haga una correcta valoración del estado del recién nacido mediante el conocido Test de Apgar, que proporciona un dato muy valioso para los cuidados a impartir durante las primeras ho-

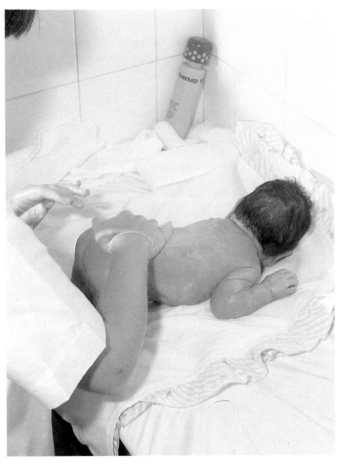

En la actualidad, hay cierta tendencia a mantener al recién nacido sin lavar durante algunas horas, ya que el manto sebáceo que cubre su cuerpo le protege, favoreciendo una buena adaptación a la temperatura ambiente. La primera limpieza se reduce a secar al bebé con algodón o gasa estéril.

VALORACION DEL ESTADO DEL RECIEN NACIDO EN LA SALA DE PARTOS MEDIANTE LA PUNTUACION DE APGAR			
Signo	0	1	2
Frecuencia cardíaca	Ausente	Inferior a 100/m	Superior a 100/m
Esfuerzo respiratorio	Ausente	Llanto débil	Llanto fuerte
Tono muscular	Flaccidez	Algunas flexiones	Movim. activo
Color	Azulado	Cuerpo rosa, extr. azules	Rosado
Reflejos (estimulación de la planta del pie)	Sin respuesta	Muecas	Llantos

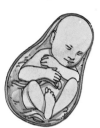

ras. Esta valoración se efectúa al minuto y cinco minutos del nacimiento, considerando la frecuencia cardíaca, ritmo respiratorio, tono muscular, color de la piel y reflejos. A cada uno de estos datos se les asigna una puntuación de 0, 1 o 2, de modo que el total, con un mínimo de 0 y un máximo de 10, nos dará una idea del estado del recién nacido. Un Apgar inferior a 5 en el primer minuto de vida, indicará la necesidad de una reanimación activa; si es superior a 7, deberá confiarse en una reanimación espontánea. Un Apgar inferior a 7 a los cinco minutos del nacimiento, aconsejará el traslado del recién nacido a una unidad de cuidados intensivos para una vigilancia continuada en las primeras horas, en las que será posible la necesidad de instauración de medidas terapéuticas especiales.

EL EQUIPO DE LA MADRE
Y LA CANASTILLA DEL HIJO

Los días que anteceden al parto suelen ser para la embarazada días de gran excitación, dada la importancia del inminente acontecimiento. Buena parte de esta excitación puede estar motivada por el desconocimiento de lo que debe llevar a la clínica u hospital, tanto para sí misma como para el bebé. Bueno será dar unas orientaciones al respecto, que sean útiles de un modo general, respetando las costumbres personales o los hábitos del centro donde va a tener lugar el parto.

No es conveniente dejar para el último momento la preparación de la canastilla, pues existe la posibilidad de un parto prematuro y, en circunstancias normales, los primeros síntomas de parto pueden aparecer de forma totalmente imprevista.

El equipo de la madre debe componerse esencialmente de:

- 3-4 camisones amplios, no demasiado largos, abiertos por delante para dar el pecho con comodidad. Deben ser fácilmente lavables.
- 4-5 bragas que no aprieten la cintura ni los muslos, para evitar así posibles trastornos circulatorios.
- 2 paquetes de compresas higiénicas.
- 3-4 sujetadores aptos para dar el pecho, procurando que sean un poco holgados para admitir el aumento de tamaño que sufre el pecho al iniciarse la secreción láctea y que permitan la tetada sin necesidad de sacárselos.
- 1-2 fajas resistentes, que compriman suavemente el abdomen y sean un buen soporte para la matriz durante el proceso de retracción.
- un salto de cama, unas zapatillas y, si se desea, una mañanita.
- los útiles habituales de aseo y belleza, sin olvidar una manopla de rizo para la higiene genital.

El equipo para el bebé debe ser lo más funcional posible, teniendo en cuenta sobre todo que las prendas deben adaptarse a la climatología local, sin olvidar que en la nursery se suele mantener una temperatura estable de 25 °C, que permite evitar prendas demasiado gruesas o calurosas. En caso de necesidad, siempre es mejor añadir una manta que poner un jersey más grueso.

La canastilla del bebé deberá ir provista de:

- 1 paquete de braguitas-pañal.
- 3-4 camisas de batista.
- 3-4 camisas de fibra o de algodón.
- 3-4 jerseys de perlé.
- 4-5 fajitas.
- 2-3 faldones.
- 3-4 escarpines.
- para el aseo: colonia, talco, leche de aseo, jabón líquido, peine, cepillo y tijeras.
- 2 toallas de baño.

El niño y su hábitat

El bebé viene a la vida pasando de la seguridad absoluta del claustro materno a un exterior que lo agrede de forma constante: el frío, el calor, el hambre, los ruidos, los gritos, las voces. Los padres deben rodearle de un ambiente de afecto y comodidad que sirva para amortiguar el choque del niño con el mundo. Desde el punto de vista físico el hábitat del pequeño queda configurado por la cuna, el cochecito, la bañera y su habitación. Los padres deben procurar que todo ello sea armónico, cómodo y acogedor para el bebé, dejando a un lado las vanidades de ostentación. Desde el punto de vista psíquico, el hábitat del niño estará determinado por la acogida y cariño que le dispensen sus familiares: padres, hermanos y abuelos principalmente.

Pieza importantísima en el entorno del recién nacido es el pediatra, ya que los primeros meses requieren una atención y asistencia continuas. El médico atenderá las situaciones normales para que la vida que está comenzando se manifieste en todo su esplendor, así como aquellas anormalidades que se puedan presentar, y que tantas veces tienen una solución fácil si se conocen y tratan a tiempo.

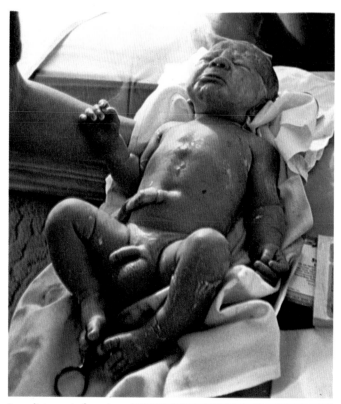

Inmediatamente después de nacer, se recoge al niño en unas toallas estériles y se deposita en una mesa para proceder al ligamento del cordón umbilical. El muñón que queda se atrofia y desprende al cabo de pocos días, dejando una pequeña cicatriz que constituye el ombligo. Es a partir de este momento cuando puede empezar a bañarse al niño.

Los límites posibles en cuanto al peso del recién nacido son muy variables, sin que haya podido establecerse límite tanto en el exceso como en el defecto. Sin embargo, los que pesan menos de 2.500 gr precisarán atenciones especiales.

El recién nacido

El concepto de recién nacido, en cuanto al tiempo que debe considerarse al niño como tal, no está claramente definido, pues mientras hay quienes consideran que es el período de tiempo que transcurre hasta la caída del cordón umbilical, otros dan un margen de quince días y hasta de un mes, y otros consideran como recién nacido la época de la vida que va desde el nacimiento hasta que se han normalizado totalmente las funciones vitales, especialmente en lo que se refiere a los sistemas circulatorio, respiratorio y gastrointestinal. Nosotros consideramos que este concepto es el más válido y podría ser ampliado de modo que un niño no dejara de ser considerado un recién nacido hasta que hubiera recuperado el peso de nacimiento, hecho que, como veremos más adelante, suele ocurrir entre los 8 y 15 días.

Características físicas del recién nacido

Normalmente, al ver por primera vez al recién nacido, los padres suelen sufrir una lige-

ra decepción, que es fácilmente disipada por la ilusión. Y es que el recién nacido, durante las primeras horas de vida, suele tener un aspecto poco favorable, pero que indudablemente irá mejorando a medida que pasen las horas. La actitud del recién nacido es similar a la que adoptaba en su vida fetal: extremidades encogidas y ligera curvatura del dorso. La cabeza es grande en relación con el cuerpo, alcanzando un cuarto del total de la talla; suele estar deformada en sentido longitudinal, los párpados están hinchados y los labios pueden tener un rodete de color azulado. La piel suele tener un color rojizo, con manos y pies azulados y a veces está muy arrugada. Recubriendo la piel hay una especie de crema blancuzca (unto sebáceo) que la protege y que normalmente no debe eliminarse, dejando que se reabsorba por sí misma. El recién nacido apenas abre los ojos, bosteza con frecuencia y es ya capaz de succionar el dedo si consigue llevarlo hasta la boca.

En pocas horas, su aspecto general mejora notablemente. Los huesos del cráneo vuelven a su posición, con lo que desaparece paulatinamente la deformidad de la cabeza y las señales provocadas por el parto. La hinchazón de los párpados se reabsorbe y empieza a abrir los ojos. La familia ya se siente más satisfecha del aspecto y se empieza a discutir sobre sus posibles parecidos.

La respiración, que se había iniciado con el primer llanto, adopta inmediatamente un ritmo que, aunque a veces sea irregular, no por ello es anormal. Si han quedado restos de mucosidades en las vías respiratorias, los irá eliminando y, para facilitarlo, se le suele colocar boca abajo, con la cuna inclinada, de modo que la cabeza quede más baja que los pies. Los pulmones pueden tardar unas horas en completar su despliegue y ello puede ser motivo de la persistencia algo prolongada de la coloración azulada de manos y pies. La sangre que recoge el oxígeno en los recién estrenados pulmones ya no debe ni puede pasar por la placenta materna y debe efectuar un recorrido nuevo a través del corazón, el cual sufre modificaciones. La circulación sanguínea a nivel de la piel puede ser irregular en los primeros días, provocando la aparición de manchas violáceas que son conocidas con el nombre de «cutis marmorata», por su parecido con el mármol.

La adaptación a la nueva temperatura ambiente también se efectúa de un modo pro-

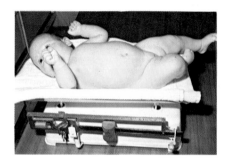

gresivo. Debemos tener en cuenta que en el claustro materno el feto vive a una temperatura estable de 37º aproximadamente, y una vez fuera de él no es fácil que, de entrada, encuentre una temperatura ambiental similar. Mediante sus prendas individuales, la ropita de cuna y, en caso necesario, la colocación en la cuna de bolsas calientes, es posible proporcionarle una temperatura lo más cercana posible a la corporal. Lentamente irá adaptándose a vivir sin necesidad de tanto confort.

Peso y talla

El tamaño de un niño suele estar en proporción directa al de sus padres y el recién nacido responde en general a esta regla. Pero siempre hay excepciones y podemos ver a hijos de padres corpulentos que nacen tras una gestación completa sin pesar los 3 kilos, e hijos habidos de matrimonios de peso y talla francamente inferiores al promedio, que han tenido dificultades para nacer debido a su gran tamaño.

El promedio de *peso* al nacer, para los varones, lo podemos fijar entre 3.200 y 3.400 gramos, y para las hembras entre 3.100 y 3.300 gramos. Puede asegurarse que un 50 % de los nacidos a término se encuentran ante estas cifras. Las oscilaciones por encima y por debajo de este promedio pueden ser muy amplias. Los límites inferiores corresponden a niños que no han completado las 40 semanas de gestación, y los superiores a niños extremadamente grandes, con pesos a veces superiores a 5 kilos. Parece ser que los recién nacidos más grandes de los que se tiene conocimiento superaban algo los 7 kilos de peso. Las madres que dan a luz un primer hijo corpulento tienen tendencia a tener otros niños de gran peso y, probablemente, cada hijo nazca con un peso algo superior al anterior. De un modo similar, si un matrimonio tiene un primer hijo de peso bajo, tras una gestación completa, es probable que todos sus hijos sean menudos. De todos modos, estos casos deben ser debidamente controlados, pues la tendencia a tener niños grandes puede ser debida a una diabetes materna desconocida, y la tendencia a tener niños pequeños a insuficiencias hormonales o placentarias.

Hasta el cuarto o quinto día después del nacimiento debe esperarse una pérdida en el peso del recién nacido, que suele oscilar alrededor de un 10 % del peso de nacimiento. Por lo común, cuanto más pese al nacer, tanto mayor será la pérdida inicial de peso. Esta pérdida obedece a la expulsión del meconio y orina asociada, a que se mantiene a dieta durante las primeras horas y a que las primeras ingestas no son suficientes para cubrir esta pérdida. A partir del cuarto o quinto día debe iniciarse un ascenso en la curva de peso, alcanzando de nuevo el peso de nacimiento entre los ocho y quince días de vida. El recién nacido bien alimentado debe au-

mentar de 150 a 250 gramos semanales y, a las cuatro semanas, debe pesar de 600 a 1.000 gramos más que en el momento de nacer. Deliberadamente omitimos mencionar el aumento diario del niño, pues no todos los días aumenta lo mismo e incluso puede perder peso un día para recuperarlo sobradamente al día siguiente. Somos decididamente partidarios de no pesar diariamente a los niños, a no ser que su estado lo requiera, pues el peso diario no es más útil para el control de la curva de peso que el peso semanal y, sin embargo, puede ser motivo de gran preocupación para los padres.

La *talla* media del recién nacido a término es de 50 centímetros en el varón y algo menor en las niñas. Los límites normales se encuentran entre 46 y 54 centímetros.

El *perímetro cefálico* medio es de 35 cm y el *torácico* de 33 cm y. ambos aumentan de modo desigual, de tal manera que entre los 6 y 12 meses llegan a igualarse. A partir de entonces, de un modo constante, el perímetro torácico será siempre superior al cefálico.

La *piel* del recién nacido es característica: tiene un color rojizo y está arrugada, a no ser que posea abundante grasa por debajo. Suele estar protegida por una espesa capa, que se llama unto sebáceo, y es una sustancia de consistencia cremosa que impide la irritación de la piel durante la persistencia en el medio líquido intrauterino. Pueden existir una gran cantidad de finos pelos, especialmente abundantes en hombros y espalda, que son conocidos con el nombre de lanugo y suelen caer en poco tiempo. Asimismo es corriente la presentación de unas diminutas vesículas en la nariz y mejillas, que carecen totalmente de importancia y desaparecen muy pronto. La presencia de manchas en algunas partes del cuerpo (párpados, frente, nuca, etc.) de un color rojo-azulado o parduzco, atribuidas popularmente a deseos insatisfechos de la madre durante la gestación, no son más que alteraciones de coloración de la piel, o nevus, que carecen de importancia y a menudo desaparecen en pocos meses. Los niños hipermaduros, o sea que nacen después de los nueve meses de embarazo, presentan una piel muy seca y agrietada por falta de grasa y durante los primeros días sufren una aparatosa descamación.

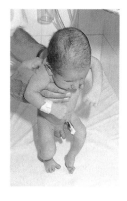

El examen pediátrico dentro de las primeras horas de vida permite saber el grado de salud del niño y las posibles incidencias negativas del parto. La exploración de los reflejos resulta altamente orientativa para la valoración de la normalidad neurológica.

Una vez que ha sido reconocido y limpiado, hay que conceder al recién nacido un poco de relax, para que por primera vez pueda moverse a sus anchas, sin ningún obstáculo a su alrededor.

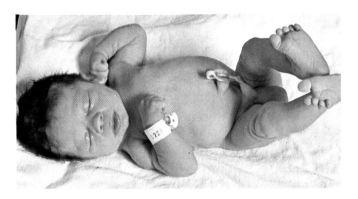

La *cabeza* del recién nacido es desproporcionadamente grande en relación con el resto del cuerpo. En su parte media superior se encuentra la fontanela bregmática, que es una zona no osificada, con déficit de cierre de las suturas. Tiene forma romboidal cuyas diagonales miden 4 y 3 cm aproximadamente y acostumbra a cerrarse entre los 10 y 15 meses. En la parte posterior de la cabeza se encuentra otra fontanela más pequeña, denominada lambdoidea, que se cierra a los 2 o 3 meses. En algunos neonatos pueden encontrarse deformidades en la cabeza que asemejan chichones y pueden tener dos orígenes: la bolsa serosanguínea, que es un hematoma por debajo del cuero cabelludo, en la zona correspondiente a la presentación, y se forma por el efecto de ventosa que se ejerce a nivel del cuello uterino. Puede formarse también cuando se ha efectuado la extracción mediante ventosa, presentando entonces una clara forma redondeada del tamaño del vacuo-extractor. El cefalohematoma, en cambio, es una hemorragia que se acumula entre el hueso y su cubierta, diferenciándose de la bolsa serosanguínea por su mayor dureza y porque está circunscrito a la superficie de un hueso del cráneo. Se reabsorben ambas formaciones en muy poco tiempo, aunque en raras ocasiones el cefalohematoma puede solidificarse por acúmulo de calcio, dando lugar a una deformación de carácter permanente que, de todos modos, irá quedando disimulada a medida que el cráneo va creciendo. Tanto en un caso como en el otro no debe adoptarse ninguna actitud especial.

Referente a los *órganos de los sentidos,* debemos hacer notar que durante el primer mes de vida no parece probable que el recién nacido siga la luz con la vista, pero el estímulo luminoso puede provocarle pestañeo. Responde vigorosamente a los estímulos acústicos, girando la cabeza e incluso los ojos en la dirección de donde procede el sonido. El sentido del gusto lo tiene bien desarrollado, igual que el olfato, aunque de forma perfectamente individualizada, pues distintos niños presentan respuestas diferentes a iguales concentraciones de líquidos endulzados o salados.

El *cordón umbilical* suele caer, completamente seco, al cuarto o quinto día. Durante estos días deberá renovarse el apósito cada vez que esté sucio. Es corriente que, al caer el cordón, sangre un poco el ombligo; no debe hacerse gran cosa: pincelar con solución de mercurocromo y retrasar unos días el baño. Si la hemorragia es muy abundante, deberá avisarse al médico para que éste determine si deben adoptarse medidas.

Las primeras horas del recién nacido

A las pocas horas de vida se inicia la expulsión del *meconio;* se trata de unas deposicio-

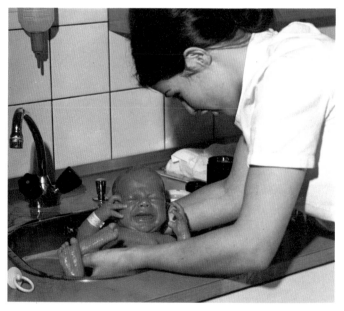

nes que efectúa el neonato durante los dos o tres primeros días de vida, de un aspecto semejante al alquitrán, por su color negruzco y consistencia pegajosa. En cuanto se inicie la alimentación, estas deposiciones irán tomando lentamente un aspecto más pastoso, color amarillento y olor agradable. El meconio se forma con grasa, moco, células de descamación y el líquido amniótico que el niño deglute dentro del claustro materno.

En algunos recién nacidos, debido a acciones hormonales que se transmiten a través de la placenta, puede aparecer una inflamación en el pecho, centrada en uno o ambos pezones, constituyendo una *mastitis* inflamatoria que, a veces, ocasiona la secreción de un líquido blancuzco, similar a la leche. Este hecho es totalmente pasajero y no debe hacerse nada para evitarlo, como no sea la aplicación de suaves paños tibios. Las complicaciones pueden surgir cuando no se cumplen estas normas, especialmente si se intenta exprimir la zona inflamada para provocar la secreción del líquido. Normalmente, lo que se consigue es la entrada de gérmenes y provocar una infección. En las niñas puede apreciarse algunas veces una discreta pérdida sanguínea por sus genitales, denominada *falsa menstruación,* que también obedece a efectos hormonales; carece totalmente de importancia y no debe adoptarse ninguna medida.

Durante las primeras 24 horas de vida, el niño se limitará a dormir y llorar. No se le administrará más alimento que discretas cantidades de suero glucosado o agua endulzada. A partir del primer día ya podrá iniciarse la alimentación láctea, bien sea al pecho materno o artificialmente, con biberones.

A la hora de valorar la normalidad del recién nacido, cobra un valor extraordinario su actitud y su respuesta motora a los estímulos.

El recién nacido se asusta con el primer baño y responde llorando y tiritando.

La actividad espontánea del recién nacido no está sometida todavía al control cerebral voluntario, manifestándose en forma de reflejos arcaicos o reacciones automáticas primarias. Sus músculos denotan una especial hipertonía y se mueven de forma anárquica y difusa. Sus miembros están fijos en flexión, resistiéndose a la movilización, pero en cambio no es capaz de mantener erguida la cabeza. Cuando llora, flexiona y extiende simétricamente todos los miembros.

Resulta curiosa la observación de los peculiares reflejos del recién nacido, cuya presencia es indicativa de normalidad del sistema nervioso. Estos reflejos van desapareciendo en las primeras semanas de vida y es regla de normalidad su ausencia después de cumplido el primer mes.

El reflejo de la marcha se comprueba sosteniendo al recién nacido por las axilas, con las plantas de los pies sobre la cama: de modo automático inicia movimientos alternativos con las piernas, en un bosquejo de marcha.

El reflejo de la prensión se produce al estimularle la palma de la mano, colocando un dedo del explorador en la misma; flexiona fuertemente sus deditos, siendo capaz incluso de sostener su propio peso si se le coloca ligeramente elevado de la cama.

El reflejo de Moro es una respuesta estereotipada a una serie de estímulos bruscos, como pueden ser una palmada sobre la mesa de exploración, la flexión brusca de las piernas o extensión de los antebrazos.

Todos estos reflejos se atenúan al final del primer mes y desaparecen al final del primer trimestre.

Prematuros y dismaduros

Hasta hace relativamente poco tiempo, cuando nacía un niño con un peso inferior a 2.500 gramos era considerado como prematuro, sin valorar si se trataba de un recién nacido a término o no. Actualmente se procura precisar más en estos conceptos y se distingue a los verdaderos prematuros (recién nacidos antes de las 40 semanas de gestación) de los recién nacidos de bajo peso para su edad gestacional, pero nacidos a término («smoll for date»). Gracias a la tabla que adjuntamos, debida a Bataglia y Lubchenko, es posible establecer una relación precisa entre el peso de nacimiento y la edad gestacional. En esta misma gráfica se establecen parámetros de viabilidad, pues es indudable que por debajo de cierto peso y cierto número de semanas de gestación, las posibilidades de supervivencia son mínimas.

El concepto de prematuro queda casi exclusivamente reservado para aquellos niños que nacen antes de las 38 semanas de gestación y con un peso inferior a los 2.500 gramos. También cabe la posibilidad de que el

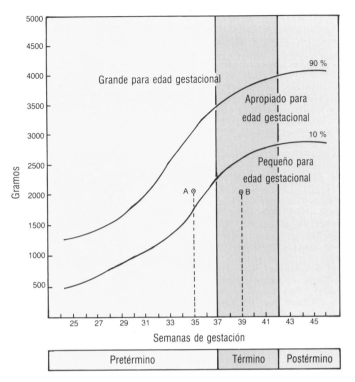

embarazo se prolongue más allá de las 40 semanas y en este caso suele haber una detención en la curva de peso y muchas veces incluso una disminución. Estos niños, que nacen con evidentes signos de adelgazamiento, son considerados como dismaduros o hipermaduros. El pronóstico y los cuidados que deben impartirse al neonato son distintos según se trate de un prematuro, un recién nacido de bajo peso o un dismaduro.

El prematuro

Las causas de prematuridad son muy diversas. La eclampsia, las enfermedades crónicas pulmonares, cardíacas, renales, los traumatismos graves, los tumores uterinos, la placenta previa (placenta en situación muy próxima al cuello uterino), pueden incluirse entre las causas más frecuentes de origen materno. Los niños con malformaciones congénitas y los gemelos suelen nacer prematuramente.

Las posibilidades de subsistencia del prematuro son claramente inferiores a las del recién nacido a término. Su inmadurez se manifiesta en todos sus aparatos y sistemas, condicionando una inferioridad en sus funciones vitales. Tienen una piel delicada y frágil, están quietos, lloran débilmente, succionan sin energía, tienen escasa resistencia a las infecciones y les cuesta más adaptarse al medio ambiente.

Los pulmones no están suficientemente desarrollados, por lo que la adaptación respi-

Esta gráfica permite situar el peso del recién nacido en relación a la edad de gestación y resulta altamente orientativa respecto a los conceptos de prematuridad, postmaturidad y bajo peso.

Se considera como prematuro al recién nacido antes de las 38 semanas de gestación, independientemente del peso que tenga al nacer. El que pesa menos de 2.500 gr, pero nace después de las 38 semanas de gestación, se considera un «smoll for date» (pequeño para su edad). En ambos casos deberán dispensarse cuidados especiales para garantizar la supervivencia.

ratoria se realiza con mayores dificultades, repercutiendo directamente en la oxigenación de la sangre. El hígado trabaja por debajo de sus posibilidades y ello repercute en la ictericia fisiológica, que en el prematuro suele ser más intensa y prolongada. El aparato digestivo muestra su inmadurez en una menor tolerancia a las grasas. El prematuro tiene una gran dificultad para la regulación de la temperatura corporal, que puede hallarse por debajo de los 36,5°, a pesar de que se le caliente artificialmente en la incubadora. Asimismo es muy sensible a los anestésicos y sedantes administrados a la madre durante el parto, hecho que se manifiesta en una profunda depresión de su actividad.

Los hechos anteriormente expuestos sugieren que el prematuro tiene verdaderas dificultades para adaptarse al medio ambiente, ello se pretende solucionar colocándole en una incubadora, donde las condiciones de temperatura, humedad y concentración de oxígeno son distintas a las del medio ambiente y más adaptadas a las necesidades del prematuro. En la mayoría de los casos, especialmente cuando se trata de niños que sobrepasan los dos kilos de peso y no padecen ningún problema patológico, el simple hecho de mantenerles los primeros días de vida en la incubadora, en espera de que recuperen y superen el peso de nacimiento, bastará para permitir su desarrollo normal.

Una vez recuperado el peso mínimo necesario para poder vivir con garantías fuera de la incubadora, el prematuro se desarrolla como un niño nacido a término y precisa los mismos cuidados que cualquier otro niño de su edad. No por el hecho de haber nacido más pequeño necesita más alimentos, y en general puede observarse que con las cantidades habituales para su peso experimenta un aumento superior a lo que cabría esperar; de hecho, mantiene el ritmo de crecimiento fetal, ya que un prematuro no es más que un feto que vive fuera del claustro materno. En el desarrollo psicomotor del niño que ha na-

cido prematuro sí que se puede apreciar un retraso que, en realidad, no es tal. Dado que este desarrollo depende de la madurez del cerebro y que éste no experimenta cambio alguno por el hecho de pasar de la vida intrauterina a la extrauterina, es fácil comprender que un prematuro nacido a las 36 semanas de gestación (de 8 meses) posee el mismo desarrollo de su sistema nervioso que un feto de la misma edad. Este mismo prematuro, cuando tenga un mes de vida, tendrá un comportamiento neurológico correspondiente al recién nacido a término. Si un bebé nacido a término suele empezar a andar alrededor de los doce meses, deberá considerarse normal que un prematuro de siete meses inicie su deambulación hacia los catorce meses.

El recién nacido de bajo peso para su edad de gestación

Cuando un niño nace con un peso inferior al que le correspondería por término medio para su edad gestacional, es posible que nos hallemos ante uno de estos problemas: que exista una disfunción placentaria que haya condicionado un deficiente desarrollo fetal, que la madre sufra alguna enfermedad aguda o crónica que haya repercutido directamente sobre el desarrollo del feto, que el feto tenga alguna malformación o enfermedad que impida su normal crecimiento, o —lo más corriente— que su tamaño responda a factores constitucionales.

Los cuidados que precisan estos niños dependen de su peso y estado general. Normalmente, si pesan por debajo de los 2.500 gramos será aconsejable ponerles en una incubadora y someterles a estricto control hasta que hayan superado este peso, considerado como límite de seguridad. Si el recién nacido está afecto de alguna malformación o padece algún trastorno, también será preciso someterle a control y cuidados específicos de la unidad de cuidados intensivos neonatales.

El hipermaduro

El concepto de hipermadurez o postmadurez debería simplificarse con el de dismadu-

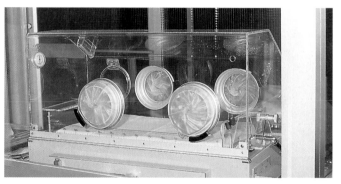

Una moderna cuna termostática o incubadora. En ella se reproducen las condiciones ambientales de temperatura y presión de oxígeno indispensables para la supervivencia del pequeño inmaduro.

En el departamento de maternidad de un hospital, todo está ideado para una serie permanente de cuidados. La temperatura ambiental tiene que ser siempre constante, a fin de que al desnudar al bebé para pesarlo o lavarlo no se enfríe. Para evitar cambios con otros niños, cada uno lleva una pulsera con su nombre o a veces una tirita adhesiva.

rez, ya que el estado que presentan estos recién nacidos no siempre es debido a una gestación prolongada. Algunas veces nacen niños a término con evidentes síntomas de hipermadurez a consecuencia de un envejecimiento precoz de la placenta; otras veces el envejecimiento placentario es debido a que no se desencadena el parto y, pasados los 300 días de gestación, no es fácil que la placenta pueda seguir ejerciendo sus funciones con normalidad.

El dismaduro es un recién nacido que presenta signos de haber perdido peso en el claustro materno, con una vivacidad extraordinaria y un aspecto de tener mayor edad de la que le corresponde. Durante los últimos días de embarazo ha perdido gran parte del unto sebáceo que recubre su piel y ésta se muestra con un aspecto apergaminado, seca y a veces llena de estrías, mucho más evidentes en manos y pies. Estos niños están más predispuestos a padecer infecciones, presentar vómitos y mostrarse muy inquietos.

El porcentaje de dismaduros sobre el número global de recién nacidos es francamente bajo, no correspondiendo, ni mucho menos, a la totalidad de embarazos prolongados. Aproximadamente la mitad de los embarazos que superan las cuarenta semanas, nacerán niños con un aspecto completamente normal, sin el más leve signo de dismadurez. Por otra parte, el dismaduro no suele plantear problemas importantes ni trastornos que repercutan sobre su normal desarrollo posterior. En general, superadas las primeras semanas, y una vez han alcanzado un peso adecuado (por encima de los 3.500 gramos), su evolución será completamente normal.

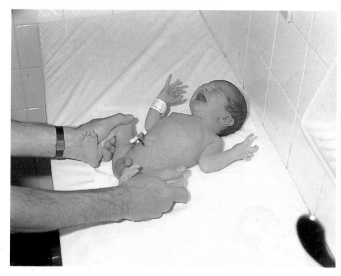

dietetistas y auxiliares. Todo ello supone un considerable empeño económico al que no deben mantenerse ignorantes los padres.

Las actuales técnicas de respiración asistida han supuesto un notable incremento en el número de vidas salvadas a recién nacidos, cuya inmadurez pulmonar habría llevado a una muerte irremisible. Prematuros de peso inferior a los 1.000 gramos, de una edad gestacional inferior a las 30 semanas, con deficiente desarrollo de sus pulmones, pueden ahora sobrevivir, cuando hace relativamente pocos años tenían unas posibilidades muy limitadas. Los progresos realizados por la perinatología se hacen realidad en estas unidades de cuidados intensivos neonatales, gracias a las cuales se ha conseguido una gran disminución de la mortinatalidad.

El pediatra debe revisar al recién nacido cuanto antes, observando en él la posible existencia de anomalías, trastornos debidos al parto, o deficiencias funcionales.

La unidad de cuidados intensivos neonatales

Todos estos recién nacidos precisan unos cuidados, gracias a los cuales se ha asegurado en gran parte su supervivencia. La mortalidad neonatal tiene una máxima incidencia en estos casos particulares que hemos descrito y la creación de unidades de cuidados intensivos neonatales ha contribuido a disminuirla notablemente.

Se trata de centros que han de estar conectados a las clínicas maternológicas para la recepción de todos aquellos casos que requieren cuidados especiales, bien sea por su peso, temperatura, condiciones respiratorias, circulatorias, existencia de infección, etc. Deben estar dotados de instalaciones y material adecuado para mantener a los recién nacidos aislados y en idóneas condiciones de asepsia. Personal especializado proporciona atención continuada a los diminutos pacientes: médicos neonatólogos, enfermeras, personal de laboratorio, radiólogos,

El examen pediátrico

Es de una importancia capital que todo recién nacido sea revisado a fondo por un pediatra dentro de las primeras horas de vida. Este examen tiene como fin primordial comprobar el perfecto estado general del recién nacido, su normalidad en todos los aspectos y proporcionar a los padres la tranquilidad de que el ser que se ha estado esperando con tanta ilusión goza de una salud completa. En caso de existir algún problema o anomalía, el pediatra proporcionará a los padres toda la información posible y oportuna, aconsejando las medidas a adoptar para la mejor solución de los problemas. El pediatra proporcionará asimismo a los padres información sobre todos aquellos detalles de la alimentación, higiene y cuidados generales que precisa el recién nacido.

La selección del pediatra deberá hacerse antes de nacer el niño o bajo consejo del to-

Los prematuros son más propensos a desarrollar problemas respiratorios, infecciones, hipoglucemia e ictericia, por lo que deben tratarse con especial cuidado en los días inmediatos al parto. En la mayoría de casos, su progreso es rápido y alcanzan pronto a los niños nacidos a término.

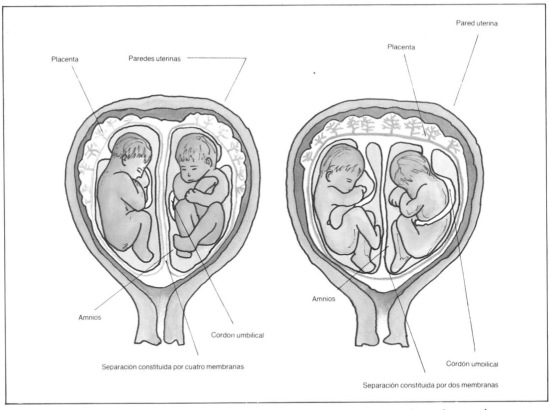

Placenta — Paredes uterinas — Pared uterina — Placenta

Amnios — Cordon umbilical — Amnios — Cordón umbilical

Separación constituida por cuatro membranas

Separación constituida por dos membranas

cólogo. Actualmente son muy pocos los tocólogos que cuidan del control del recién nacido, confiando esta misión al pediatra neonatólogo, quien actúa en estrecha colaboración con él. Durante la estancia en la clínica efectuará los controles que estime oportuno, según el curso de los acontecimientos, y posteriormente efectuará las revisiones mensuales del bebé para control de peso, desarrollo físico y psicomotor, además de diagnosticar y tratar aquellos problemas patológicos que puedan presentarse.

Dada la gran importancia que juega en la vida del niño el papel del pediatra, es conveniente que la elección se efectúe cuidadosamente, tratando de evitar cambios que contribuyen a la desorientación. Tanto para la familia como para el mismo pediatra, es de un valor incalculable poseer un historial completo del niño, iniciado con los datos del embarazo y del parto, que deberán ser facilitados por el tocólogo. El historial sanitario del niño tiene un valor capital durante la infancia, adolescencia y en la edad adulta.

Gemelos y mellizos

Tener gemelos o mellizos es bastante menos raro de lo que en general se cree. Una madre de cada cien da a luz unos gemelos como consecuencia de la fecundación de dos óvulos, o de unos mellizos por la transformación en dos del óvulo fecundado. Menos frecuente resulta el embarazo múltiple: nacen unos trillizos de cada 7.000 recién nacidos y unos cuatrillizos de cada veinticinco millones de recién nacidos. Mientras las hembras de algunos mamíferos normalmente dan a luz varios hijos a la vez, para la mujer es una excepción el parto múltiple.

En el embarazo gemelar se pueden dar dos posibilidades claramente distintas. En un primer caso, puede producirse la fecundación de dos óvulos a cargo de dos espermatozoides. Los dos huevos se desarrollan juntos pero independientemente, poseyendo cada uno su placenta, su cordón umbilical y sus membranas amnióticas. En este caso se dice que los niños son gemelos o heterocigotos, siendo posible que cada uno de ellos haya recogido características genéticas distintas, pueden ser de distinto sexo y con poco parecido físico. En un segundo caso, el de los homocigotos o mellizos, provienen de la fecundación de un solo óvulo por un solo espermatozoide, con un posterior proceso de separación, dando lugar a dos embriones que crecen juntos, en un mismo saco amniótico y con una placenta que puede ser común o separada por cada feto. Los mellizos son siempre del mismo sexo y se parecen mucho, tanto física como psíquicamente.

Los gemelos, o bivitelinos, proceden de la fecundación de dos óvulos por dos espermatozoides y pueden parecerse entre sí como dos hermanos. Los mellizos, o monovitelinos, proceden del mismo óvulo, el cual ha sido fecundado por un solo espermatozoide y tienen siempre el mismo sexo.

Es importante que el pediatra que se escoja, además de conocimientos y profesionalidad, tenga unas buenas cualidades humanas que faciliten la relación entre él y la familia, y posteriormente entre él y el niño, a medida que éste vaya creciendo.

Los embarazos gemelares suelen acortar su duración a consecuencia de la gran distensión uterina que condiciona el mayor contenido. Ello provoca un precoz inicio de las contracciones o una ruptura prematura de la bolsa de las aguas. Por esto, un elevado porcentaje de gemelos suelen ser prematuros, precisando su internamiento en una unidad neonatal para completar su desarrollo y alcanzar el peso adecuado para vivir sin problemas fuera de la incubadora. Algunas veces puede haber una notable desproporción de peso y tamaño entre ambos gemelos, como si el mayor se hubiera nutrido más a expensas de su hermano. Esta diferencia suele tardar mucho en hacerse inaparente.

Uno de los problemas que se plantean ante el nacimiento de unos gemelos, es el de su alimentación. En principio, no existe inconveniente alguno en criarlos al pecho, pues la madre puede tener leche suficiente para ambos, pero ello va a suponer ciertamente una dedicación muy dilatada en cuanto a tiempo, por lo que en general se instaura una lactancia mixta, de modo que en cada toma de alimento uno toma pecho y el otro biberón, haciéndolo a la inversa en la siguiente toma.

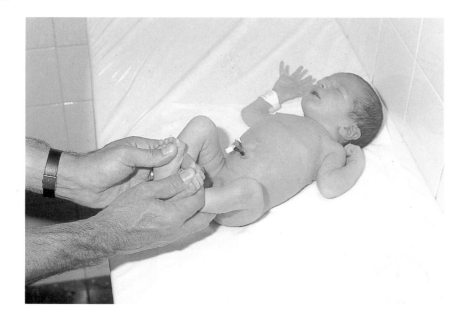

A las pocas horas de nacer, al recién nacido se le somete a una exhaustiva revisión por parte del pediatra para comprobar que todo su organismo funciona normalmente.
Es el momento de detectar cualquier posible anormalidad que, tratada a tiempo, puede tener solución.

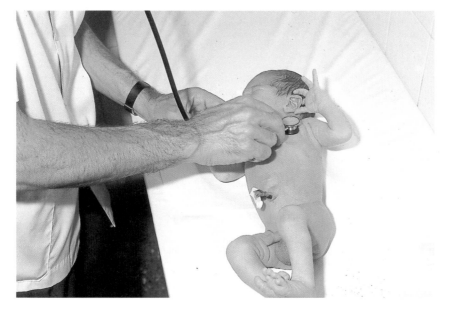

El niño pequeño siempre tiene una razón para llorar, y nunca lo hace para molestar o fastidiar a sus progenitores. Es un medio de comunicación, que generalmente significa descontento; por tanto los padres tienen que aprender pronto a reconocer los diferentes sonidos e interpretar las razones. Generalmente éstas se encuentran en el hambre, los dolores cólicos, los pañales húmedos o sucios, la falta de atención, las luces brillantes, o la cercanía o contacto de personas extrañas.

Pequeños problemas del recién nacido

El llanto

Una de las duras pruebas a que se ven sometidos los padres es oír llorar a sus hijos. Cuanto más pequeño es el niño, más angustioso suele resultar el llanto por las incógnitas que suscita. Ante los sollozos del recién nacido, son muchas las preguntas que se plantean, intentando averiguar los motivos del mismo. Hasta que el niño sea capaz de manifestar que tiene hambre, frío, dolor en alguna parte del cuerpo, que se siente sucio e incómodo, se precisará práctica e intuición para adivinar la causa del llanto. En un principio, el lloro del bebé es un lenguaje enigmático, pero pasadas las primeras semanas, será fácil adivinar porqué llora el niño.

Para el recién nacido, el llanto es el único modo de expresión válido para contactar con el mundo que le rodea, y con él sabe que la madre acudirá para remediar aquello de que no es capaz por sí mismo. Durante los primeros días de su existencia, el recién nacido vive inmerso en sí mismo, procurando únicamente satisfacer sus necesidades fisiológicas: el hambre, la sed, las excreciones; los estímulos externos como la luz, los ruidos, los cambios de temperatura, le causan una profunda

sensación de desagrado, que sólo es capaz de exteriorizar en forma de llanto. La superación de estas sensaciones le producen bienestar, manifestándolo en forma de sueño tranquilo y reposado. Su gran inmadurez física le impide superar las situaciones físicas o ambientales por sí mismo, precisando la contribución de la madre para asegurar su bienestar y su supervivencia. Si el cuidado de la madre es efectivo, se reduce la tensión y el recién nacido queda gratificado y tranquilo.

Siempre que el bebé llore se acudirá a verlo; cuando se trate de un niño muy pequeño será necesario asegurarse de que no se encuentra en una postura incómoda, que sus vestidos no le aprietan en exceso, que no tiene demasiado calor o frío, que no le molesta la luz o cualquier ruido, que no va ya mojado o sucio, que ha realizado correctamente el eructo después de la última toma de alimento o que no siente dolor de barriga, hecho que se comprobará si llora encogiendo las piernas, con el abdomen duro y emitiendo ventosidades. Si todo es normal, si ninguna de las razones expuestas es la causa de este llanto (y ello es lo más corriente), debemos pensar simplemente que el niño expresa su estado anímico de la única forma en que es capaz de hacerlo, o sea llorando.

Crisis periódicas de llanto

Muchos lactantes lloran todos los días durante un cierto tiempo; sus lloros acostumbran a seguir un ritmo horario relacionado con el sueño o con el apetito, quejándose más intensamente entre la segunda y la décima semanas de vida. Estos llantos normales, que no obedecen a ninguna causa anómala, son un medio para que el bebé descargue el nerviosismo que ha acumulado durante las horas que preceden a la crisis del llanto. Durante mucho tiempo el bebé es capaz de permanecer tranquilo en su cuna, dormido o no, y en un momento preciso, generalmente a la misma hora cada día, rompe a llorar y nada le consuela. Si fuera capaz de expresarse nos diría que no nos preocupáramos, que no le pasa nada malo, que simplemente está de mal humor. Los padres no deben preocuparse porque ciertos niños acumulan más tensión nerviosa que otros, pero ello sólo es consecuencia de su modo de ser. Los hijos de padres nerviosos acostumbran a llorar más que los de padres más tranquilos; el primer hijo también suele resultar más llorón que los restantes, y en ello quizá juegue un buen papel la inexperiencia de los padres. Estas crisis son un reflejo de todo lo que el niño oye. Durante el día, los ruidos de la calle, los aparatos de radio o televisión a elevada potencia, los gritos de sus hermanos, van incidiendo en el bebé, quien, sin embargo, permanece aparentemente tranquilo en su cuna; pero cuando esta tensión ambiental decrece, y ello suele ocurrir al anochecer, surge la crisis de llanto como expresión de liberación de la tensión acumulada. Lo más probable es que si en este momento se le toma en brazos deje de llorar, pero reanudará el llanto al depositarle nuevamente en la cuna. Lo mejor es dejarle tranquilo, permanecer a su lado hablándole dulcemente o bien ofreciéndole algún objeto vistoso que llame su atención. La razón por la que el bebé acalla sus llantos al cogerle en brazos podríamos atribuirla a que se siente más protegido y su proximidad a la madre le permite percibir de nuevo los latidos del corazón materno, que es un sonido que le resulta familiar por haberle acompañado durante toda su vida fetal.

Hasta los tres meses, el niño llora para liberar su tensión nerviosa, cuando se siente incómodo, cuando tiene hambre y cuando le cuesta conciliar el sueño. A partir del cuarto mes, puede llorar también porque esté de mal humor, porque no puede ver un objeto al que estaba habituado, o porque su madre ha olvidado dejarle un juguete determinado en la cuna. Alrededor de los ocho meses, el niño es capaz de enfadarse consigo mismo y llorar porque no puede realizar un cierto movimiento o no puede coger un objeto que le ilusiona. Pero a medida que el niño crece, sus lloros van siendo menos problemáticos por la disminución de su tensión nerviosa (el bebé posee nuevas formas de expresión y expansión) y porque se diferencian mucho mejor según el motivo, no resultando difícil saber si llora por hambre, dolor o tristeza.

Normalmente, son los niños intranquilos los que reclaman el chupete. Si su empleo es inevitablemente necesario, deberá mantenerse en el mayor estado de pulcritud, hirviéndolo cuando se cae al suelo.

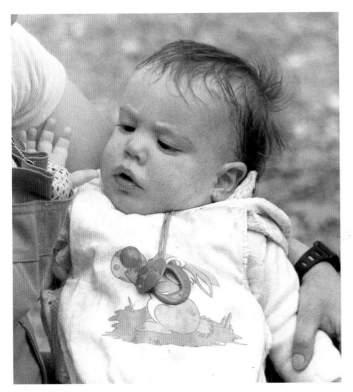

Actuación ante el llanto

Un problema que frecuentemente se plantea es si se debe tomar en brazos al bebé que llora estando en la cuna. No es posible definirse claramente por ninguna postura: si se le deja llorar, el bebé no es feliz; si se le toma en brazos, se corre el peligro de crearle un hábito. Para evitar la presentación de este dilema, aconsejamos que se dedique diariamente un cierto tiempo a estar con el niño, tomarlo en brazos, jugar con él, de modo que se perciba de la ternura de los padres y satisfaga sus apetencias afectivas. En las restantes ocasiones, si llora y se ha comprobado que nada malo le ocurre, se le dejará en la cuna, entregándole un juguete o acercándole a la ventana para que se distraiga.

Cuando el niño está enfermo y siente dolor, el llanto toma unas características completamente distintas, su cara se vuelve pálida y crispada, está agitado, rechaza el alimento y no se consuela tomándole en brazos ni con el chupete. Hay muchos trastornos del bebé que pueden producirle dolor, pero lo más frecuente es que tenga dolores abdominales por aerofagia o dolor de oídos por una otitis.

El chupete

El de succión es un reflejo propio del recién nacido que constituye la manifestación más evidente de su instinto de conservación. Mediante la succión, el bebé se siente más seguro porque le proporciona garantías de supervivencia. Este reflejo suele estar presente en el feto a partir de las 34-36 semanas de gestación, de modo que el recién nacido a término es capaz de succionar apenas nacer. La succión le permite una normal nutrición, bien sea del pecho materno, bien de un biberón, pero muchas veces, a pesar de haber saciado su apetito, el bebé sigue teniendo necesidad de succionar y si no puede hacerlo es capaz de demostrarlo con vivas muestras de desagrado.

El primer recurso del recién nacido es introducir un dedo (generalmente el pulgar) en la boca y succionar con avidez. En muchas ocasiones no sabe recurrir al dedo y precisa disponer de un chupete. Son innumerables las crisis de llanto que se han solucionado con el sencillo acto de proporcionar un chupete. Porque la realidad es que si el bebé llora por hambre, ni el dedo ni el chupete solucionarán nada. La solución la proporciona precisamente en las circunstancias en que el niño se siente inseguro. De esto se desprende fácilmente que no nos mostramos contrarios al chupete. Es más, si se observa que el bebé tiene tendencia a chuparse el dedo es preferible ofrecerle un chupete como sustitutivo del dedo. La razón es muy simple: cuando se considere que debe suprimirse el hábito del chupete, se elimina sin más problemas, en cambio, el dedo no lo podemos eliminar.

De todos modos, si entregamos un chupete al bebé debemos ser conscientes de que es una

solución puramente transitoria, en tanto sirve para compensar la inseguridad propia del lactante. Cuando el bebé tenga edad suficiente para haber alcanzado una buena adaptación al medio ambiente y sea capaz de sentirse seguro ante lo que le rodea, habiendo adquirido además una normal capacidad de distracción, el chupete debe suprimirse, so pena de prolongar innecesariamente esta sensación de inseguridad. Este estado se logra en distintos momentos según el niño, pero en general es aconsejable no prolongar el uso del chupete más allá de los doce meses. Se podrá argumentar que a partir de esta edad puede resultar muy útil ante las crisis dolorosas de la dentición, mas para ello existen otros medios, tan eficaces como el chupete, que, en cambio, no permiten que se mantenga la succión ni las frecuentes deformaciones del maxilar que suelen apreciarse. Quizá lo que prolongue más tiempo el uso del chupete es su necesidad para conciliar el sueño, especialmente si el niño se siente excesivamente fatigado, irritado o insatisfecho. El paso del estado de vigilia al sueño, para muchos bebés supone una situación de inseguridad que se manifiesta con un desasosiego que impide la normal conciliación del sueño. Mediante la succión se recobra la seguridad necesaria para que el paso se realice con gran facilidad. Normalmente, al poco rato el bebé soltará el chupete y dormirá plácidamente.

El hipo

Se trata de un fenómeno natural y frecuente que aparece después de una tetada o biberón y que no es raro después de una crisis de llanto o de carcajadas. Corresponde a las contracciones del diafragma, estimulado por el estómago lleno de aire. El diafragma es un músculo que ocupa transversalmente el abdomen, a modo de tabique o bóveda, separándolo del tórax. El hipo no es doloroso, pero puede resultar bastante molesto si se prolonga por mucho tiempo. Carece totalmente de importancia y en muchas ocasiones se calma administrando unas cucharaditas de agua azucarada y colocando al bebé en la cuna boca abajo, postura que facilita la emisión de algún eructo.

El sueño

El recién nacido duerme la mayor parte de las 24 horas del día, pero su sueño semeja más un estado de letargo, del que apenas sale para reclamar su alimento, siempre que encuentre satisfechas sus necesidades fisiológicas. De hecho, la actitud del recién nacido, durante las dos primeras semanas, difiere muy poco de la actitud fetal; el bebé duerme profundamente, con sus extremidades flexionadas y los puños cerrados, pero poco a poco adopta una actitud más relajada e intercala fases de vigilia entre las de sueño. Estas fases de vigilia se distinguen porque el bebé permanece con los

ojos abiertos o llora, pero no establece un claro contacto con el medio ambiente, al menos hasta que sus sentidos estén lo suficientemente desarrollados para ello. A las dos o tres semanas, el recién nacido es capaz de permanecer despierto en algunos intervalos, que transcurren entre dos comidas, llegando a establecer, alrededor del primer mes, uno o dos períodos de vigilia, generalmente por la mañana y hacia el atardecer. El hecho de que durante estos períodos llore o esté tranquilo dependerá de su particular constitución, de su grado de satisfacción nutritiva y, en general, de los posibles trastornos que pueda padecer, como aerofagia, hipo, dolores abdominales, frío, calor, etc.

Durante la noche, es normal que el recién nacido mantenga el mismo ritmo de sueño que durante el día, en relación con su horario alimenticio, no siendo de esperar que alargue sus horas de sueño en tanto no se inicie el baño nocturno, no se alcancen cantidades de alimento suficientes o sufra un desgaste diurno capaz de garantizar un mejor reposo nocturno. Resulta frecuente, por otra parte, que el recién nacido duerma plácidamente entre sus ingestiones durante el día y, en cambio, por la noche no logre conciliar el sueño, llore, se contorsione y no se calme ni con la administración de alimento. Este hecho tan frecuente y que tantas preocupaciones proporciona a los padres, además de quitarles horas de sueño, puede obedecer a muy distintas causas, no siempre muy evidentes, pareciendo gozar de crédito la opinión de la posible influencia del silencio ambiental en contraste con el ruido que debe soportar el bebé durante el día. Pocas soluciones tiene este insomnio del recién nacido cuando no obedece a una causa muy evidente como, por ejemplo, el hambre o los dolores abdominales. Para que el bebé duerma tranquilo durante la noche debemos procurar que durante el día tenga una atmósfera de paz y sosiego, que esté suficientemente alimentado y que antes de la última comida del día se le proporcione un baño relajante.

El plácido sueño restaurador del recién nacido. El número de horas de sueño necesarias cada día no es igual para todos los niños, sino que depende de las características de cada uno de ellos y de las circunstancias ambientales. Aunque por lo general el recién nacido duerme aproximadamente 20 horas al día, suele hacerlo durante 3 o 4 horas entre una toma y otra. A partir de las 6 semanas, el lactante comienza a dormir períodos más largos durante la noche.

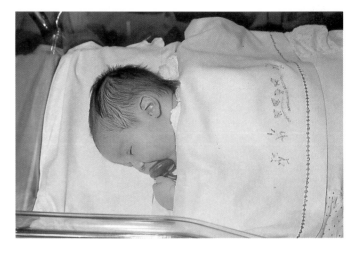

La aerofagia

Es otro de los problemas que pueden llegar a preocupar durante el primer mes de vida. La aerofagia es la excesiva acumulación de aire en el tubo digestivo, y es un trastorno propio de la alimentación por succión. Después de una tetada o biberón normal, el bebé debe haber ingerido una cantidad equivalente de aire que de líquido y este aire debe ser expulsado por medio del eructo. Es muy corriente que el niño trague más aire del normal y ello sea causa de dificultad al eructar, intranquilidad, dolores espasmódicos abdominales, regurgitaciones y vómitos. Las causas más frecuentes de aerofagia son las que dependen de una succión deficiente: una tetina de biberón excesivamente dura o con orificio inadecuado, un mal sistema de entrada de aire en los biberones, o succión defectuosa por parte del niño, bien sea por exceso de avidez, bien por pereza. Los resfriados nasales, con obstrucción, suelen impedir una correcta succión, favoreciendo la aerofagia.

La habitación

Durante el embarazo es preciso empezar a pensar en la habitación de los niños. Si la vivienda es espaciosa, lo ideal será escoger una habitación para el recién nacido, aunque en principio se piense tenerle en la de los padres. Al proyectarla, deberán tenerse en cuenta una serie de características como la luz, ventilación y temperatura, independientemente de su tamaño. La decoración y mobiliario deberán adaptarse al sexo y las distintas edades del niño, siendo muy importante proporcionarle, en cada momento, lo que necesita.

La habitación infantil debe ser lo más espaciosa posible, soleada, poco ruidosa, fácil de ventilar y que goce de una buena iluminación natural el máximo de tiempo posible. Si además dispone de terraza, será ideal. En un principio, se dotará de una decoración muy simple. Paredes y techo pintados de un color muy claro, algo pálido, en pintura de plástico. También resulta adecuado un papel pintado lavable, con dibujos alegres o un arrimadero, de madera o corcho, de un metro de altura aproximadamente. El suelo debe ser fácil de limpiar, sin acumular excesivamente el polvo, por lo que, en principio, desecharemos la moqueta, a pesar de que resulta lo más confortable. No hay inconveniente en ponerla si se mantiene siempre muy limpia, lo cual supone un trabajo extra. Los suelos con mosaico o tipo linoleum son mucho más cómodos de limpiar, pero suelen resultar algo fríos. Una buena solución la podemos encontrar en un suelo de corcho revestido de barniz plástico, que proporciona confort y se puede limpiar con gran facilidad. En principio, es mejor no poner cortinas en las ventanas, a no ser que sean muy simples y no se empolven fácilmente. Se cuidará que las ventanas cierren herméticamente, sin posibles corrientes de aire. En resumen, es conveniente que todo sea práctico, limpio y sólido para que resista al máximo las actividades infantiles.

Si para acondicionar la habitación es necesario hacer obras o simplemente pintar, se realizarán con la suficiente antelación para que, al ocuparla el bebé, no queden restos de humedad u olor a pintura, recomendándose asimismo la utilización de pinturas y barnices que no contengan sustancias tóxicas.

Temperatura y humedad ambientales

Un punto muy importante lo constituye el sistema de calefacción que se utilizará. La temperatura idónea para la habitación del recién nacido y el lactante es la comprendida entre 18 y 22°, en todas las épocas del año, pudiéndose compensar las desviaciones de

El bebé, para su desarrollo, necesita un lugar en el que disfrute de abundante luz, aire y tranquilidad. Lo ideal es que pueda disponer de una habitación exclusiva para él. Esta debe ser limpia, clara y alegre, con una temperatura permanente de 18 a 22 °C.

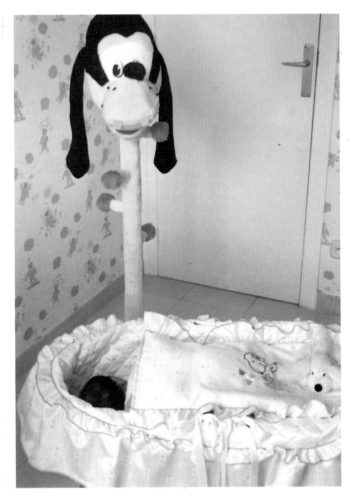

esta media con las prendas de abrigo directas o de cuna. Las estufas de gas deberán evitarse en lo posible, pues un pequeño escape podría resultar muy perjudicial para el niño. Si no se dispone de otra cosa, se colocará siempre fuera de la habitación, frente a la puerta. Los mejores sistemas de calefacción son los radiadores de agua caliente, las placas solares, el calor negro y las estufas o convectores eléctricos, todos ellos sistemas desprovistos de llama o incandescencia, para evitar las quemaduras. Las estufas a resistencia eléctrica, se podrán utilizar siempre que se coloquen colgadas de la pared, a una altura inalcanzable para el niño. Lo ideal es utilizar un sistema que permita un funcionamiento continuado día y noche, con el fin de que no se produzcan descensos importantes de la temperatura ambiental durante la noche, casi siempre causa de resfriados, pues el niño, cuando se acuesta, se encuentra muy a gusto con la temperatura de la habitación y, al poco rato de dormirse, se destapa inconscientemente. La calefacción funcionando a discreta intensidad o controlada por termostato durante la noche, permite que el niño pueda dormir destapado sin peligro a tener frío y, en consecuencia, a resfriarse.

En cuanto a la refrigeración, el único sistema aceptable son los condicionadores por aire frío, teniendo siempre la precaución de colocarlo en situación elevada, por encima de dos metros del suelo, procurando que el chorro no vaya dirigido de forma directa al bebé y haciéndole trabajar a una marcha moderada. Tienen el inconveniente de que eliminan excesivamente la humedad ambiental y pueden predisponer a los procesos catarrales de vías respiratorias altas.

Una vez conseguida la temperatura ideal de la habitación no debe olvidarse de proporcionarle un grado de humedad óptimo. Todo sistema de calefacción reduce mucho la humedad ambiente y el bebé lo acusa con sequedad de boca y nariz. Se mantendrá una humedad ambiente entre el 50 y 60 %, con cualquiera de estos sistemas: pulverizando frecuentemente la habitación con agua; mediante un humidificador de cualquier tipo de los que se encuentran en el mercado; disponiendo un recipiente plano con agua para que se vaya evaporando, o como sistema más sencillo, colocando una toalla mojada y escurrida sobre el radiador, de modo que, a medida que se vaya secando, vaya desprendiendo vapor de agua.

El mobiliario

El mobiliario dependerá en gran parte de si la habitación se destina exclusivamente a dormitorio o va a ser utilizada también como cuarto de jugar, en cuyo caso los muebles deben limitarse a lo imprescindible para dejar un mayor campo de acción.

Para recibir al recién nacido bastará disponer la cuna, un armario o cómoda para la ropita del bebé y una silla baja para que la madre pueda alimentarle cómodamente. La bañera puede ponerse en la habitación, o mejor quizás en el cuarto de baño, si hay espacio para ello. Durante los primeros meses es costumbre habitual colocar al recién nacido en la misma habitación de los padres. Aunque lo ideal sería colocarle en su habitación desde el principio, no existe inconveniente en tenerle junto a la madre para poder vigilarle de cerca y evitar las molestias que supone tener que levantarse varias veces por la noche para alimentarle o cambiarle. Si la habitación del niño es contigua a la de los padres, podrá dormir por la noche en ella a partir del momento en que efectúe la pausa nocturna de su alimentación. Durante el día podrá permanecer en su habitación, especialmente para permitir una buena ventilación de la de los padres. Tan importante es la correcta ventilación del lugar donde duerme el bebé que no existe inconveniente en mantener la ventana ligeramente abierta de modo constante, siempre que se procuren evitar las corrientes de aire.

Somos partidarios de sacar muy pronto al bebé de la habitación de los padres, y lo más adecuado es hacerlo a partir del momento en que su descanso nocturno sea prolongado y sin interrupciones, hecho que la gran mayo-

El mobiliario de la habitación del niño debe ser sencillo y fácil de limpiar. Cuando, por razones de espacio, no es posible disponer de una habitación para el niño, se colocará la cuna en la pieza más aireada y tranquila de la casa. Jamás se hará dormir al pequeño en un cuarto donde se fume.

ría de niños consiguen alrededor del sexto mes. Si la habitación del bebé es cercana a la de los padres, se mantendrán las puertas abiertas toda la noche para oír cualquier ruido. Si está algo distante, se puede colocar un intercomunicador, de modo que se perciba claramente si el bebé se despierta, tose, llora, etc...

A medida que el bebé crece, su habitación debe irse convirtiendo en su pequeño mundo. A partir de los 4 o 5 meses, la cuna debe ofrecer la suficiente visibilidad para establecer contacto visual con lo que le rodea. En este momento le distraerán los dibujos del papel pintado, los móviles, pósters, etc. Cuando, a los 7 u 8 meses, es capaz de permanecer sentado durante algún tiempo, se le podrá dejar en el suelo, rodeado de algunos juguetes, en espera de que haga sus primeros intentos de gateo. Cuando sea capaz de desplazarse por sus propios medios, gateando, se pensará en todo aquello que pueda dañarle, como los cantos y aristas de los muebles, los enchufes, cordones de cortinas, etc. Precisamente en lo que se refiere a los enchufes vale la pena decir que representan un importante peligro, pues ningún niño resiste a la tentación de introducir en ellos sus deditos. El sistema preventivo más eficaz es cambiar todos los enchufes de la casa por enchufes de seguridad especialmente diseñados, o bien colocarles unos protectores que taponan los orificios.

El parque

En esta edad del bebé es cuando se plantea la posibilidad de utilizar un «parque» para que desarrolle en él su actividad. Realmente es un mueble que tiene sus ventajas e inconvenientes: se trata de un lugar seguro para el bebé, donde puede jugar sin peligro, aprender a ponerse de pie e iniciar cortos desplazamientos sin la ayuda de nadie, pero en cambio ocupa mucho espacio, lo cual le hace incompatible en muchas viviendas. Muchos niños lo rechazan porque les limita su campo de acción o porque están muy apegados a la madre y no aceptan su ausencia. En todo caso el parque no debe convertirse en un corralito donde se deja aparcado al niño para que no moleste; debe ser un lugar de juegos seguro, donde el bebé se sienta feliz precisamente porque no se le obliga a permanecer en él excesivo tiempo. Cuando el bebé sepa andar perfectamente, se suprimirá el parque para dotarle de mayor espacio para corretear, a no ser que se trate de un parque-cuna, modelo que, por otra parte, consideramos ideal por las razones que citaremos más adelante.

Si la habitación es muy pequeña y no admite el parque, lo ideal es convertir toda la habitación en parque, colocando una valla de madera en la puerta. Si no hay demasiados estorbos y el niño tiene sus juguetes al alcance, podrá resultar incluso mejor que el mismo parque.

Muebles auxiliares

A medida que el niño va creciendo, se pueden añadir algunos muebles, siendo los más útiles unas estanterías para ordenar sus juguetes y una mesa y sillitas donde pueda comer, pintar, modelar, etc. Todos estos muebles deben ser resistentes, de materiales poco deteriorables y, a ser posible, desprovistos de pintura. La decoración de las paredes cobra también importancia, ya que el niño muy pronto se siente artista y encuentra en ellas un terreno muy apropiado para sus garabatos. Hay quien considera que los niños no deben ser reprimidos y se les debe dejar gozar de libertad de movimientos; de todos modos es importante que aprendan a distinguir, desde muy pronto, entre lo que les pertenece y aquello que es patrimonio de los demás. Si el niño goza de libertad en su habitación y se le permite contribuir a la decoración de la misma, aprenderá a respetar el resto del hogar, que pertenece a los restantes miembros de la familia. Si se desea que el niño goce de libertad en su habitación, no se le crearán inhibiciones que puedan derivar de una decoración excesivamente dirigida. Si se aprecia, por ejemplo, que intenta pintar las paredes, se le preparará una zona de encerado y tizas de colores para que pueda hacerlo libremente sin deteriorar el papel o pintura. Si se siente orgulloso de los trabajos

El parque es un elemento de seguridad para el bebé donde puede disfrutar de los juguetes sin peligro a lastimarse. Sin embargo, muchos niños, en general, de carácter nervioso e inquieto, lo rechazan porque les reduce su campo de acción.

Los revestimientos o almohadillados que se colocan alrededor de la cuna deben ser de ropa, y no de material plástico, ya que deben permitir la aireación del niño.

La habitación en la que se baña el bebé deberá estar a una temperatura de unos 22 °C, y el agua 37 °C. Debe tenerse un recipiente de agua caliente a mano para elevar la temperatura del agua si se enfría demasiado, pues en las primeras semanas el baño puede durar más de lo previsto a causa de la inexperiencia de la madre y el nerviosismo del niño.

que realiza en el colegio, se podrá disponer de un tablero de corcho para que fije en él sus obras de arte, creando así su personal pinacoteca. Durante sus juegos, no se le reprenderá si tiene la habitación desordenada e intransitable, pues a buen seguro se siente enormemente feliz de este modo, pero poco a poco se le acostumbrará a recoger sus juguetes al final de la jornada, disponiéndole algún arcón o cesto de mimbre donde pueda depositarlos sin excesivo trabajo. Estos ejemplos constituyen un modo simple de educar y decorar a la vez, facilitando una participación activa del niño.

Es muy importante que se tenga siempre presente que la habitación del niño es para él, y se sentirá tanto más a gusto en ella cuanto más libre se encuentre y más haya participado en su propia decoración.

La cuna

A la hora de escoger la cuna del bebé, deberá valorarse, además del gusto personal, el espacio de que se dispone. Lo que es indudable es que en el curso de los primeros años deberán usarse una o dos cunas antes de pasar a la cama definitiva. Existen diversas soluciones, todas ellas válidas, y procuraremos describirlas considerando sus ventajas e inconvenientes.

El moisés es una cuna de pequeñas dimensiones, que ocupa poco espacio colocado al lado de la cama de los padres. Existen diversos tipos, generalmente muy estéticos, elaborados en diversos materiales, pero los más difundidos son los de mimbre, revestidos de piqué o batista de alegres colores. En cierto modo adoptan una forma de nido, donde el recién nacido se halla muy recogido. Al tercer o cuarto mes ya deben desvestirse para permitir ampliar el campo visual del bebé. A partir del momento en que el bebé sea capaz de sentarse, ya será necesario sustituirlo por una cuna mejor protegida, con las barandillas más altas.

Las cunas pueden ser de muy diversos tamaños y tipos. Cuanto mayor sea, más tiempo podrá ser utilizada, pero teniendo en cuenta que raramente un niño admite dormir entre barrotes después de cumplidos los tres años. A partir de esta edad, la cama debe permitir que el niño se levante sin problemas. No existen demasiadas diferencias entre las cunas metálicas y las de madera. Las segundas deben ir pintadas con barnices que no contengan sustancias tóxicas, pues el bebé lo chupa todo. Uno de los lados debe ser abatible, más para poder hacer correctamente la cama que para coger al niño. Los sistemas de movilización de las barandillas deben ser diseñados de tal modo que el niño no pueda pillarse los dedos.

Un punto importante lo constituye la elección del colchón y la almohada. El mejor colchón para el bebé es el de crin vegetal o el de espuma de poliuretano, pues ambos son duros y hacen que el niño duerma completamente plano, evitando de este modo posibles desviaciones de columna. La funda puede ser de algodón o fibra y sobre ella se colocará un hule de plástico. La almohada debe ser muy delgada y tan ancha como la cuna, aunque durante los primeros meses es preferible no usarla, porque es mejor que el bebé duerma con la cabeza al mismo nivel que el cuerpo. No es aconsejable el uso de almohadas excesivamente blandas, pues si el bebé apoya su cara en ellas, aunque tenga fuerza para levantar la cabeza instintivamente, podría asfixiarse con relativa facilidad.

Para completar el juego de cuna bastarán tres o cuatro pares de sábanas de algodón o tergal, una manta acrílica, uno o dos cubrecamas y un edredón muy ligero para el invierno. Si se consigue que la temperatura de la habitación se mantenga siempre entre los 18 y 22 grados, no será preciso abrigar demasiado al niño. Nos cansamos de ver niños en habitaciones normalmente caldeadas y abrigados en exceso, con dos mantas y edredón, expuestos en cualquier momento a ser víctimas del calor. La ropa de cuna debe ser ligera para permitir al niño moverse con libertad y no sentirse oprimido. Si la temperatura de la habitación es baja y no hay posibilidad de mantener un ambiente mejor, antes de aumentar la cantidad de ropa de la cama será preferible colocar una bolsa de agua caliente o esterilla.

Si el niño nace en verano y en la habitación puede haber mosquitos, será preciso envolver la cuna con una tela mosquitera, pues estos molestos insectos parecen tener una especial predilección en picar a los bebés, lo que molesta mucho a los pequeños.

En las viviendas reducidas, una buena solución como cuna es la utilización de un parque rectangular, en cuyo fondo se coloca el colchón. De este modo el bebé lo utiliza durante el día para sus juegos y por la noche para dormir. La transición será ésta: moisés o capazo durante el tiempo que duerma en la habitación de los padres, parque-cuna hasta los dos o tres años y después ya una cama definitiva.

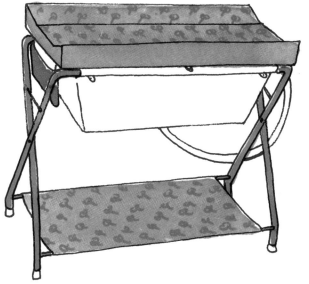

Utiles para el aseo

La limpieza es uno de los puntos más importantes en el cuidado de los niños, sea cual sea su edad. No debemos descuidarla si queremos que esté tranquilo, descanse y se habitúe por sí mismo a desearla. El bebé deberá bañarse una vez al día (en verano incluso dos veces), en forma de baño completo, independientemente de los lavados parciales que las circunstancias requieran. El baño actúa también a modo de sedante, por lo que no deberá suprimirse más que por indicación médica.

El aseo general del bebé requiere una serie de utensilios de uso exclusivo y especiales para niños, pues los jabones, esponjas, colonias, etc., utilizados por los adultos, no suelen ser aconsejables para su delicada piel. En líneas generales deberá prepararse lo siguiente:

— Bañera
— Palangana
— Jabón neutro o espuma líquida especial para bebés
— Colonia infantil
— Talco
— Leche de aseo
— Bálsamo o crema para escoceduras
— Bastoncitos de algodón para la limpieza de nariz y oídos
— Peine
— Cepillo para el pelo, de cerda de seda
— Termómetro para el agua del baño
— Tijeras curvadas para las uñas
— Algodón en rama
— Gasas estériles
— Esparadrapo antialérgico
— Mercurocromo (para el cuidado de la cicatriz umbilical)
— Toalla de hilo para la cara
— Toallas de baño

En tanto no haya cicatrizado el ombligo, el aseo corporal se limitará a una fricción global de todo el cuerpo con una leche hidratante, dejando que se reabsorba. Esta leche se utilizará también para limpiarle el culito cada vez que se le cambie, actuando como un excelente preventivo para las irritaciones de esta zona.

La bañera

Cuando se inicie el baño por inmersión en el agua ya se necesitará la bañera, de la que existen varios tipos, siendo quizá la más comúnmente utilizada la de tipo «tijera», constituida por un armazón metálico o de madera, con patas plegables en tijera y pileta de caucho flexible. Además, suelen llevar una tapa de rizo o plástico, sobre la que se puede vestir al bebé. También pueden utilizarse otros tipos, como la bañera de plástico rígido, que es un recipiente duro de variadas formas y tamaños, carente de patas, por lo que debe colocarse sobre una mesa para el baño del bebé, y la bañera de plástico blando, hinchable, que ocupa muy poco espacio para guardar, pero adolece del defecto de la anterior, quedando limitada su utilidad a las vacaciones. Escoger uno u otro tipo dependerá únicamente del espacio disponible, el presupuesto y los gustos personales. Lo que no es prudente es bañar al niño en la pileta del lavabo, aunque sea suficientemente grande, pues podría golpearse contra sus duras paredes o lastimarse con los grifos.

Los restantes elementos del baño se ajustarán a lo que se puede encontrar en el mercado, entre las innumerables marcas de productos higiénicos infantiles.

La bañera del niño deberá ser de plástico, poco elevada y firme, con una tabla adherida a uno de los bordes a fin de que, una vez terminado el baño del pequeño, pueda tapar la bañera y servir de vestidor.

Utiles para la alimentación

Pocos serán los útiles que necesite la madre que cría a su hijo exclusivamente al

pecho; bastará un vaso y una cucharilla para darle agua o zumos de fruta entre las tetadas.

Si el niño es criado artificialmente, se precisarán varios utensilios: si al bebé se le alimenta a cucharaditas en vez de utilizar biberones, bastará poseer una cucharilla exclusiva para él y un vaso de material refractario que permita su ebullición antes de cada comida. Si, como ocurre más frecuentemente, es alimentado con biberones, deberá disponerse de un número suficiente de ellos, con sus correspondientes tetinas, para poder sustituir el que se vaya a administrar si se rompe, derrama o ensucia, casos muy frecuentes. Por otra parte, al disponer de varios biberones, será posible la limpieza, esterilización y preparación de los mismos una o dos veces al día, lo que significa un considerable ahorro de trabajo y tiempo.

En cuanto al tipo de biberón, dependerá de las preferencias particulares de cada madre. Los fabricados en material refractario tienen la ventaja de resistir con toda seguridad altas temperaturas durante la esterilización y los de plástico tienen la ventaja de no romperse. La limpieza será tan fácil en los biberones bajos, de boca ancha, como en los altos, de boca más estrecha, si se dispone de la escobilla adecuada para limpiarlos.

Se necesitará también un cazo para hervir el agua, una cucharilla para medir la leche en polvo (la mayoría de leches en polvo adjuntan un medidor), un cuchillo para rasar las cucharaditas y un exprimidor para los zumos de fruta. Estos utensilios podrán encontrarse en cualquier cocina, pero deberán reservarse para el uso exclusivo del bebé.

Resultan muy prácticos los esterilizadores que constan de un recipiente de aluminio o acero inoxidable, el cual contiene siete biberones con sus correspondientes tetinas y capuchones protectores de las mismas. Sus ventajas son indiscutibles, pues permiten una perfecta esterilización y suponen, además, un considerable ahorro de tiempo y trabajo al poder hacer una sola vez al día la limpieza, esterilización y preparación de los biberones. Una vez todos los biberones preparados, podrán conservarse en el refrigerador, bastando calentarlos al baño María antes de cada toma.

También resulta muy cómodo el calienta-biberones, que es un baño María eléctrico, regulado por un termostato, el cual permite mantener un biberón a la temperatura ambiente durante mucho tiempo. Es útil para los biberones de la noche y para mantener una temperatura estable si el niño lo toma muy lentamente. El biberón termo es un biberón que mantiene la temperatura durante largo tiempo y resulta muy útil para cuando el bebé va a permanecer varias horas fuera de casa.

Cuando se inicia la alimentación con cuchara, los platos, vasos, tazas y cucharas no necesitan ser de ningún tipo especial, pero es recomendable utilizar materiales irrompibles. Existen algunos tipos de utensilios denominados fisiológicos, como cucharas de

curvatura especial, platos-termo, etc., a los que no les encontramos ninguna indicación especial.

En cuanto a los trituradores, creemos que las indicaciones del batidor eléctrico son muy limitadas, pues es muy aconsejable que el bebé se acostumbre muy pronto a masticar, aunque no posea dientes para ello, por lo que serán mucho más recomendables aquellos trituradores manuales que dejan los alimentos menos finos que las batidoras.

El vestuario

A la hora de escoger el vestuario del niño, sea cual sea su edad es corriente incurrir en errores que son causa de incomodidades y gastos excesivos, inconvenientes que pueden evitarse si se tienen ideas claras al respecto. Por ello, antes de entrar de lleno en la descripción de las prendas más apropiadas para el recién nacido y el lactante, creemos que vale la pena hacer unas consideraciones generales que deberán ser tenidas en cuenta en el momento de la compra del ajuar infantil.

El vestuario infantil debe ser lo más simple posible, utilizando siempre el menor número de prendas que se pueda, aun en las épocas más frías del año. Mientras el bebé es vestido y desvestido por su madre, un número mínimo de ropas simplificará unas operaciones a las que no siempre está dispuesto a colaborar. Cuando debe iniciarse en el aprendizaje de vestirse y desvestirse por sí mismo, cuan-

El niño deberá ser cambiado varias veces al día, especialmente antes del baño, la tetada o el biberón. Por ello es recomendable tener varias mudas a fin de que la madre no se encuentre sin recambio en un momento preciso, a la vez que le evitará tener que lavar constantemente.

tas menos piezas lleve, más fácil le resultará aprender. En conjunto, con poca ropa, el niño se sentirá más cómodo y con mayor libertad de movimiento. Las temperaturas bajas se combaten igual con pocas prendas pero muy abrigadas, que con muchas capas superpuestas de prendas más delgadas.

Otra cuestión importante es que la vestimenta sea poco complicada, fácil de poner y sacar, evitando los medios de sujeción, como cierres y corchetes, limitando al máximo el número de botones y usando en cambio medios de cierre por contacto tipo velcro. Es muy interesante evitar que los jerseys y camisitas deban ponerse pasándolos por la cabeza, cosa que pocos niños aceptan hasta que son mayorcitos, costándoles mucho, además, aprender a hacerlo por sí mismos. En general, las prendas infantiles confeccionadas ya suelen cumplir estos requisitos, pero es muy importante conocerlos cuando es la madre quien las confecciona.

Aunque es muy normal que en todo momento el vestuario infantil siga los cánones de la moda y que ésta procura tener siempre en cuenta las normas que aquí enumeramos, es importante que se excluya todo aquello que esté reñido con la comodidad y la economía, teniendo siempre presente que la vida de los vestidos infantiles suele ser efímera, bien sea por los frecuentes cambios de talla, bien por lo fácilmente expuestas que están a desgastes prematuros. Del mismo modo, la frecuente y errónea tendencia a querer reflejar en las prendas el status social del niño, hace que éste se sienta cohibido dentro de unos trajecitos que limitan notablemente su espontánea actividad por temor a posibles reprimendas cada vez que los ensucie o rompa.

Las tallas deben ser adecuadas al tamaño del niño, que no siempre coincide con la edad. Comprar prendas de talla superior, con el pretexto de que el niño va a crecer, no siempre es lo más económico ni es estéticamente aceptable. Por otro lado, muy pronto el niño adquiere la sensación de ridículo, que debemos procurar evitarle. Por el contrario, tallas inferiores a las que le corresponden le proporcionarán una sensación de opresión que siempre resulta molesta.

Debe pensarse también en los factores climatológicos, adecuando las prendas a la temperatura ambiente del lugar donde vive el niño y a la estación del año. Durante el invierno, si el niño suele encontrarse en viviendas o escuelas dotadas de calefacción, no irá demasiado abrigado en estos lugares, pero en cambio dispondrá de una buena prenda de abrigo para salir a la calle. En cuanto a la utilización de gorros o pasamontañas, consideramos que su uso debe limitarse a climas muy fríos, teniendo en cuenta que si se le habitúa desde muy pequeño a no taparse la cabeza ni las orejas, se adaptará tan bien a ello que no lo necesitará casi nunca. Algo parecido ocurre con las piernas, pues no existe razón alguna para llevarlas cubiertas si el frío no es muy intenso. En general, todo niño

que, desde pequeño, suele ir muy abrigado, acabará siendo friolero, pero si se ha cuidado de adaptarle paulatinamente a los cambios de temperatura, sabrá soportarlos sin mayores problemas.

Por último, un aspecto muy importante es que las prendas sean fáciles de lavar y que admitan ser incluidas en los variados programas de las lavadoras automáticas. Con ello, las madres no se verán necesitadas de limitar la actividad de sus hijos. No queremos decir con ello que seamos partidarios de una total libertad de ensuciarse, pues consideramos que el niño debe aprender, de muy pequeño, a mantenerse lo más limpio y aseado posible, pero es del todo inevitable que en sus juegos y comidas se ensucie en mayor o menor grado, y no es preciso que se le esté recriminando constantemente por ello.

Los productos necesarios para el aseo del bebé deberán ser especiales a fin de no dañar su fina y delicada piel. Es conveniente tenerlos cerca de la bañera, para usarlos en el momento preciso, evitando así enfriamientos innecesarios.

La canastilla

La compra y preparación de la canastilla es una de las máximas ilusiones de la futura mamá. Su adquisición no debe dejarse para los últimos días del embarazo. Lo más prudente es iniciarla hacia el sexto mes de gravidez, para estar así preparada, si la llegada del bebé se anticipara.

Forman parte de la canastilla dos tipos de prendas: unas son absolutamente necesarias, como los pañales, fajitas, jubones, etc., y otras, como los vestidos, baberos, etc., no son indispensables durante los primeros tres o cuatro meses de vida, por lo que su adquisición puede demorarse un tiempo, e incluso evitarse gracias a los muchos regalos que acostumbra a recibir el niño al nacer.

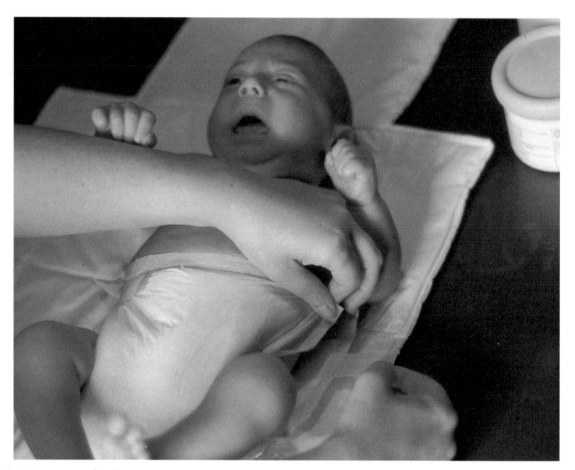

Se puede cambiar al niño en la cama, pero es más cómodo hacerlo sobre una tabla almohadillada, especial para este uso. En la actualidad, el uso de los pañales desechables se ha impuesto sobre el de los antiguos pañales y gasas; evitan irritaciones y enrojecimientos en la delicada piel del niño.

Vamos a citar a continuación todas aquellas piezas que, a nuestro juicio, constituyen una completa canastilla para un recién nacido:

    1 paquete de braguitas-pañal
    4-5 camisitas de batista
    4-5 jubones
    6 fajas de ombligo
    4 pares de escarpines o zapatitos
    5-6 jerseys de perlé
    4 faldones
    2 baberos de batista
    4 baberos de rizo
    1 mantón de lana
    1 nana
    2-3 «monos» completos, de pierna corta o larga, según la época del año.

Braguitas-pañal

La braguita-pañal constituye en la actualidad una prenda imprescindible por su comodidad, higiene y economía. Permite que el bebé esté siempre limpio y seco, evitando en gran manera las irritaciones y escoceduras de la piel. Su tolerancia suele ser perfecta dado el alto grado de calidad que se ha alcanzado en los materiales con que se confecciona, básicamente la celulosa y el plástico. Al ser de un solo uso, libera a la madre del tedioso trabajo de lavar diariamente una buena cantidad de gasas y pañales, y evita los efectos nocivos para la piel de algunos jabones y detergentes.

Camisitas

Se confeccionan con tela de hilo, batista o tergal. Deben ser de manga larga y cruzar cómoda y suficientemente por la espalda. Se utilizarán normalmente durante los dos primeros meses de vida, a fin de aislar la suave y delicada piel del bebé del contacto más áspero de los jubones o jerseys. A partir del primer o segundo mes, si no existe intolerancia a las fibras artificiales se podrán suprimir las camisitas y sustituirlas por camisetas o jubones.

Jubones

Se colocan encima de las camisitas durante los dos primeros meses y, después, directamente en contacto con la piel, si no existen intolerancias a las fibras artificiales de las

Hasta que el cordón umbilical no se ha cicatrizado totalmente es necesario protegerlo con una venda o faja, pues la herida necesita cuidados especiales. Al colocar la faja hay que tener cuidado de arrollarla de forma imbrincada, es decir, cada vuelta debe cubrir la mitad de la anchura de la vuelta anterior. Así se evita que el vientre del bebé quede oprimido.

Colocación correcta de la camisita (arriba) y del jubón (abajo).

que suelen estar confeccionados. Si el nacimiento del niño está previsto para una estación calurosa, puede prescindirse de ellos, bastando la camisita y el jersey para el abrigo de la parte superior del cuerpo.

Fajas

Actualmente, y salvo en casos especiales que indicará el pediatra, han caído en desuso. Sólo se utilizan durante unas dos semanas, que es el tiempo aproximado que tarda el ombligo en estar cicatrizado por completo. Serán del tipo venda, de unos 7 cm de ancho y preferiblemente de fibra, porque el niño la moja muy a menudo. Conviene señalar que las prendas del bebé deben abrigarle sin oprimirle, estando completamente superados los antiguos conceptos que aconsejaban mantener a los bebés bien apretados por fajas que impedían incluso una normal respiración. A partir de la tercera semana, si el pediatra no indica lo contrario, podrá prescindirse de la fajita, pero si el tiempo es muy frío y se desea disponer de un medio de sujeción de las prendas, podrá seguirse usando, aunque resultará más cómoda la faja tubular elástica, procurando que no apriete excesivamente.

Jerseys

Se confeccionarán de perlé, aunque el niño deba nacer en pleno invierno. La lana produce picazón a los bebés y por ello no resulta aconsejable. Ante la ignorancia de las medidas que tendrá el recién nacido, los jerseys se confeccionarán de tal forma que ajusten al cuello sin oprimir excesivamente, que dispongan de amplias sisas que permitan al bebé moverse con soltura y lo suficientemente anchos para albergar las prendas que lleve debajo. Ello hace que sean preferidos los modelos con manga ranglán y los de empiece redondo.

Las restantes prendas no precisan tener unas características determinadas, por cuanto no son tan indispensables en el vestuario del niño, y será el mejor criterio de la madre el que presidirá su compra o confección. El empleo de faldones, escarpines, baberos,

etc., dependerá de las preferencias de la madre, así como de las costumbres de cada región en particular, del clima habitual de la zona donde se vive o de la estación en que nace el niño.

Algo importante es el lavado de las prendas del bebé. Muy a menudo el bebé presenta sensibilidad cutánea a los productos utilizados en el lavado de sus prendas, en especial los jabones fuertes, detergentes y lejía. Suelen ser tan frecuentes estas irritaciones de la piel, que debe proscribirse radicalmente la utilización de estos productos, aunque sea a expensas de ver desaparecer, paulatinamente, la blancura de las prendas. De hecho, la ropa blanca del bebé, con el tiempo debe ir tomando una coloración amarillenta que no es sinónima de suciedad. Lo ideal es lavarlas con jabón neutro y tenderlas al sol, aunque actualmente existen detergentes especiales que permiten ponerla en las lavadoras automáticas, pero siempre aparte de la restante ropa de la familia.

El calzado

Durante el primer año no existe ninguna razón para que el niño vaya calzado. Durante este tiempo, las únicas razones que lo justificarán serán como abrigo o por consideraciones estéticas, por tanto cualquier tipo de zapatito será útil, con tal de que no pese excesivamente. Lo mejor, en todo caso, será el escarpín, las botitas blandas o simplemente unos calcetines. Cuando el bebé empieza a ponerse de pie e intenta los primeros pasos, se le pueden colocar unas botitas con suela adherente, como el crepé, que impedirá los resbalones.

Una vez iniciada la deambulación, es preciso que el zapato se adapte lo mejor al pie, sin oprimirlo, pero sujetándolo con firmeza, en especial a nivel del talón y partes laterales. La puntera debe ser lo suficientemente ancha para que permita movilidad a los dedos. El talón no puede ser muy alto y, en general, es preferible que se prolongue hacia adelante en su parte interna. El único material aceptable es el cuero y la piel, debiendo rechazarse los zapatos de material sintético, pues no permiten una correcta transpiración. La suela más adecuada es la de cuero, pudiéndose aceptar la goma o el crepé si no son excesivamente gruesas.

Es muy interesante saber que el pie del niño es anatómicamente plano durante los primeros años y no precisa un calzado ortopédico, a no ser que presente anomalías que el médico se encargará de diagnosticar y corregir adecuadamente. Debe huirse del calzado mal llamado ortopédico, provisto de elevaciones duras y a veces mal situadas, que se vende como idóneo para los pies planos. Cuando el pediatra considere que el niño necesita un tipo de calzado especial, ya indicará

Es harto sabido que los colores y los ruidos de los juguetes atraen la atención del pequeño. Desde hace tiempo hay un interés generalizado en crear y diseñar juguetes atractivos y didácticos a la vez, que desarrollan los movimientos, las sensaciones y el sentido de la observación infantil.

las características que éste debe reunir. Respecto a si es mejor usar botas, mocasines u otros tipos de zapatos, la elección debe supeditarse a los gustos personales y a la moda, siempre que se ajusten a las características anteriormente señaladas. No existe ningún inconveniente en que durante el verano, y para andar por terrenos blandos e irregulares, se utilicen calzados ligeros y deportivos, como las zapatillas, sandalias o alpargatas con suela de caucho.

Sólo nos resta decir que a los niños les va muy bien andar descalzos en todas las ocasiones posibles, y les resulta muy beneficioso cuando andan por la arena, pues supone una excelente gimnasia para los músculos de la planta del pie, contribuyendo de este modo a la formación del arco plantar.

El cochecito

A partir de las tres o cuatro semanas de vida podrán iniciarse los paseos diarios, para los que será indispensable el cochecito. Tanto en verano como en invierno, el niño debe salir a pasear, no solamente para tomar el sol y el aire, sino también para aprovechar el efecto sedante que el paseo tiene para todos los niños, pero de un modo especial para los nerviosos e irritables.

El cochecito deberá cumplir una serie de requisitos que se tendrán en cuenta en el momento de su adquisición. Poseerá una buena suspensión para evitar bruscas sacudidas, será lo suficientemente amplio para que el niño pueda dormir con comodidad, alto para que el polvo y los gases de los carburantes no lleguen hasta el bebé, profundo para que no se caiga en cuanto empiece a moverse y quiera sentarse, ligero para su mejor manejo, y provisto de una capota abatible para protegerle del sol y del aire, cuando uno u otro sean demasiado intensos. Es muy importante

también que sea plegable, para su mejor transporte, permitiendo la separación del armazón metálico del cuco, que a su vez podrá ser utilizado como cuna portátil.

A partir de los siete u ocho meses, será preferible recurrir a la sillita, pues el niño seguramente se negará a ir estirado, resultando entonces muy prácticos los cochecitos transformables en silla.

Para el cochecito se precisarán los mismos complementos que para la cuna: un colchón, hule, cubierta de absorbentes, almohada de crin, sábanas, colcha y una manta, si el clima es frío, aunque en este caso resulta más práctico utilizar una nana.

Los juguetes

Con el juego, el niño hace trabajar su espíritu y desarrolla sus fuerzas. El juego es una actividad normal, en él ejercita su inteligencia y muestra su temperamento, reflejando la educación que recibe.

Para cada edad, los juegos son distintos y van parejos al desarrollo mental del niño. Es muy sencillo: no se dará una pelota a un niño de seis meses ni un sonajero a un niño de tres años. No siempre los juguetes serán lo que más llamará la atención y el interés del niño; es perfectamente sabido que los niños disfrutan más con un papel de colores, una cuerda o una caja de cartón vacía, que con un precioso muñeco de peluche.

Hasta los cuatro meses, pocos son los juguetes que interesan al bebé. Cuando empieza a sentir interés por los colores y los ruidos, cuando se inicia su actividad con las manos y desea coger los objetos que le llaman la atención, será interesante colocar en su cuna una tira de bolas de colores que, al moverlas, hagan ruido. Sentirá interés por los sonajeros y por los muñecos de goma que puede llevar a la boca y chuparlos. También será útil una cajita de música, colgada de la cuna, que con su sonido agradable, pero monótono, le ayudará a conciliar el sueño. Hasta los ocho meses, aproximadamente, seguirá interesado en estos juguetes e igualmente se divertirá si algún rato se le coloca en una hamaca suspendida a modo de columpio (baby-relax), disponiendo de algunos muñecos u otros juguetes que sean llamativos. A esta edad utiliza al máximo el ya tradicional trapecio que se monta de lado a lado de la cuna. Este juguete, además de distraerle, le proporcionará la ocasión de hacer un ejercicio físico importante.

Después de los ocho meses, sentirá atracción por todos aquellos juguetes que tengan movimiento y sonido, especialmente por muñecos mecánicos. Es la época en que se distrae tirando al suelo todo lo que puede alcanzar, sobre todo para que le sea devuelto y así tener la sensación de que se está pendiente de él. Cuando se le coloque en el parque, le

El niño, mientras juega no pierde el tiempo, sino que aprende destrezas físicas básicas, especialmente manuales. A medida que el niño crece, los juguetes deben ser un reto a su ingenio y un estímulo a su imaginación.

Un niño pequeño raras veces juega directamente con otros, en parte debido a su falta de habilidad y también a causa de un sentimiento de posesión de sus pertenencias.

gustará verse rodeado de varios juguetes, pero lo más probable es que se entretenga con cualquier cosa que diste mucho de ser un juguete. De todas maneras, si dispone de cubos de rompecabezas, se entretendrá en colocarlos el uno encima del otro, y aprovechando esta tendencia se le podrán regalar algunos de los juguetes que despiertan y ejercitan la habilidad manual y su percepción de las formas.

Cuando el niño ya anda

En cuanto el niño haya aprendido a andar, podrá sentirse interesado por los juguetes de arrastre, como trenes y animales de madera, ruedas musicales, etc. Para su hora de paseo, el cubo, la pala y los moldes resultarán imprescindibles. Cuando juegue en su habitación, deberá estimularse su habilidad manual; para ello es muy útil el juego consistente en una caja cuya tapa tiene orificios de diversas formas geométricas y las piezas corresponden a las formas y tamaños de los orificios. La habilidad del niño debe mostrarse logrando colocar todas las piezas en la caja a través de los orificios correspondientes. Algunos niños se sienten atraídos por este tipo de juguetes educativos, con los que juegan quietos, sin hacer un gran derroche de energías, ejercitando en cambio su imaginación; pero la gran mayoría, a esta edad, despliegan normalmente una gran actividad, sin permanecer quietos un momento y cambiando constantemente de juego.

Juguetes para el niño de dos años

Una vez cumplidos los dos años, el juego comienza a sufrir diferencias según el sexo, aunque no es raro que una niña que sólo tenga hermanos varones prefiera arrastrar un

coche de bomberos a jugar con una muñeca, y en el caso contrario, el niño se pase el día jugando a papás y mamás. Pero lo normal es que a esta edad nazcan en la niña deseos de cuidar a su muñeca, vestirla, lavarla, darle de comer y ponerle inyecciones. La niña juega a gusto con su cocinita, le encanta llevar a sus muñecos de paseo con el cochecito, desarrollando su propia feminidad. En el niño se empieza a desarrollar la tendencia hacia un determinado tipo de juegos: en unos, puramente imaginativos, se organizan por sí mismos un ambiente figurado, en el que representan el papel de héroes; en otros nace un afán de imitación de lo que ven en los mayores; en otros, en suma, se desarrolla una hiperactividad difícil de reprimir, y tan pronto montan en su triciclo como luchan contra enemigos invisibles. Sus ocupaciones están íntimamente ligadas al desarrollo de su espíritu y de su cuerpo y en ellas juega un papel importante la labor educativa de los padres.

Después de los dos años, es el momento de empezar a aficionar al niño a los libros. Los primeros deben disponer de vistosas ilustraciones y una temática atractiva, siendo los animales y los vehículos los temas que más les llaman la atención. Desde un principio se les estimulará en la correcta conservación de sus libros, aficionándoles a la confección de su propia biblioteca, que irá adecuándose progresivamente al crecimiento del niño.

A partir de los tres años

A los tres años, las niñas juegan amorosamente con sus muñecos, representando el papel de madre o enfermera, y por imitación a la madre les gusta jugar con todo aquello que les hace representar el papel de amas de casa. Los niños, en cambio, empiezan a liberar su instintiva violencia jugando a la guerra o a los indios, provistos de armas, y al sonido de ruidosos tambores y trompetas. Es la época en que disfrutan más de la posesión de sus propios medios de locomoción, representados por coches a pedales, triciclos y patinetes. En cambio, no es muy corriente que sientan atracción por los juegos con pelota, quizá porque no disponen todavía de la agilidad y coordinación neuromuscular que ello precisa. Algo muy importante: a esta edad, los niños deben acostumbrarse a respetar y ordenar sus juguetes, y ello es posible conseguirlo en función de dos cosas importantes: que dispongan de un lugar donde resulte cómodo guardarlos (como un gran cesto de mimbre o un arcón) y que no sean demasiados los juguetes que debe guardar.

A medida que van creciendo, los niños van desarrollando sus aficiones y deberán ser muy tenidas en cuenta a la hora de comprarles los juguetes, prescindiendo un poco de las solicitudes basadas en los llamativos spots publicitarios de la T.V., que gracias a su gran impacto son capaces de convertir en maravilloso para el niño cualquier juguete de dudosa atracción.

La nutrición

¿Alimentación materna o alimentación artificial? La respuesta debería darse siempre en función del mejor bienestar y desarrollo del recién nacido. La conveniencia de una u otra dependerá de muchas circunstancias, pero no debe olvidarse que las obras del hombre nunca han logrado superar las de la naturaleza. En este terreno el consejo médico debería ser decisorio y la madre tendría que aceptar sus indicaciones, dejando a un lado la comodidad, vanidad o egoísmo.

Cuando la madre amamanta es muy importante que tenga presente que de alguna forma está transmitiendo a su hijo los vicios que pueda tener, como son el tabaco y el alcohol, por no hablar de las drogas; o que, de todas formas, estos vicios están afectando al niño en su salud. Si se adopta la nutrición artificial, se tendrá sumo cuidado en la higiene de todos los utensilios y elementos que forman parte de la alimentación del pequeño; y seguir atentamente todas las indicaciones referentes a cantidades y tiempos de administración.

Alimentación del recién nacido

Una alimentación completa y equilibrada es la base fundamental para conseguir un crecimiento correcto en los niños. Por ello deberemos dedicar una especial atención a este capítulo, teniendo en cuenta fundamentalmente cuantos trastornos dimanan de una alimentación mal enfocada. Los problemas pueden surgir por defecto, por exceso o, simplemente, por inadecuación de los alimentos administrados. Así pues, será preciso prestar una cuidadosa atención a todas aquellas normas y consejos que se desarrollan en las páginas siguientes.

La succión

Apenas nacido, el niño manifiesta su instinto de conservación a través de la succión; muchas veces, en la misma sala de partos, al acercar el dedo a la boquita del niño, éste inicia un movimiento con su lengua y labios, que conocemos como succión. Este es quizás el primer reflejo que aparece en el recién nacido y su inexistencia puede ser signo de afectación cerebral o de prematuridad. En los prematuros puede aparecer alrededor de las 32 semanas y en función del peso, a partir de 2.000 gramos.

La succión es, además, un importante medio de relación del neonato, es una forma de hallarse a sí mismo, proporcionándole seguridad. Mediante la succión, el recién nacido siente segura su supervivencia y, a partir de este punto, intentará no abandonar esta, para él, agradable sensación de bienestar físico. La persistencia de este hábito, a medida que el niño se desarrolla, podrá acarrear no pocos problemas.

La boca del recién nacido está configurada de forma idónea para la succión: labios carnosos, hendidura pequeña y lengua larga, dotada de una potencia poco común. Para succionar, el bebé adapta sus labios al pezón materno o a la tetina del biberón y con la lengua los exprime sobre el paladar, de forma que dirige el contenido hacia su garganta, donde lo deglute.

En algunas ocasiones, la succión aparece dificultada por alguna circunstancia adversa, que podríamos sintetizar en:

a) falta de reflejo por inmadurez del recién nacido, por anestesia prolongada durante el parto o por haber sufrido una asfixia durante el mismo.

b) alteraciones en la configuración de la boca, como en el caso del labio leporino (labio partido) o de la fisura palatina (paladar hendido).

Normalmente, a las 24 horas del nacimiento el recién nacido ha de ser capaz de succionar correctamente y, en caso contrario, deberá recurrirse a la utilización de la cuchara o

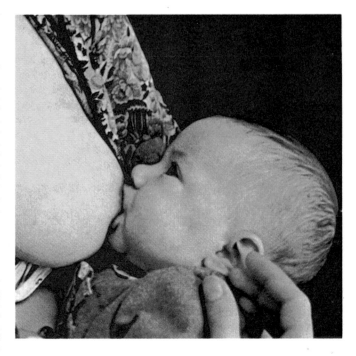

una sonda. Pero llegado este caso, debe pensarse en la existencia de alguna anomalía más o menos importante y deberá someterse a juicio del pediatra.

¿Lactancia artificial o lactancia natural?

Este es el primer dilema que suele plantearse ante la alimentación del recién nacido. El notable incremento de niños criados artificialmente hace plantear este problema, de entrada, ante un primer hijo, cuando hace unos años eran contadas las ocasiones en que se pensaba criar al niño con biberones desde un principio. Lo lógico, lo natural, era criar los niños al pecho, del mismo modo que lo realizan todas las especies de mamíferos, grupo al que pertenecemos. En general no había dudas, éstas venían por sí mismas más tarde, cuando se comprobaba una insuficiencia en la secreción láctea. Actualmente, cada vez son más las madres que renuncian a la crianza, y no por capricho. Las razones y motivaciones de este fenómeno es lo que debemos plantearnos aquí.

En principio, y salvo en raras ocasiones, la madre podrá criar al pecho a su hijo, porque así está previsto por la Naturaleza. Durante el embarazo, y de forma importante después del parto, se elaboran unas hormonas que actúan sobre las glándulas mamarias, estimulando la secreción de leche. Así pues, esta leche va a constituir el alimento más natural

Ya durante el embarazo la madre debe hacerse la idea de amamantar, si es posible, a su hijo. Así puede prolongar más allá del embarazo y nacimiento la estrecha unión con su hijo, aparte de que la leche materna está exactamente ajustada a las necesidades del lactante, y contiene todo lo que el pequeño necesita en esta primera etapa de la vida para un desarrollo libre de alteraciones físicas y psíquicas.

para el recién nacido y este concepto no es, ni mucho menos, anacrónico.

La existencia, en la actualidad, de leches artificiales de extraordinaria calidad y de una tolerancia y efectos nutritivos perfectos, no aleja en ningún momento a la lactancia materna del primer lugar que ocupa entre las posibilidades nutritivas del niño. La composición de la leche materna, en sus principales ingredientes (hidratos de carbono, grasas, proteínas, sales minerales y vitaminas), está plenamente adaptada a las necesidades nutritivas del lactante y a las posibilidades digestivas de unos órganos todavía en curso de desarrollo. Es más, durante la lactancia, la leche de la madre sufre cambios de composición a tenor de la maduración del aparato digestivo del niño. Así, durante las primeras semanas, la leche es rica en sales minerales y proteínas y pobre en grasa e hidratos de carbono; alrededor de las tres o cuatro semanas, contiene menos proteínas, para aumentar la proporción de grasas e hidratos de carbono, y a partir de este momento y hasta el final de la lactancia, se mantiene estable su composición.

La leche de la madre, como en cualquier otra especie, es el alimento ideal para el niño, al menos hasta los 5-6 meses, asegurándole un óptimo desarrollo. Comparada con la leche de vaca, que es la más universalmente usada como alimento, la leche materna tiene diferencias notables en su equilibrio proteico, en la relación caseína-lactalbúmina, en su contenido en inmunoglobulinas y la lactoferrina, que son las principales proteínas de la leche de mujer. La grasa de la leche materna, aunque depende en gran manera de los hábitos nutritivos de la mujer, también es distinta de la de vaca y por ello más digerible para el niño. Los hidratos de carbono, en la leche materna, están básicamente constituidos por lactosa y varían proporcionalmente en distintas fases de la lactancia. El calcio y el hierro, presentes en cantidades variables de una madre a otra, tienen una absorción más fácil gracias a las propiedades de la grasa y los azúcares de la misma leche. El contenido en vitaminas depende también, en gran parte, de la dieta materna, pero en todo caso se absorben fácilmente con un aprovechamiento óptimo, a excepción de la vitamina D (antirraquítica), que deberá suplementarse en forma de medicamento. También debe valorarse positivamente el contenido de enzimas y hormonas, en la leche materna, que favorecen su digestión, así como de agentes antiinfecciosos, que actúan tanto a nivel general como localmente en el tubo digestivo.

En todas las especies de mamíferos, la leche está adaptada a las necesidades metabólicas y de crecimiento de las crías y está en relación con el estado de madurez del sujeto que nace. El desarrollo satisfactorio no depende sólo de una nutrición adecuada, sino también de una integración psicológica entre la madre y su bebé y de la unidad madre-hijo al medio ambiente.

Lactancia y relación afectiva

El inicio de la secreción láctea en la mujer, está estrechamente ligada al aumento de producción de una hormona, la prolactina, que estimula enzimas específicos en relación con la síntesis de proteína y lactosa. La succión es el estímulo más potente para la secreción de prolactina. A los treinta minutos de iniciada la succión, el nivel de prolactina aumenta y desciende aproximadamente tres horas después.

El contacto temprano y prolongado entre madre e hijo puede aumentar la frecuencia y duración de la tetada, y aunque en la actualidad no se aprecia que, a largo plazo, la alimentación a pecho sea superior a la alimentación con biberones, sí que se le atribuye una importante contribución al correcto establecimiento de la relación afectiva entre la madre y el hijo. Se supone que, a partir del décimo día de la vida, el recién nacido humano ha aprendido a reconocer la mama de su madre, y en este conocimiento tanto pueden intervenir el contacto visual, como auditivo u olfativo, amén de la percepción de los latidos cardíacos, que tan familiares han de resultar para el bebé. Por otro lado, la estimulación sensorial que la madre recibe al amamantar a su hijo, es un factor importante para el mantenimiento de la lactancia.

La lactancia tiene efectos importantes para el estado hormonal de la madre, lo que supone un cambio en la función de varios de sus órganos e influye en su reacción al medio ambiente. La alimentación al pecho es un factor de control de la natalidad gracias a su efecto de prolongar los períodos interpartos, gracias a la amenorrea que acompaña a la lactancia, aunque los mecanismos que rigen este hecho aún no son del todo conocidos y no constituyen una garantía absoluta para evitar nuevos embarazos.

Existen marcadas diferencias en la incidencia y duración de la lactancia natural entre distintas partes del mundo. En las últimas décadas, la alimentación al pecho ha disminuido globalmente en todas las partes del mundo, pero de una forma más evidente en los países más desarrollados, sin que las complejas razones que lo han motivado sean suficientemente clarificadoras. Parece evidente que las causas principales sean de carácter sociocultural, pero también es posible que pueda culparse al excesivo afán de comercialización de la industria dedicada a la alimentación infantil.

Motivos que impiden amamantar al hijo

En muchas ocasiones, la madre no puede amamantar a su hijo. Las mujeres afectas de enfermedades cardíacas, renales, cáncer, anemia, diabetes, eclampsia, psicosis puer-

Es deber de los padres intentar mantener un equilibrio entre el placer y la alimentación del bebé, de manera que lo que le plazca le alimente y lo que le nutra le agrade; si no se logra este equilibrio, las dificultades se multiplican en el momento de la alimentación. La falta o disminución de placer en la lactancia es tan perniciosa para la evolución psicológica del niño que impide la nutrición necesaria para su desarrollo físico.

El niño come para satisfacer sus necesidades físicas, pero además la nutrición le produce placer. Desde las primeras semanas, placer y alimento están unidos a unos encuentros regulares con su madre, cuya presencia le es tan necesaria.

peral, etc., no pueden soportar el peso de la lactancia. Por ejemplo, una madre tuberculosa, en cualquiera de sus fases, puede empeorar si lacta; además, el niño puede contaminarse. En caso de una infección leve, puede vaciarse el pecho con un sacaleches y administrarse al niño con cuchara o biberón. Si la infección es grave (tifoidea, septicemia, etc.), debe suprimirse radicalmente la lactancia. En todos estos casos, debe ser el médico quien dictamine la conducta a seguir.

Pero en algunos casos, son otras las razones negativas para la lactancia materna. Por un lado, las madres que trabajan y que no pueden estar cada tres horas al lado de su hijo; por otro, aquellas madres que, debido a sus obligaciones sociales, tampoco pueden estar pendientes del horario de las necesidades nutritivas de su hijo. En general, la incorporación de la mujer a las actividades culturales, técnicas, sociales, intelectuales, etc., de la sociedad, ha influido considerablemente en el descenso del número de madres que lactan. Es más, un hecho realmente evidente es que las jóvenes madres de hoy, por regla general, tienen menos secreción láctea o la tienen durante menos tiempo que las madres de hace unos años. La causa de este fenómeno es muy difícil determinarla, puesto que no se han podido encontrar explicaciones científicas al problema. Quizá la hipótesis más aproximada es la que apunta hacia una base psicológica: el ritmo de vida actual, que obliga a una constante tensión nerviosa, a la hiperactividad en todos los órdenes de la vida cotidiana, manteniendo un estado de angustia permanente, actúa a modo negativo sobre la madre que lacta. Este hecho nos viene confirmado por una coincidencia: la gran mayoría de las madres que pueden criar bien y durante tiempo suficiente, suelen ser mujeres poseedoras de un sistema nervioso templado, relativamente poco ocupadas, que saben compaginar sus funciones de madre-nodriza con las de esposa, ama de casa y las laborales o profesionales. Se ha demostrado hasta la saciedad que el mayor índice de lactancia materna se da entre mujeres que se dedican exclusivamente al hogar, y en los países menos desarrollados, donde la mujer todavía no juega un papel importante en el terreno laboral y profesional.

Pero afortunadamente, los detallados estudios que se han efectuado sobre la nutrición del lactante han aportado defensas para estas dificultades. En primer lugar, ya no se considera necesario dar el pecho a los niños hasta el año, como se hacía hace un tiempo. La introducción, en la dieta del niño, de alimentos espesos a partir de los tres meses, permite que, entre los cuatro y seis meses, pueda suprimirse definitivamente la lactancia (nunca debe prolongarse más allá de los nueve meses), con lo que ésta queda reducida a la época en que la madre mantiene una actividad más restringida como consecuencia del parto. De todos modos, antes de instaurar una lactancia artificial a causa de la incompatibilidad horaria entre el trabajo y

las tetadas, puede intentarse alternar las tetadas con biberones, según horario o comodidad de la madre. En definitiva, las madres que no pueden permanecer todas las horas del día junto a su bebé, pueden seguir criándolo, al menos parcialmente, sin que esta ausencia sea una indicación para suprimir la lactancia materna de forma radical. Siempre, en estos casos, el pediatra de la familia resolverá el problema con la orientación más justa para el niño y más cómoda para la madre.

En otras ocasiones se puede objetar contra la lactancia materna que ésta entraña una «pérdida de la línea», con deformación del pecho principalmente. La silueta se perderá si dejan de adoptarse medidas adecuadas, tanto si se lacta como si se dan biberones. Si la mujer, durante la gestación no se preocupa de llevar un sujetador adaptado al natural aumento de volumen de la mama, sufrirá deformaciones en la misma, independientemente de si cría. Durante la lactancia deben evitarse sobrealimentaciones innecesarias, especialmente grasas, que son las que ocasionan aumentos de peso superfluos, que afean más que el aumento de tamaño producido por la hipertrofia que supone la secreción de leche. Es muy importante también tener en cuenta que la lactancia repercute directamente sobre el retorno de la matriz a su tamaño primitivo, con lo que la silueta abdominal mejora quizá más rápidamente si se da

No todas las madres tienen la suerte de estar al lado de su hijo todas las horas del día. Por desgracia, la vida moderna exige el trabajo fuera del hogar de la mayor parte de mujeres. En el momento de tener que separarse forzosamente del hijo durante varias horas al día, la madre tratará de encontrar una sustituta que cuide del pequeño. La elemental prudencia obliga a que no se deje nunca sólo al niño, ni por unos instantes.

el pecho. Ya comentaremos más adelante que, para una buena lactancia, no hace falta comer por dos, sino tan sólo beber una cantidad de líquido suficiente para restituir las pérdidas que supone la elaboración de leche.

Nuestro consejo es no rehusar nunca de antemano a la lactancia materna, en especial si se trata del primer hijo; solicitar la orientación médica durante las primeras semanas de lactancia y dejar que sea el médico quien, a tenor del estado general de la madre y del crecimiento del niño, señale las normas a seguir respecto a la lactancia.

Lactancia materna

Durante el embarazo, el pecho experimenta una serie de cambios destinados a preparar la glándula mamaria para la elaboración de leche, manifestándose a simple vista por un aumento de tamaño de la misma y, de modo subjetivo, por una cierta tensión. Estos cambios se producen por la influencia de unas hormonas que elaboran la hipófisis y los ovarios. Su acción permite que, a las pocas horas de haber nacido el niño, las glándulas segreguen la leche y, para que ésta continúe, es imprescindible el estímulo que representa la succión del niño. Si el pecho no se vacía, además de producirse molestias por exceso de ingurgitación, se instaurará paulatinamente una regresión en la secreción y retirada definitiva de la lactancia.

En los días siguientes al parto, el líquido que segrega la mama no es leche propiamente dicha, sino una sustancia viscosa y amarillenta que se denomina *calostro,* muy rica en proteínas y vitaminas. Esta sustancia tiene propiedades laxantes, facilitando la excreción del meconio, que son las primeras deposiciones del recién nacido, de color negro y consistencia viscosa.

Inicio de la secreción láctea

Hacia el tercer o quinto día después del parto, tiene lugar la subida de la leche. La madre advierte que el pecho se ha vuelto más duro de lo normal en pocas horas, llegando incluso a doler, en algunas ocasiones. A veces la leche sale espontáneamente, sin que sea necesaria la succión del bebé. De todas formas, como ya hemos dicho, es imprescindible que el niño vacíe el pecho para que la producción se renueve y se instaure una secreción continuada, en un perfecto ritmo de oferta y demanda. Para que ello sea posible es necesario contar, por un lado, que el niño no sufra problemas de succión, y por otro, que la madre se mantenga tranquila y des-

cansada, evitando fatigas o sobrecargas emocionales y trate de conseguir ocho horas de sueño diario como mínimo, aunque sea de modo fraccionado. El nerviosismo y la fatiga tienen una enorme influencia en las súbitas inhibiciones de la secreción láctea que pueden aparecer en las primeras semanas después del parto, en las que el bebé precisa de una mayor regularidad en las tetadas y puede repercutir más en su curva de peso una disminución en la ingesta, durante los primeros 15 días, que posteriormente. Una hiperactividad de la madre durante estas primeras semanas o un nerviosismo sostenido, puede provocar una disminución tal de la secreción láctea, que determine una detención en la curva de peso del bebé y obligue a instaurar un suplemento artificial. Normalmente, una vez se ha instaurado este suplemento, el paso a una alimentación totalmente artificial es cosa segura. El niño se acostumbra a una alimentación más cómoda y succiona el pecho perezosamente, lo que representa un estímulo menos intenso para la producción de leche. El bebé cada vez encuentra menos leche en el pecho materno y, por otra parte, recibe sin esfuerzo propio un alimento que le satisface, llegando muy pronto a rechazar de modo definitivo el pecho.

Cómo dar el pecho

Se empezará por un lavado cuidadoso de las manos y del pecho. Es muy importante este punto, pues supone una eficaz medida preventiva de posibles infecciones. Después de las manos, con una gasa estéril mojada con agua hervida o suero fisiológico, se lavará el pezón y la aréola mamaria en sentido circular. Ello proporciona una mayor higiene, la eliminación de restos de pomada antigrietas, si se hubiera aplicado, y un estímulo que provoca una ligera erección del pezón que permite una mejor adaptación a la boca del niño. Una vez efectuadas estas maniobras, la madre procurará acomodarse de tal forma que ni ella ni el bebé estén incómodos, consiguiendo un acoplamiento perfecto y un mínimo de fatiga durante la tetada.

La lactancia se inicia regularmente a las 24 horas del nacimiento del niño. Durante este tiempo, el recién nacido solamente habrá ingerido pequeñas cantidades de suero glucosado. En algunos casos podrá indicarse un inicio más precoz de la alimentación materna, existiendo autores que de modo general, aconsejan iniciar la alimentación a las doce horas del parto.

Horario de la lactancia

Sobre el ritmo horario de la lactancia materna hay diferentes opiniones. Básicamente debemos considerar que el estómago del

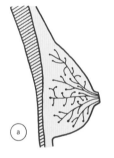
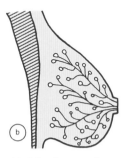

Modificaciones en el pecho femenino durante el embarazo (corte longitudinal esquemático): En contraste con la glándula mamaria de una mujer no gestante (a), puede observarse claramente en la de una embarazada (b) su mayor tamaño y el desarrollo y proliferación del tejido glandular.

bebé criado al pecho se vacía a las horas de la ingesta, por lo que, a partir de este momento, puede manifestar sensación de hambre, aunque lo más frecuente, si ha comido suficiente, es que duerma plácidamente hasta las tres horas. Por ello, en un principio se instauran las tetadas cada tres horas, siguiendo las consideraciones de la escuela francesa. La alemana preconiza tetadas cada cuatro horas, con un descanso nocturno de ocho horas, y la escuela americana prefiere el régimen denominado de «autodemanda», alimentando al niño sólo cuando lo pide, independientemente de un horario regular. Nosotros no nos inclinamos por ningún sistema en especial, pues consideramos que un bebé que no tenga problemas y que reciba suficiente alimento en cada tetada, adopta un ritmo regular en sus comidas, manteniendo un horario fijo y un número constante de tetadas cada día. Si ello no ocurre, es porque existe algún problema que lo impide, como puede ser una alimentación insuficiente o la existencia de una aerofagia. Consideramos que debe respetarse el ritmo horario impuesto por el niño, si es regular, pues es el que mejor se adapta a sus necesidades y a su tolerancia digestiva, siempre que este ritmo no suponga un desorden y molestias para la madre, pues ello podría ser motivo de nerviosismo y repercutir directamente en una inhibición de la secreción.

En general, observaremos que, al principio de la lactancia, el niño tiende a comer cada tres horas, debido a que la cantidad de alimento que toma es escasa, pero a medida que aumenta la cantidad de leche que ingiere, es capaz de aguantar más tiempo entre las comidas, y a partir del primer mes es posible que mantenga un ritmo de cuatro horas y un descanso nocturno de ocho. Si el niño nace con poco peso o es prematuro, puede precisar ritmos alimenticios inferiores a las tres horas, que irán espaciándose a medida que pasan los días.

Comodidad para madre e hijo

Las primeras tetadas tienen lugar encontrándose la madre en la cama; en este caso, la técnica diferirá de la que se emplea normalmente a partir de que la madre se levante. En la cama puede darse el pecho correctamente de dos formas: sentada o echada. Si a consecuencia del parto la madre está fatigada, es preferible no incorporarse y alimentar al niño en posición horizontal. El sistema es muy fácil, ladeándose ligeramente hacia el pecho a dar y colocando al bebé paralelamente con su boca a la altura del pezón. Cuando se da el pecho sentada en la cama, se colocarán almohadones bajo el brazo que sostiene al bebé, de manera que no suponga esfuerzo mantener la boca a la altura del pezón. En ambos casos, es conveniente que el recién nacido coloque sus brazos de tal forma que no le impidan mantener la cara lo más cerca posible del pecho de la madre. En

el momento en que la madre se encuentra en condiciones de levantarse, la buena técnica de la tetada dependerá esencialmente del lugar donde se siente. Es muy importante que el niño, en su posición, encuentre fácilmente el pezón a la altura de su boca, sin que sea necesario que la madre se encorve para conseguirlo. Para ello, es suficiente sentarse en una silla baja con el niño sobre las rodillas, la cabeza en el ángulo del codo, y de esta forma, sin ningún esfuerzo, la cabeza se encontrará frente al pecho. Si a la hora de dar el pecho la madre se siente fatigada, lo mejor será echarse en la cama durante unos diez minutos, manteniendo las piernas en ligera elevación para facilitar el retorno venoso. Seguidamente podrá dar el pecho sin moverse de la cama, o en una silla si se prefiere. La fatiga actúa siempre como inhibidora de la secreción láctea y, de esta forma, se asegura una buena alimentación del bebé.

Una vez el niño se encuentra cómodamente colocado, con su boca frente al pezón, abre la boca de forma instintiva y busca afanosamente. En este momento, se tomará el pezón entre los dedos medio e índice de la mano que queda libre y se acompañará hasta la boca del niño, que por regla general succiona inmediatamente. Es conveniente impedir que aplaste su nariz contra el pecho para que pueda respirar libremente; ello puede conseguirse comprimiendo ligeramente la mama entre el pulgar y el índice de la mano libre.

Durante los primeros minutos de la tetada, el niño succiona con gran vigor, de modo que en los primeros días no es raro que este momento resulte doloroso. Pasados los primeros minutos va succionando más tranquilo, efectúa numerosas pausas y llega a mordisquear el pezón sin succionar. En muchas ocasiones, una vez satisfechas sus primeras necesidades nutritivas, se queda dormido cogido al pecho y es necesario estimularle constantemente para que siga succionando; bastará tocarle ligeramente la mejilla con el dedo para que, aun dormido, siga la succión.

El eructo

Al terminar la tetada no debe colocarse al bebé nuevamente en la cuna en tanto no haya efectuado uno o varios eructos. Durante la ingesta, el niño traga abundante cantidad de aire, de tal forma que, después de una tetada, en su estómago hay aproximadamente partes iguales de líquido y aire. Éste debe ser expulsado mediante una contracción del estómago, y si se realizara encontrándose el niño echado podría expulsarlo acompañado de una variable cantidad de líquido, constituyendo lo que se conoce como regurgitación. Si el eructo tiene lugar estando el niño incorporado o bien boca abajo, solamente se producirá la expulsión de aire. La mayoría de los niños no tienen suficiente con eructar una sola vez, por lo que después de la tetada será conveniente mantenerle en la posición

Para amamantar al niño, la madre puede sentarse en una silla baja, apoyando bien la espalda y con los pies al suelo. También puede sentarse en una silla baja frente a un lado de la cama, reposando los pies entre el colchón y el somier. Los muslos deben estar ligeramente elevados para evitar que el niño se deslice. Lo importante es que la madre se encuentre relajada y cómoda.

Amamantamiento, sentada.

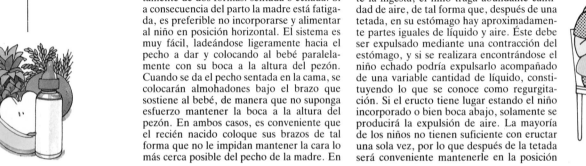

Mientras succiona el biberón o el pecho de la madre, el niño traga cierta cantidad de aire, que le produce molestias y a veces dolor en el estómago; entonces, para de alimentarse y empieza a llorar. Es aconsejable hacer una pausa para que el niño pueda eructar, liberándose así de las burbujas de aire.

sistema de regulación cuantitativa de su ingesta; puede ser también que el sistema valvular de cierre de entrada del estómago no esté lo suficientemente desarrollado. En todo caso, el control de la curva de peso y el consejo del pediatra será lo más tranquilizador.

Duración de las tetadas

Es un hecho suficientemente comprobado que, en los primeros cinco minutos de succión continuada, el niño ingiere un 80 % del contenido del pecho. Se ha demostrado a través de pesadas efectuadas a un gran número de niños antes de empezar a mamar y luego en diferentes fracciones de tiempo, apreciándose una notable disminución de la ingestión a partir de los siete u ocho minutos. Por lo tanto, prolongar la tetada de un solo pecho más allá de los quince minutos no tan sólo es inútil, sino que puede ocasionar problemas al niño y a la madre. Al primero porque la succión «en seco» sólo sirve para aumentar la cantidad de aire ingerido, hecho que quizá dificulte la posterior emisión del eructo, y a la madre porque sufre una innecesaria maceración del pezón que puede favorecer la formación de grietas.

Cuando exista una insuficiencia láctea que obligue a administrar los dos pechos, el segundo deberá darse antes de los diez minutos de iniciada la tetada, de modo que se mantenga una ingesta más constante, procurando no prolongarla más allá de los veinte minutos.

adecuada durante cinco o diez minutos, tiempo generalmente suficiente para que efectúe la total expulsión del aire ingerido. Algunos bebés eructan ya durante el transcurso de la tetada; en este caso sueltan el pecho intranquilos y rehusan tomarlo nuevamente hasta que han expulsado el aire de su estómago. Otros niños tienen verdadera dificultad para eructar y, al hacerlo, suelen expulsar una pequeña cantidad de leche, sin que ello constituya problema alguno. Una vez transcurrido este tiempo prudencial, necesario para la eliminación del aire, ya puede colocarse al niño en su cuna, pero con la precaución de ladearlo sobre un costado o, mejor, ponerle boca abajo con la cabeza apoyada sobre una de las mejillas, puesto que si estando sobre su dorso eructara de nuevo, existiría el peligro de que aspirara líquido de una regurgitación, ocasionándole una crisis de asfixia por aspiración.

A pesar de estas precauciones, en muchos casos el bebé vomita cantidades variables de leche, sin que ello tenga que constituir motivo de alarma. Puede ser que el niño coma demasiado y, mediante el vómito, efectúe un

Comprobación de las tetadas

El problema fundamental que se plantea con la lactancia materna, es la comprobación de la cantidad de leche que mama el niño. Al no poderse medir de forma instantánea la secreción de leche, el único modo de saber si el bebé come suficiente es a través de su curva de peso. Un aumento semanal superior a los 150 gramos, indica que la lactancia es suficiente; si es inferior, antes de calificar como insuficiente la secreción del pecho materno, es conveniente pesar al niño antes y después de algunas tetadas, durante varios días seguidos, y deducir el promedio de engorde por tetada. Solamente de esta forma podremos hacernos una idea más o menos exacta de la cantidad de leche que tiene la madre, pues cabe la posibilidad de que ésta sea suficiente y el niño no engorde por otras causas.

Supongamos que un niño mama normalmente y después no pide más alimento hasta

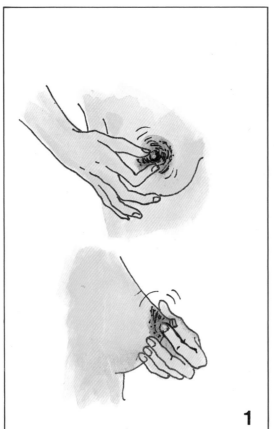

1

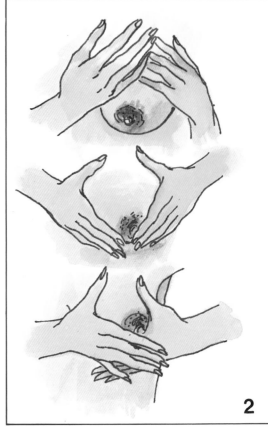

2

transcurrido tres o más horas. Nos planteamos la cuestión de si lo que mama es suficiente en cada tetada y cada día. Para saberlo, el único sistema útil es la pesada. Le pesaremos antes y después de cada tetada y la diferencia de peso que nos dé será la cantidad de leche que ha ingerido. La diferencia de peso entre siete días nos dará el aumento semanal que, dividido por siete, nos dará el aumento diario. Es más recomendable hallar el aumento de peso diario a través del promedio semanal, puesto que los aumentos son variables de un día para otro; incluso es normal que algún día pierda peso.

Muchas madres plantean el problema de si es necesario pesar diariamente a su hijo. No aconsejamos esta medida, a no ser que el niño sea prematuro o débil congénito y, por lo tanto, requiera un control riguroso de su peso. Dada la irregularidad de las ingestas, la pesada diara supone en general un motivo de preocupación para los padres. Durante los tres primeros meses, pesadas semanales o quincenales son suficientes para poder ejercer un control óptimo de la curva de peso. Es más, si todo va bien, el niño come y duerme, no dando la sensación de quedarse con hambre, y las deposiciones son normales, lo ideal es despreocuparse por completo del peso y dejar que sean los periódicos controles del

pediatra quienes faciliten la información de la evolución ponderal del pequeño.

Problemas de las primeras tetadas

Pezón retraído

En caso de que el pezón no esté bien configurado y sea plano o retraído, la succión resultará muy difícil. Puede intentarse extraer una pequeña cantidad de leche con el extractor, de modo que la acción de éste estimule al mismo tiempo la formación de un pezón suficiente para que lo coja el niño. En caso de no resultar eficaz este método, puede hacerse succionar a través de una pezonera. En ocasiones, efectuando un masaje del pezón en sentido rotatorio con los dedos pulgar e índice, previamente a la tetada, pueden conseguirse buenos efectos. Si ninguno de estos métodos resultara satisfactorio, se podrá extraer la leche con un extractor y administrarla con biberón o a cucharaditas, pero es indu-

Secuencia gráfica de los distintos masajes al pecho:
1. Masaje circular del pezón.
2. Masaje de la totalidad del pecho con ambas manos.

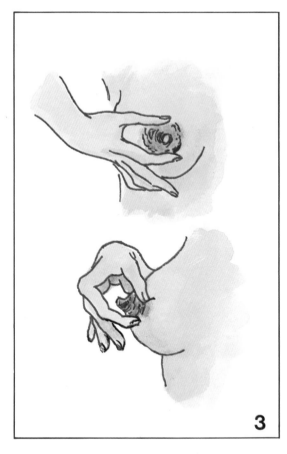

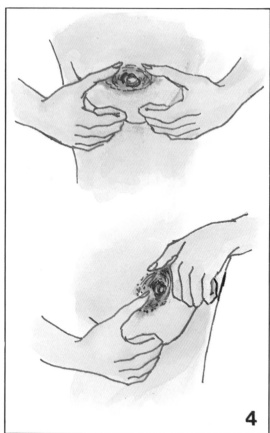

3. Estiramiento del pezón.
4. Imitación del movimiento de succión hecho manualmente.

dable que el sistema resulta incómodo y será preferible inclinarse por la lactancia artificial.

Dificultad de succión

Los recién nacidos débiles, especialmente los nacidos antes de término y los recién nacidos a término de bajo peso, pueden carecer de la fuerza suficiente para una correcta succión. En estos casos, la única solución es administrarles la leche materna con biberón o a cucharaditas, o inclinarse por una alimentación artificial. Lo mismo podemos decir cuando el problema derive de una malformación de la boca o infección de la misma, como el muguet, que causa dolor.

A veces, lo que ocurre es que el niño se encuentra profundamente dormido cuando le corresponde comer; en este caso lo mejor será dejar pasar un tiempo prudencial hasta que se despierte con sensación de apetito. Si ello se demorara en demasía se podrá estimularle frotando la mano o los pies, mojándole la cabeza con agua de colonia, etc. De todos modos, será muy importante tener en cuenta que en los primeros días perderá algunas comidas por este motivo, pero ello no debe ser motivo de preocupación.

No se percibe secreción de leche

Algunas veces, llegado el tercero o cuarto día después del parto, aún no se tiene sensación de tener leche; o bien después de haber percibido una franca ingurgitación mamaria, se tiene la sensación de que el pecho se vuelve algo fláccido y no segrega como antes. Estos problemas suelen ser frecuentes y a veces no se instaura una secreción regular y abundante hasta los ocho o diez días después del parto. Como es fácilmente comprensible, para la madre constituye un importante motivo de preocupación, acrecentado si el niño demuestra, de forma evidente, que no tiene suficiente con lo que come. En estos momentos, más que nunca, deberán seguirse los consejos del pediatra, quien indicará la conducta más correcta, y partiendo siempre de una valoración múltiple, esto es, contando con el estado de nutrición del niño.

Ante la ignorancia de la cantidad real de leche que segrega el pecho, quizá sea aconsejable que, durante los primeros días de vida, el niño tome de los dos pechos en cada tetada, procurando siempre empezar por el último que tomó en la anterior comida. La razón de este criterio es sencilla: el pecho no

lleva ningún indicador de la cantidad de leche que toma el niño; el método de la doble pesada no es suficientemente exacto, teniendo en cuenta la irregularidad de las tetadas; si se sospecha que el niño toma poco alimento, dándole los dos pechos hay más posibilidades de que tome una cantidad adecuada que si toma de uno solo. Está perfectamente demostrado que, durante los primeros cinco minutos, el niño succiona el 80 % aproximadamente del total que se tomará en una tetada; si la secreción láctea es escasa y se le da al niño sólo de un pecho, nos exponemos a que, pasados los primeros cinco minutos, únicamente succione aire. Dándole los dos pechos, siempre es más fácil que, durante todo el tiempo de la tetada, succione leche. En cada tetada el primer pecho que se le ha dado es el que más vacío queda, por tanto, a la siguiente se empezará por el segundo. Otra razón de peso en defensa de este criterio es el estímulo que representa la succión, que es condición indispensable para mantener la secreción láctea.

Si a pesar de esta medida el bebé sigue quedándose con hambre, llorando mucho después de las comidas y permaneciendo intranquilo hasta la siguiente, comprobándose además, por la doble pesada, que las tetadas no son suficientes, podrá optarse por esperar al término de la segunda semana (tiempo límite para la subida de la leche y para mantener la curva de peso del niño) antes de implantar una lactancia mixta o artificial, o bien instaurar un suplemento de entrada para evitar una excesiva pérdida de peso en el niño.

Dolor en el pecho durante la tetada

Es frecuente que el pecho duela un poco, durante los primeros días, en el momento en que se produce la ingurgitación propia de la secreción láctea. Es un dolor que generalmente se localiza a ambos lados, con irradiación hacia la axila. Para aliviarlo, puede aplicarse calor seco con una bolsa de agua caliente, la esterilla eléctrica o, incluso, vaciarlo artificialmente con un sacaleches o aspirador eléctrico. A partir del momento en que la secreción y la succión se equilibran, dejan de haber problemas. Otras veces, el dolor lo provoca el niño al succionar con energía durante los primeros momentos. En este caso, lo único que debe vigilarse es la aparición de grietas a fin de instaurar precozmente el oportuno tratamiento.

Cuidados de la madre que lacta

Para que la lactancia materna sea un éxito, son necesarias una serie de condiciones com-

plementarias del equilibrio psíquico y emocional de que hablábamos al principio. La madre que cría al pecho debe estar tan pendiente de sí misma como del bebé, pensando siempre que el bienestar de su hijo depende directamente de su propio bienestar. Ello se conseguirá a través de una alimentación adecuada, de un ritmo de vida apropiado y de una higiene minuciosa.

Alimentación

Las madres de antaño, más influidas por creencias y tradiciones que por las orientaciones médicas, estaban enormemente apegadas a la teoría de que la mujer que cría al pecho debe comer por dos, especialmente aquellos alimentos que podían influir de un modo directo en la producción de leche, como las féculas, farináceas y la propia leche de vaca. Esto es un error, pues con esta medida lo único que se consigue es un acúmulo innecesario de grasas.

La dieta de la madre que lacta difiere en muy poco de la alimentación cotidiana en época normal, adaptando las cantidades a la dieta habitual en la mujer. Ya sabemos que las cantidades de alimento que ingiere una persona pueden variar en gran manera de unas a otras, sin que ello motive grandes diferencias en la curva de peso, pues depende de la asimilación de cada una. Lo único que realmente cambia durante la lactancia son las necesidades de líquido, pues a las habituales debe añadirse el agua utilizada para la elaboración de la leche, que en plena lactancia puede llegar a alcanzar el litro diario. El líquido ingerido no debe ser forzosamente leche de vaca, aunque sea el más recomendable por su composición, pudiéndose sustituir, sin demasiados problemas, por agua, zumos de fruta, caldos, etc. Hay mujeres a quienes no les gusta, o no toleran, la leche de vaca y pueden criar sin problemas a base de beber otros líquidos.

El complemento indispensable para una correcta elaboración de leche, lo constituyen las proteínas, las grasas y los hidratos de carbono, considerándose que, durante la lactancia, es suficiente una ingesta diaria de 100 gramos de proteínas, 100 gramos de grasas y 400-500 gramos de hidratos de carbono, lo que da idea de la inutilidad de una exagerada sobrealimentación.

La leche, sin ser fundamental, como hemos dicho, favorece realmente la secreción láctea, pues en su composición hay un equilibrio de proteínas, hidratos de carbono y grasas que se aproxima al mencionado, pero puede ser sustituida por la ingesta de sus derivados, como el queso, o por cereales, como la sémola o el arroz.

El aporte de proteínas se hará a través de la carne, el pescado y los huevos, que no deben faltar en la dieta diaria. Cualquier tipo de carne o pescado aporta suficiente cantidad de proteínas para cubrir las necesidades calóricas diarias. Asimismo, es aconsejable

Las necesidades alimentarias de una madre que lacta no son muy diferentes de las que precisa normalmente. Lo único que cambia es la cantidad de ingesta de líquidos, pues para la elaboración de la leche su organismo necesita el aporte aproximado de un litro más de agua. Pero es importante que la dieta sea rica en vitaminas, aportadas por la ingesta de verduras y frutas.

tomar un huevo diario que, en algunos casos, podrá sustituir a la carne. El pan y las pastas pueden suprimirse de la dieta sin que la lactancia se resienta por ello, pero es muy importante que la dieta sea rica en vitaminas, por lo que se comerán abundantes frutas y verduras. Entre las primeras es particularmente importante la naranja, el limón y el pomelo, por su elevado contenido en vitamina C. Entre las verduras, la lechuga, zanahorias, alcachofas, espárragos, espinacas, judía verdes, etc.

Medicación

El estrés que representa el parto para una mujer, con la pérdida súbita de varios kilos de peso; el traumatismo genital, con mayor o menor pérdida de sangre, y la falta de descanso nocturno en los primeros días, condicionan que, en el puerperio, se extremen los cuidados para conseguir una recuperación psíquica y física temprana y sin consecuencias negativas para la salud. Así como la alimentación no debe ser extraordinaria, es necesario recibir un aporte extra de vitaminas y sales minerales, que se tomarán normalmente en forma de preparados farmacéuticos. Cualquier tipo de preparado polivitamínico —mineral a dosis normales durante dos o tres semanas, junto con algún derivado antianémico para reponer las pérdidas sanguíneas— serán suficientes para una recuperación rápida. Durante la lactancia, también es importante recibir un aporte extra de calcio y hierro. El médico, en todos los casos, será quien indique los preparados más eficaces, las dosis y el tiempo que deben tomarse, del mismo modo que indicará todos aquellos medicamentos que puedan ser perjudiciales para la lactancia. Solamente a título informativo diremos aquí que no es conveniente el abuso de sedantes o de purgantes fuertes, y siempre que la madre realice un tratamiento prolongado con un determinado medicamento, dará cuenta de ello al pediatra para que éste lo tenga en cuenta ante posibles reacciones en el niño.

Alcohol y tabaco

La acción del alcohol sobre la lactancia es negativa, de modo que la ingesta reiterada de bebidas alcohólicas actúa como inhibidora de la secreción láctea. Cuando se toma con moderación resulta totalmente inocuo, de modo que una madre que lacta, si normalmente toma vino o cerveza en las comidas, puede seguir haciéndolo tranquilamente, pues no ocasionará ningún perjuicio al bebé.

Parece ser que la nicotina puede llegar al niño a través de la leche en cantidades tan moderadas que le resultarán inocuas y no es probable que una madre fumadora no pueda criar por este hecho. Nuestro consejo es que se disminuya en lo posible el número de cigarrillos diarios, procurando por todos los me-

dios no sobrepasar los seis o siete y, a ser posible, fumarlos a distancia de las tetadas.

Ritmo de vida durante la lactancia

Sería conveniente que la mujer lactante durmiera por lo menos ocho horas diarias, pero ello resulta particularmente difícil en tanto el bebé no se habitúe a unos descansos nocturnos correctos. De todos modos, el sueño tiene una influencia decisiva para mantener una lactancia eficaz y es preciso conseguirlo como sea: a base de períodos nocturnos más o menos prolongados y que totalicen las ocho horas, o haciendo una siesta de una o dos horas.

Ya hemos dicho anteriormente que también es necesario evitar al máximo la fatiga y el nerviosismo, pero ello generalmente plantea problemas tan difíciles de solucionar como el del sueño. Es poco probable que, al llegar a casa, la madre pueda llevar una vida sedentaria, a no ser que disponga de alguien que le solucione los problemas propios del hogar y del mismo bebé, cuyo ciclo horario (comida, aseo, lavado de ropa, etc.) no deja prácticamente tiempo libre. Aunque resulte muy difícil hacerlo, aconsejamos breves intervalos de descanso de diez a quince minutos cada dos o tres horas, en un sillón cómodo con las piernas elevadas o bien en la cama, que permitirán sobrellevar con más alivio las fatigosas jornadas de esta época.

El paseo diario del niño puede resultar beneficioso y relajante para la madre, si es realmente esto: un paseo. Si, en cambio, supone una carrera contra reloj para hacer compras o recados, o una obligación con la mente en los problemas que han dejado de resolverse, es mejor dejarlo para otro momento. El ejercicio físico que supone el paseo tranquilo puede sustituir eficazmente una actividad deportiva si la madre estaba habituada a ella y no resulta indicada en el puerperio.

Higiene del pecho

Para que la lactancia no resulte perjudicial para el pecho, debe mantenerse una perfecta higiene del mismo y, en modo especial, del pezón. El pecho debe lavarse cada día con agua hervida dejada entibiar y con un jabón neutro o detergente medicinal, sin abusar de él, pues podría eliminarse la capa grasa natural de la piel, que es un importante medio de defensa contra las infecciones.

El pezón debe lavarse además antes y después de las tetadas, con agua tibia, previamente hervida, mediante una gasa estéril, imprimiéndole un movimiento rotatorio. Cuando el pezón es muy plano y no permite la perfecta adaptación de la boca del lactante, es necesario provocar su erección mediante suaves masajes con los dedos o bien con el uso de un extractor, inmediatamente

Después del parto, pocas mujeres están plenamente satisfechas de su figura, puesto que su organismo ha sufrido un cambio importante. Unos ejercicios gimnásticos pueden ayudar a recuperarla. Arriba, sujetar el pie derecho con la mano derecha, tirando del talón hacia arriba durante 30 segundos. Abajo, con los pies separados, inclinarse hacia adelante desde la altura de las caderas. Repetir estos ejercicios durante media hora diariamente.

antes de cada tetada. Si es resistente a estas maniobras, puede resultar eficaz la aplicación de alcohol puro, mediante fricciones delicadas, durante tres o cuatro días, pero no debe abusarse mucho de este sistema, pues el alcohol reseca mucho la piel y podría favorecer la aparición de grietas.

Problemas y contraindicaciones de la lactancia materna

Es indudable que la lactancia materna puede presentar algunos problemas que impidan una normal evolución y que condicionen, en la mayoría de los casos, la instauración de una lactancia artificial. El problema principal y más frecuente es la ausencia de leche, bien primitiva, bien secundaria a cualesquiera de los factores que influyen negativamente. Si la madre no tiene leche, no queda otra alternativa que instaurar una alimentación artificial a base de cualquiera de las innumerables fórmulas que actualmente se encuentran en el mercado. Siempre, en este caso, será solicitado el consejo médico, pues el pediatra es el único capacitado para determinar qué tipo de leche es la idónea para el lactante.

Pero hay otras situaciones que pueden plantear dudas respecto a la instauración de una lactancia artificial.

Mastitis

A través de los canalículos por los que la glándula mamaria segrega la leche, es posible la entrada de gérmenes que provoquen una infección de la mama, conocida como mastitis. Esta infección puede quedar limitada a los conductos excretores o localizarse alrededor de la aréola del pezón, que aparece enrojecida, turgente y caliente. Suele dar lugar a un intenso dolor, inflamación global de la mama, fiebre y una inflamación de los ganglios localizados en la axila, que se manifiesta por dolor en este punto. El tratamiento de la mastitis compete exclusivamente al médico; la única medida que deberá adoptar la madre al percibir los primeros síntomas será retirar la lactancia del pecho enfermo para evitar la transmisión de gérmenes al bebé.

Grietas

A pesar de los cuidados que se puedan tener con el pezón, en muchas ocasiones es inevitable la aparición de grietas por la continua acción maceradora que representa la succión. Pueden ser muy dolorosas y si no son curadas en los primeros días de la lactancia pueden dar lugar fácilmente a infecciones, pues suponen una magnífica puerta de entrada para toda clase de gérmenes que, aprovechando la natural inflamación de la mama,

provocan una mastitis. Es recomendable usar una pomada antigrietas ya en los primeros días, incluso antes de que aparezcan, aplicándola después de cada tetada y protegiendo el contacto con las ropas mediante una gasa estéril. Si se utiliza una de estas pomadas, antes de dar nuevamente el pecho deberá lavarse el pezón, ya que su sabor no es muy agradable y el bebé podría rechazarlo.

El tratamiento definitivo de las grietas corresponde al médico, pero en general no condicionan una supresión de la lactancia, a no ser que el dolor que provocan sea difícilmente soportable. En algunos casos puede ser aconsejable extraer la leche con aspirador y administrarla a cucharaditas o con biberón.

Las mamas experimentan varios cambios durante el embarazo. Hacia el final de la gestación, mediante un suave masaje, se puede exprimir de los pezones el calostro.

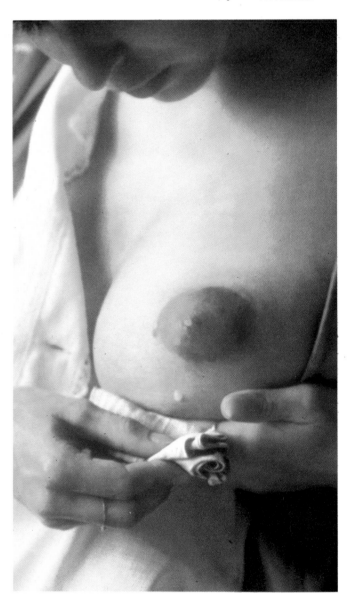

Es frecuente que las grietas sangren y se observen manchas de color negruzco en las deposiciones del bebé o presencia de sangre en la leche que pueda regurgitar, lo cual no debe constituir un motivo de alarma ni contraindicación de la lactancia.

Menstruación, embarazo y lactancia

Cuando una mujer está lactando, puede experimentar un retraso en la aparición de la primera regla, que muchas veces no aparece hasta dos o tres meses después del parto, especialmente después del nacimiento del primer hijo. A partir del momento de reinstauración de los ciclos normales puede experimentarse una disminución de la secreción láctea durante los días de la regla, manifestándose a veces por discretos trastornos intestinales en el niño, vómitos en general, que suelen ser pasajeros y no indican actitud especial alguna.

Aunque durante este período no aparezcan las reglas, la mujer sigue siendo fecunda, resultando muy frecuente los embarazos cuyo inicio no puede ser exactamente precisado por este motivo. Si durante la lactancia la mujer queda nuevamente encinta, no hay contraindicación alguna para la misma, a no ser que las condiciones físicas de la mujer o la evolución del embarazo aconsejen lo contrario.

Enfermedad y lactancia

Algunas enfermedades de la madre no permiten que alimente al pecho a su hijo. La tuberculosis pulmonar en período activo es una contraindicación absoluta de lactancia, pues motiva un empeoramiento de la enfermedad y existe un gran peligro de contagio para el niño, quien no ha establecido inmunidad en su época fetal. Ciertas enfermedades crónicas del riñón o intestino (nefritis, úlcera gástrica o duodenal), así como afecciones generales graves, como la leucemia y tumores malignos, también son indicativas, de entrada, de una lactancia artificial.

Una enfermedad aguda durante la lactancia, en algunos casos puede obligar a suprimir la alimentación al pecho, especialmente si se trata de un proceso importante como una neumonía o una tifoidea. Si es una enfermedad leve, como una gripe o unas anginas, podrá seguir dándose el pecho, procurando evitar al máximo la transmisión de microbios al niño. Así, cada vez que se le cambie, alimente, etc., la madre procurará taparse la boca y la nariz con una mascarilla como las que utilizan los cirujanos. En muchos casos, el médico aconsejará provisionalmente la extracción manual y la administración con cucharilla o biberón.

También estará contraindicada la lactancia materna cuando la mama o el pezón no estén en condiciones de permitirla. Ya hemos mencionado la dificultad que representa para madre e hijo la lactancia con grietas en el pecho y el problema que se presenta cuando el pezón es retraído o muy plano y se hace imposible la perfecta adaptación a la boca del bebé. Tanto en uno como en otro caso, si la tetada debe efectuarse a través de una pezonera o bien con extracción manual, nos encontraremos que, al poco tiempo, aparecerá una disminución progresiva de la leche por la falta del estímulo que supone la succión del niño. Podemos decir que, en la mayoría de los casos en que debe recurrirse a estas maniobras, no se tardará en instaurar una alimentación artificial que, en definitiva, resultará mucho más cómoda y práctica.

El destete

En cierto modo resulta polémico determinar el momento justo del destete para una madre que no aprecie una franca disminución de su secreción láctea antes de los seis o siete meses. La norma más generalizada es que se administre el pecho de forma exclusiva hasta los tres meses, momento a partir del cual se inicia la introducción en la dieta de alimentos sólidos en forma de frutas y cereales. Con el inicio de las papillas, el número de tetadas diarias disminuye en mayor o menor grado, según los casos, pero podemos considerar que, a partir de los seis meses, la alimentación básica del bebé deben consti-

La madre debe lavarse los pechos antes y después de amamantar a su hijo, para prevenir posibles infecciones y grietas, que dificultarían la lactancia natural del pequeño.

tuirla cereales, verduras y frutas, carne y huevos, y leche, tanto materna como de vaca, pero sólo como complemento.

De este modo, al disminuir paulatinamente el número de tetadas diarias, el lactante efectúa un destete progresivo que raramente supone problemas para la madre, pues disminuye paralelamente su secreción de leche.

Sin duda, hay casos en que el bebé impone una prolongación de la lactancia materna a consecuencia de una exagerada afición a la succión y rechace total o parcial de los alimentos sólidos, lo que debe tratar de evitarse a base de no concederle más tetadas de las que hayan sido programadas por el pediatra, insistiendo en la administración de papillas. Tampoco es conveniente mantener el pecho de un modo exclusivo por las noches, pues puede establecer un hábito al bebé, con tendencia al insomnio; si durante el día no se hace necesario complementar la dieta sólida con tetadas, deberá prescindirse de la tetada nocturna, pues, a buen seguro, el niño la seguirá tomando por costumbre más que por hambre. A veces resulta difícil deshabituar al bebé de su tetada nocturna, incluso en niños que durante el día ya están tomando cuatro comidas sólidas. Lo mejor es que, cuando se despierte, se le administre un biberón de suero glucosado o agua azucarada y se comprobará, al cabo de poco tiempo, que no reclama más comida por las noches.

Lactancia mixta

Digamos de entrada que nuestra fe en la lactancia mixta, a base de complementar la lactancia materna con cualquier tipo de leche en polvo, es muy escasa. Este criterio se basa en parte en la propia experiencia, al comprobar el escaso tiempo que suele durar esta medida, y en parte en el concepto de instauración de la misma. Se puede utilizar la lactancia mixta como sistema de alimentación del bebé cuando la materna es insuficiente, por tanto, si ésta es insuficiente, poco a poco irá disminuyendo la secreción láctea de la madre y deberá pasarse a una lactancia totalmente artificial. Por tanto, sólo aconsejamos la lactancia mixta como un corto puente entre la lactancia materna y la artificial, procurando instaurarla siempre en la forma de tomas alternas.

La lactancia mixta puede efectuarse, en síntesis, según dos procedimientos: a) biberones como complemento, una, varias o todas las tetadas; b) alternando tetadas con biberones. En el primer caso, puede darse el complemento antes o después del pecho, en un número de tetadas a determinar según las necesidades del lactante. Lo más corriente es que se administre después y a cucharaditas para evitar que el niño se acostumbre a la tetina del biberón, aunque esta medida la consideramos en cierto modo innecesaria, pues, en general, poco importa que el niño se habitúe al biberón si, de todos modos, acabará dejando el pecho tarde o temprano. Cuando se sabe con certeza que la cantidad de leche de la madre es mínima y se desea mantener la lactancia como medio inocuo de retirada paulatina de la leche, no hay ningún inconveniente en dar el complemento antes de la tetada, pues de este modo el niño se fatiga menos y, durante los primeros minutos de succión, consigue mayor cantidad de alimento. Este sistema será asimismo más eficaz en aquellos niños que se duermen durante la co-

A la madre corresponde, de acuerdo con el médico, complementar la lactancia natural con biberones de leche en polvo, por razones físicas (insuficiente cantidad de leche en cada tetada) o de trabajo (imposibilidad de amamantar al niño en todas las tomas).

mida, pues será una garantía de que han tomado una cantidad suficiente.

Cuando se alternan las tetadas con los biberones, se proporciona al pecho un reposo mayor, entre tetadas, de efectos netamente beneficiosos para la insuficiencia láctea. En general se iniciará el día dando el pecho, que podrá hallarse muy recuperado después del descanso nocturno y, a partir de entonces, ir alternando con biberones, en un número que dependerá del grado de insuficiencia materna. Cuando se practica este sistema será preferible que, en cada tetada, se administran los dos pechos con el fin de evitarles tensiones excesivas por el prolongado reposo a que se ven sometidos. Este sistema, además, proporciona a la madre una mayor libertad, que puede repercutir de modo beneficioso en su equilibrio emocional, favoreciendo la secreción láctea, siendo éste el único modo con el que hemos podido ver lactancias mixtas de una duración aceptable.

Como en muchas de las normas de puericultura existen opiniones favorables y contrarias a la lactancia mixta, hay quienes incluso preconizan una lactancia mixta para los primeros días, con objeto de evitar la caída de la curva de peso del recién nacido. Nosotros ya hemos dicho que no nos mostramos inclinados por este método nutritivo, aunque reconocemos que, ante un primer hijo, son muchas las veces en las que deberemos recurrir ineludiblemente a la lactancia mixta ante el desconocimiento de las posibilidades de crianza de la madre, aunque, a la larga, en la mayoría de los casos no nos servirá más que como una fase de transición a la crianza con biberones.

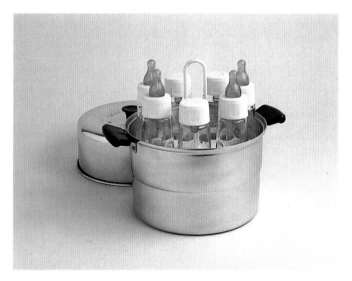

Lactancia artificial

La lactancia materna, a pesar de todas sus ventajas y de la intensa campaña desplegada en favor de la misma, está desapareciendo de forma alarmante y, en especial, en los países que han alcanzado un mayor nivel de desarrollo. En los Estados Unidos, las estadísticas elaboradas en las clínicas maternológicas señalan que sólo son lactados al pecho de un 12 a un 25 % de recién nacidos. En Europa, las cifras son muy variables, encontrándose mayor índice de lactancia artificial en los países nórdicos, con disminución progresiva en los países mediterráneos. En conjunto, las ci-

fras mundiales son muy variables, no pudiéndose establecer comparaciones exactas por la falta de estudios estadísticos. En general, podemos indicar que la lactancia artificial se encuentra más difundida entre las madres que trabajan y las que gozan de un nivel socioeconómico alto, ya que proporciona una mayor comodidad y libertad de acción. Otro hecho que ha influido en su difusión es la facilidad de adquisición de alimentos infantiles, cada vez más asequibles y mejor elaborados.

La base de la lactancia artificial la constituye la leche de vaca, que siempre ha sido utilizada como sustitutivo más general. Su utilización data de antiguo y existen documentos históricos que prueban este hecho. A principios de este siglo ya se establecieron estudios pediátricos que demostraban la culpabilidad de la leche de vaca en algunos de los trastornos intestinales que presentaban los lactantes alimentados con ella. Debido a ello se iniciaron las investigaciones destinadas a proporcionar una mejor digestibilidad de la leche, adaptándola a las condiciones especiales del organismo infantil. Las primeras medidas adoptadas se basaron en la dilución con agua, con el fin de aproximar su composición a la de la leche humana. A fin de comprender debidamente los procesos realizados para conseguir que la leche de vaca alcance una similitud máxima con la leche materna, es preciso que, inicialmente, efectuemos una comparación cualitativa entre ambas.

Si la lactancia del niño se hace con biberón, hay que extremar la limpieza de las tetinas, de las botellas y demás elementos del equipo de alimentación que entran en contacto con la leche o la boca del lactante. Los biberones tradicionales deben lavarse primero con un cepillo especial y detergente, y aclararse bien, al igual que las tetinas. Una vez enjuagadas éstas, se colocarán al revés en el cuello de los biberones; a continuación se introducirán dentro de un recipiente con tapa para proceder a su esterilización.

COMPARACIÓN CUALITATIVA ENTRE LA LECHE DE MUJER Y LA DE VACA		
Proteínas totales	1 gr	3,5 grs
lactoalbúmina	0,6 grs (60 %)	0,4 grs (15 %)
caseína	0,4 grs (40 %)	2,7 grs (85 %)
Grasas	3,8 grs	2,7 grs
Hidratos de carbono (lactosa)	7 grs	4 grs
Sales minerales	0,2 grs	0,7 grs

La principal diferencia entre ambas radica en las proteínas, excesivas en la leche de vaca pura, especialmente a expensas de la caseína, pero al hacer la dilución con agua, por ejemplo al 50 %, para conseguir una cifra más parecida de proteínas, se reducen excesivamente las grasas e hidratos de carbono, con lo que el aporte energético es considerablemente menor. Para compensar esta pérdida de calorías se intentó complementar la leche diluida con azúcares, siendo utilizada preferentemente la sacarosa, que en modo alguno podía resultar tan bien tolerada como la lactosa. Además, las grasas seguían quedando por debajo de las cifras normales y seguía existiendo un exceso de caseína, con lo que no se evitaban las complicaciones digestivas habituales en este tipo de alimentación.

Una vez comprobada la imposibilidad de criar al pecho al bebé, por falta de secreción láctea o indicada por el médico la no conveniencia de dar el pecho por alguna de las razones que ya apuntábamos en páginas anteriores, la instauración de una lactancia artificial debe ser de incumbencia exclusivamente pediátrica, ya que no todos los preparados que se encuentran en el mercado pueden ser los más indicados para su bebé. Al mismo tiempo, el pediatra debe indicar las cantidades y concentraciones a administrar, asumiendo al mismo tiempo el control de la tolerancia por parte del niño, pues muchas veces una leche considerada como la más adecuada puede dar lugar a problemas como diarreas, vómitos, eczema, etc. Al mismo tiempo, el niño criado artificialmente puede precisar un aporte vitamínico extra que supla las deficiencias que, en vitaminas y sales minerales, pueden tener algunas de las fórmulas empleadas.

Formas de administración

Aquí entra en juego un elemento que va a tener un papel básico en la alimentación del bebé: *el biberón*. Cabe la posibilidad de criar al niño a cucharaditas, pero el biberón es un sistema que aprovecha la succión del niño de un modo más natural. En caso de ausencia del reflejo de succión, puede ser preciso administrar el alimento con sonda, pero ello ocurre casi exclusivamente en los prematuros y en los recién nacidos con problemas patológicos que deben permanecer ingresados en una unidad de cuidados especiales, y la alimentación corre a cargo de personal experto.

Los biberones pueden ser de diversos tipos, formas y tamaños, resultando útil cualquiera de ellos, con el único requisito de que sea fácil de limpiar y esterilizar. A pesar de la gran difusión de los materiales sintéticos, seguimos considerando como idóneos los de cristal, pues aunque más frágiles, resisten

mejor a la esterilización. Las tetinas de goma también pueden adoptar diferentes formas, tamaños y consistencia, pero lo básico es que resulten lo más similares al pezón. Durante la lactancia debe variarse de tetinas, de modo que, al principio, sean más blandas, cortas y con orificios más pequeños, detalles que se irán modificando a medida que el bebé, por su edad, precise una tetina larga, dura y con orificios que permitan la salida de gran cantidad de alimento. En el capítulo IV describimos los diferentes tipos de material del que puede disponerse actualmente para la alimentación del bebé, así como los principales sistemas de esterilización, conservación y calentamiento de biberones.

Creemos que los biberones deben ser administrados por la madre en la medida de sus posibilidades y, de modo más riguroso, durante las primeras semanas, con el fin de evitar al bebé una precoz ruptura de las relaciones madre-hijo. Durante la toma del biberón, debe existir un ambiente similar al que existiría si se diera el pecho, con intimidad y una atmósfera de calma y bienestar que influirán favorablemente en el niño, facilitando que éste se mantenga tranquilo. La madre debe sentarse cómodamente y tomar al bebé en sus brazos, manteniendo su cabeza en el ángulo del codo, de modo que quede ligeramente inclinado, con la cabeza más elevada que los pies. El biberón debe inclinarse de tal modo que la tetina quede completamente llena de líquido, con lo que se evitará la entrada de aire en la boca del niño. También debe observarse si el biberón va llenándose de aire a medida que el niño va tragando; ello se apreciará por la entrada de burbujas a través de la tetina cuando se trate de un biberón anti-hipo y si no se deprime la tetina en los biberones convencionales. Cuando se observe que hay dificultades de entrada de aire en el biberón, deberá sacarse de la boca du-

El niño no conoce ni los días ni las horas. Cuando ha terminado la digestión y empieza de nuevo a sentir hambre, reclama. Puesto que la leche materna es más rápidamente asimilada por su organismo que la preparada, el lactante reclama antes el pecho que el biberón. La tendencia generalizada actualmente es darle satisfacción, prescindiendo un poco de los horarios estrictos. Sin embargo, se puede adoptar un término medio: en los primeros meses se puede satisfacer la petición del bebé, para ir espaciando progresivamente las tomas en función de un horario.

La administración de leche a cucharadas supone una mayor lentitud, pero contribuye a que el bebé trague menor cantidad de aire.

rante unos segundos, con lo que se conseguirá un equilibrio de presiones, pues si no se hiciera, el vacío que se va produciendo dentro del biberón dificultaría grandemente la succión e impondría al niño un esfuerzo inútil, pues no conseguiría extraer apenas leche.

Muchos de los problemas que se plantean en la lactancia artificial radican precisamente en las dificultades que suponen tetinas excesivamente duras, orificios demasiado grandes o pequeños, malos sistemas de regulación de entrada de aire en los biberones y defectos en general de la técnica de administración, manifestándose todos ellos en un exceso de aire tragado al succionar, lo cual ocasiona una aerofagia, con dificultad para eructar o vómitos inmediatos a la toma del alimento. Por ello, es preciso seguir una técnica correcta en la administración de los biberones.

La cuchara

En algunos casos puede ser necesario administrar la leche con *cuchara,* aunque no ocurre más que en contadas ocasiones. Cuando no se desee habituar al bebé a la comodidad del biberón, si se está haciendo una lactancia mixta con posibilidades de mantener las tetadas durante algún tiempo; cuando existe algún defecto en la conformación de los labios o paladar del bebé que impidan la perfecta adaptación a la tetina (aunque existen tetinas especiales para estos casos); cuando, en suma, el bebé no sabe ni aprende a succionar, será más práctico, más cómodo y más rápido administrar la leche a cucharaditas. Tanto con la cuchara como con el vaso empleados deben seguirse los mismos requisitos de esterilización que con los biberones y tetinas, hirviéndolos durante unos veinte minutos. La cuchara que se utilice debe ser de un tamaño apropiado a la boca del niño, de modo que, sin dañarle, suministre la suficiente cantidad de líquido para no hacer demasiado lenta la toma del alimento. Quizá la cuchara idónea sea la que normalmente se utiliza para el café o té, que suele tener una capacidad de 2,5 c.c., más práctica incluso que algunas cucharas especiales en forma angular, que pueden resultar más útiles para la administración de papillas a niños algo mayores que toman su alimento sentados.

La mayor lentitud que supone la administración de leche a cucharadas contribuye a que el bebé trague menor cantidad de aire en sus comidas, por lo que resultará un método eficaz para algunos niños habitualmente vomitadores.

La postura que debe adoptar el bebé para recibir su alimento con cuchara es la misma que para tomar el biberón. Se procurará no llenarla por completo, introducirla en la boca de forma perpendicular aplicándola sobre la lengua ligeramente inclinada, vertiendo el contenido de forma suave, pero con una ligera presión sobre la lengua para facilitar la deglución.

Hacia los seis o siete meses, y a veces antes, el bebé es capaz de beber directamente del vaso o taza, aun a expensas de que se vierta líquido por las camisuras de los labios, hecho que pronto podrá impedirse si se inclina convenientemente el recipiente. Muy pronto el niño tiene tendencia a tomar el vaso en sus propias manos y llevarlo a la boca, siendo capaz de beber completamente solo a partir del año aproximadamente.

Esterilización de los biberones

Aunque la esterilización de los biberones la consideramos imprescindible únicamente para los tres primeros meses, no estará de más mantenerla durante todo el tiempo en que se prolongue su utilización. En cambio, los platos y cucharas que se usen para la preparación y administración de las papillas, bastará con lavarlos a fondo con cualquier detergente y aclararlos luego concienzudamente. Durante los primeros meses, también deberán esterilizarse todos aquellos utensilios que se usen en la alimentación del bebé, como vasos, cucharillas y tazas.

Una vez al día se esterilizarán todos los biberones, previo lavado con agua fría. Si los biberones son del tipo alargado y estrecho (en general son los mejores) resulta difícil la limpieza a fondo si no se posee una escobilla especial con la que se pueda frotar con fuerza todos los rincones y ángulos del biberón. Las tetinas deben lavarse con agua y jabón o detergente, frotándolas con sal si han quedado restos lácteos.

Tipos caseros de esterilización

a) por ebullición: colocando vaso, tetina y demás utensilios en un recipiente con agua, convenientemente tapados y sometiéndolos a 15 o 20 minutos de ebullición. El principal inconveniente de este método es el deterioro que suelen sufrir las tetinas por la constante acción del agua y, en especial, de las sales que ésta contiene.

b) por acción del vapor: es el sistema empleado en las ollas esterilizadoras que se han creado para tal fin. Suelen disponer de un dispositivo metálico donde van colocados los biberones y unos soportes que mantienen las tetinas por encima del nivel del agua. Se llenan los biberones con agua hasta la mitad aproximadamente de su contenido y se introducen en la olla, donde se pone agua hasta la mitad de la altura del biberón. Las tetinas quedan situadas por encima del nivel del agua. Una vez tapada la olla, se hace hervir durante 20 minutos, produciéndose una eficaz esterilización de los biberones por ebullición y de las tetinas por contacto con el vapor

Los biberones pueden prepararse para las 24 horas, mezclando la leche en polvo con agua hervida para todas las tomas del día. Los biberones ya preparados se colocan dentro de un portabiberones donde se mantienen a una temperatura adecuada.

de agua, desprendido y acumulado en la parte alta del recipiente, evitando así la maceración de la goma y partes de plástico. Este sistema tiene además la ventaja de que permite la esterilización de varios biberones a la vez, hecho de indudable comodidad y ahorro de tiempo.

c) por acción de antisépticos en frío: utilizando soluciones estabilizadas de hipoclorito sódico, que actúan como bactericidas. El método consiste en la esterilización por inmersión durante 90 minutos de tetinas y biberones en una dilución del antiséptico con agua fría. Después de cada toma de alimento, se lava cuidadosamente el biberón con agua fría, escobilla y jabón o detergente, aclarándolo seguidamente; también se lava la tetina y todo se sumerge en la solución que debe prepararse cada 24 horas. Cuando llegue el momento de preparar la siguiente toma, basta con sacar el biberón y la tetina, escurrirlos y preparar el biberón. Es un método de gran eficacia y comodidad que, además, proporciona una mayor duración del material al no tener que hervir.

Una vez esterilizados, los biberones se pueden guardar tapados y con las tetinas protegidas, o bien preparar todos los biberones que se necesitarán para un día y guardarlos en el refrigerador a una temperatura entre 2 y 8° C.

Preparación de la leche

Con las leches en polvo, es posible preparar la fórmula antes de cada toma de alimento, o en mayor cantidad, para varias tomas, como máximo para las 24 horas.

Para la preparación de la leche es indispensable mantener una adecuada proporción entre el agua y el polvo, pues los principales problemas de tolerancia suelen ser debidos a una errónea concentración. Todos los preparados llevan la indicación de las proporciones de restitución, que generalmente oscilan entre el 10 % y el 18 %. Concentraciones inferiores a estos porcentajes nos darían una leche excesivamente hipocalórica y poco nutritiva; por el contrario, una concentración superior al 20 % podría ocasionar un déficit de agua en la dieta que produjera trastornos digestivos, sed intensa y fiebre. Siempre será necesario ajustarse a las normas indicadas por los preparados que se utilicen. Durante los primeros días, lo más corriente es preparar la leche del 10 al 15 % y después de las dos primeras semanas, si la tolerancia es buena, se puede aumentar hasta el 18 %. La mayoría de los preparados suelen llevar unos cazos cuyo contenido en polvo equivale a 5 gramos. Para preparar una leche al 10 %, por ejemplo, se diluirá el contenido de 2 cazos (10 gramos) en 100 c.c. de agua previamente hervida; si se prepara al 15 %, 3 cazos en 100 c.c. de agua, y al 18 %, 3 cazos en 90

c.c. de agua. Se procurará que los cazos queden completamente llenos, sin apretar su contenido y rasándolos con el borde de un cuchillo. El agua debe hervirse previamente, sea cual sea su procedencia y la dilución se conseguirá mejor si se ha dejado enfriar hasta unos 40-50° C. La utilización de aguas minerales embotelladas no exime su previa esterilización, ya que este tipo de agua no ha sufrido una esterilización; sólo es más rica en algún tipo de minerales.

Contando con la buena estabilidad de las diluciones, resulta indudablemente cómodo preparar una sola vez al día la leche que se precisará en 24 horas y guardarla en la nevera. De este modo, antes de cada toma bastará con llenar el biberón, que ya habremos esterilizado, y calentarlo al baño María o en un calientabiberones. La conservación en el refrigerador debe hacerse en un recipiente de cierre hermético a fin de que no adquiera sabores de otros alimentos. Con este sistema tendremos además la ventaja de que la concentración se mantiene estable aunque varíe la cantidad de alimento de una toma a otra.

Quizá la comprensión sea más fácil si ponemos un ejemplo. Supongamos que se trata de un bebé de dos meses de edad, que pesa unos 5 kilos y tiene buen apetito. Sus necesidades diarias oscilan entre 100 y 150 c.c. de leche por cada kilo y peso y día, correspondiéndole tomar entre 500 y 750 c.c. Desde un punto de vista energético, podemos calcular sus necesidades basándonos en que, durante el primer trimestre de vida, necesita recibir alrededor de 120 calorías por kilo diarias para un normal crecimiento. Si la leche que estamos utilizando proporciona, por ejemplo, 480 cal. por cada 100 gramos, una simple

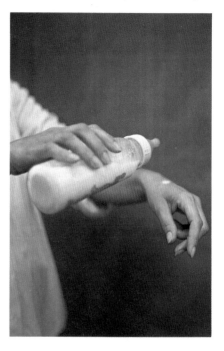

Antes de administrar el biberón al pequeño, deberá comprobarse siempre la temperatura de la leche, echando unas gotas sobre el dorso de la mano o en el antebrazo. Debe estar próxima a los 37 °C.

regla de tres nos indicará que, para llegar a las 600 calorías que necesita el niño, son necesarios diariamente 120 gramos de polvo, que diluido al 15 %, supone 710 c.c. de leche. Vemos pues, que con esta cantidad el niño se halla bien nutrido, por lo que trataremos de aproximarnos a la misma. Para mayor comodidad, hervimos 750 c.c. de agua y le añadimos 23 cazos de polvo, que son los que corresponden para una concentración al 15 %. La cantidad a administrar en cada biberón dependerá del número de comidas que haga en 24 horas. Si son cinco, tomará cada vez 150 c.c.; si son seis, 125 c.c. En general, estos cálculos pueden hace el pediatra en cada uno de los controles periódicos del bebé, pero con ello pretendemos demostrar que hay una base rigurosamente científica en las indicaciones de las cantidades de alimento, que deben seguirse meticulosamente en bien del niño, no dejándose guiar nunca por las, a menudo, falsas sensaciones de apetito que el bebé demuestra. Téngase en cuenta que cuando el lactante se siente inquieto por cualquier motivo, sus limitadas posibilidades de expresión pueden hacer creer que tiene hambre, pues se suele llevar las manos a la boca y succiona con avidez, siendo capaz de cogerse a un biberón a pesar de tener el estómago lleno. Si su bebé toma las cantidades indicadas por el pediatra y da la sensación de quedarse con hambre, consulten al médico antes de darle más comida por su cuenta. Al contrario, si el bebé toma siempre cantidades inferiores a las indicadas, puede ocurrir que sus necesidades sean inferiores a las previstas o bien que exista algún trastorno que el médico se encargará de esclarecer.

La dilución puede hacerse en el propio biberón o en un recipiente. En general, va mejor poner primero el agua y luego añadir el polvo, pero si se hace al revés, la homogeneización será mejor si se hace primero con una pequeña cantidad de agua y se añade luego el resto.

Modo de administrar los biberones

Cuando llega la hora de la comida del bebé, se prepara el biberón tal como se ha indicado o se toma la leche que se guarda en el refrigerador, se llena el biberón y se calienta al baño María o en el calientabiberones. En ambos casos es imprescindible dejarlo a la temperatura adecuada para que lo tome el bebé.

Temperatura

Cuando se prepara el biberón para cada toma, será necesario dejarlo enfriar, colocándolo en un recipiente con agua fría o bajo el grifo. Si estaba en la nevera lo calentaremos hasta la temperatura precisa. Ésta puede ser variable, considerándose que no es imprescindible tenga la temperatura corporal, ya que el bebé es capaz de tolerar biberones a muy distintas temperaturas. Se ha comprobado que incluso prematuros son capaces de asimilar perfectamente los biberones fríos. De todos modos es mejor administrarlos a una temperatura próxima a la corporal (37° C) con el fin de que el niño no deba utilizar energía para calentarlo en su estómago. La mayoría de los niños los prefieren así, pero siempre debemos respetar sus preferencias. No es raro encontrarnos con bebés que rechazan el biberón antes de terminarlo porque durante la ingesta se ha ido enfriando y de este modo, en niños que comen lentamente, debe disponerse el calientabiberones para irlo calentando durante las pausas que el mismo niño impone. De todas formas, para una mejor tolerancia es preferible pecar por administrar un biberón frío que demasiado caliente.

Antes de dar el biberón, debe comprobarse la temperatura y el mejor sistema consiste en dejar caer unas gotas de leche en el dorso de la mano o en el antebrazo, no debiéndose notar apenas la diferencia de temperatura. Este método permite además comprobar si la tetina drena bien, cuando las gotas fluyen sin la necesidad de succión.

Técnica

La madre se instalará en una silla o sillón bajos, procurando estar cómoda y colocará al bebé en su regazo, en posición bastante vertical. Se introduce la tetina en la boca e inmediatamente el bebé empezará a succionar. Deberá mantenerse el biberón lo suficientemente inclinado para que la tetina permanezca siempre llena de leche, de lo contrario tragaría demasiado aire. Se procurará que la tetina no se apoye en la nariz, pues impediría la respiración. Si se comprueba que la tetina se aplasta, se retirará un poco el biberón para que entre el aire en su interior y así lograremos que recupere su forma. El niño debe tomar su biberón en un tiempo comprendido entre los diez y los quince minutos. No se le dejará que lo tome más de prisa, marcándole pausas, ni se dejará que lo tome solo, bien sosteniéndolo entre sus manos, bien dejando el biberón apoyado en una almohada junto al niño. Ambas cosas son peligrosas pues podría atragantarse y vomitar.

Horario

Tal como hemos indicado al hablar de la lactancia materna, el horario de las ingestas puede ser muy variable, aunque en el caso particular de la lactancia artificial, al ser las tomas más regulares en cuanto a la cantidad de alimento ingerido, es posible establecer

En el caso de que el bebé tenga que ser alimentado a biberón, será el pediatra quien determine la leche más adecuada, la marca y la proporción. Cinco minutos antes de cada tetada se sacará el biberón preparado de la nevera y se calentará al baño María en un recipiente corriente o en un calientabiberones eléctrico con termostato.

un mayor rigor en el horario. Existen tres tendencias claramente definidas en cuanto al horario de la lactancia artificial. La escuela francesa de puericultura preconiza tomas de biberón cada tres horas, con una pausa nocturna de seis horas. La escuela alemana es partidaria de administrar sólo cinco biberones cada día, a intervalos de cuatro horas y con ocho horas de descanso nocturno. En cambio, la escuela americana prefiere el régimen denominado de «autodemanda», por el cual el niño come cuando quiere y cuanto quiere. Ninguna de estas tendencias es perfecta, pero debemos considerar como horario más aconsejable el de las cuatro horas, con variaciones según los casos. El grado de digestibilidad de las leches en polvo, que se mantienen en el estómago del niño un mayor tiempo que la leche materna, nos aconsejará establecer intervalos prolongados entre las ingestas, excepto cuando el niño toma cantidades muy pequeñas, lo cual ocurre durante las primeras semanas. Por ello, nuestro consejo es que se administren los biberones cada tres horas, durante los primeros días, para ir separando las tomas hasta un máximo de cuatro horas a medida que aumenta la cantidad de leche por biberón y siempre contando con la aceptación de esta pauta por parte del niño. En la mayoría de los casos, una vez alcanzados los 125-150 c.c. de leche por bibe-

rón, el bebé es capaz de esperar tranquilamente cuatro horas.

Muchas madres se preguntan si deben despertar o no al niño para darle el biberón. Creemos que no debe despertarse al niño para darle un biberón, hasta que su retraso no sea de media hora, del mismo modo que no debe hacérsele esperar si reclama su alimento treinta minutos antes del horario previsto.

Descanso nocturno

Por la noche, durante los primeros días, es difícil que el niño pase seis horas sin tomar alimento. Es poco probable que en los escasos días que ha pasado en la nursery de la maternidad haya podido acostumbrarse al descanso nocturno que allí le habrán impuesto. Durante las primeras noches en casa, si llora por tener apetito y no se le satisface, se corre el riesgo de que nadie pueda dormir y la situación se convierta en un pequeño drama. Téngase en cuenta que, en la clínica, si lloraba sólo molestaba a sus compañeros, que probablemente se hallaban en su misma situación. Así pues, si durante los primeros días reclama un biberón por la noche, es preferible satisfacer su apetito y poder seguir descansando. Podemos mantener esta postu-

La leche en polvo es un alimento perfectamente asimilable y digerible que nutre y hace crecer al bebé.

ra, aunque pueda parecer poco ortodoxa, porque la realidad es que, una vez alcanzada una cantidad razonable de leche por toma, el propio niño tenderá a alargar su pausa entre los biberones nocturnos. Cuando esto ocurra y, por ejemplo, el niño se despierte una o dos horas más tarde de lo habitual, será el momento de intentar que espere a comer según el horario aconsejado a base de administrarle pequeñas cantidades de agua o suero glucosado. Cuando ya se ha podido iniciar el baño, éste puede resultar un eficaz colaborador. En efecto, muchos niños duermen mejor durante la noche si se les baña antes del último biberón del día. Normalmente, a partir de la segunda semana el bebé suele ser capaz de dormir seis horas seguidas por la noche y ocho horas a partir del mes y medio o dos meses.

Si bien consideramos que no es ningún error mantener los biberones nocturnos durante los primeros días, opinamos igualmente que debe obligarse a la pausa nocturna durante el segundo mes, pues a partir de este momento podría crear un hábito negativo.

Diferentes tipos de leche

Leche de vaca

Aunque su uso en forma fresca, embotellada, condensada o evaporada ha sido sustituida hoy en día por las presentaciones en polvo, vamos a hablar someramente de ella a causa de su interés histórico, para señalar su aspecto negativo y porque constituye la base para las modificaciones que son utilizadas en su industrialización en polvo.

La leche fresca, recién ordeñada, vendida a granel, ya no se utiliza, pues es obligatoria su venta embotellada y esterilizada. Las leches embotelladas que podrán ser utilizadas para la preparación de alimentos infantiles, se encuentran en dos formas:

Leches pasteurizadas: El proceso de pasteurización aumenta la conservación y disminuye el número de gérmenes habituales, mas para el consumo del lactante debe ser hervida y utilizada dentro de las 24 horas.

Leches esterilizadas: Han sido sometidas al proceso de homogeneización y pasteurización y pueden ser consumidas sin hervirlas previamente.

La leche de vaca presenta un déficit de aminoácidos esenciales, por lo que para conseguir un crecimiento normal debe administrarse en mayor cantidad. Una vez en el estómago, coagula en copos gruesos, difíciles de digerir, precisándose para ello tres o cuatro horas, lo que hará necesario espaciar las tomas. Al ser más difícil la digestión, fácilmente provocará trastornos intestinales.

La leche de vaca contiene más vitaminas que la materna, pero se inutilizan con la ebu-

llición. Las deposiciones son menos frecuentes, de un color más blanco y de mayor consistencia. Además, la lactancia con leche de vaca puede suponer otros inconvenientes, como es el contagio de enfermedades infecciosas, bien procedentes de las vacas, bien de los envases, recipientes y manufacturadores. En otros casos puede ser causa de un estreñimiento pertinaz o de despeños diarreicos que obliguen a suprimirla de la dieta.

Un lactante alimentado con leche de vaca es más propenso a padecer raquitismo por el menor aporte vitamínico que sufre, ya que, como hemos dicho, con la ebullición se inutilizan las vitaminas que contiene.

Por todo ello, no resulta aconsejable su empleo para la alimentación normal y exclusiva del lactante. En caso de no haber otra posibilidad, deberá ingerirse previamente diluida y enriquecida con azúcares.

Con la aparición de leches industrializadas (condensada y evaporada) se consiguieron algunas ventajas, en especial porque el tratamiento a que es sometida la leche en los procesos respectivos, hace que su calidad sea constante, la caseína coagule en grumos finos y las grasas se vean reducidas de tamaño, lo que las hace más digeribles.

La *leche condensada* es una leche de vaca pasteurizada, que se conserva gracias a su gran concentración en azúcar, lo que la hace muy rica en hidratos de carbono, pero pobre en proteínas y grasas. Se utilizaba como suplemento de la lactancia materna cuando ésta era insuficiente; en niños vomitadores y en niño mayorcitos como realimentación después de una dieta por trastornos intestinales. Sus inconvenientes son el déficit de crecimiento por escaso contenido en proteínas, estreñimiento por la gran cantidad de azúcar, pérdida del apetito por la misma razón y déficit de vitamina B_1 que favorece el raquitismo.

La *leche concentrada* o evaporada, es una leche homogeneizada, esterilizada, no azucarada y concentrada por un procedimiento especial hasta la mitad de su volumen. Suele ser mejor tolerada que la leche natural y condensada, pero también puede ocasionar trastornos intestinales y pérdida de apetito. Debe consumirse antes de las 24 horas de abierto el bote, siempre diluida en la adecuada cantidad de agua previamente hervida.

Leche en polvo no modificada

La leche desecada o en polvo tiene actualmente el papel más importante por sus ventajas: fácil conservación, preparación instantánea por la adición de agua, óptima calidad de preparación industrial y esterilización garantizada. A pesar de que las más utilizadas en la fase de lactancia exclusiva son las que han sufrido modificaciones en su composición para acercarlas al patrón de leche materna, existen preparados que no han sufrido tales modificaciones y, una vez efectuada la dilución, poseen idéntica composición que la

Existen varios tipos de leche en polvo y evaporada especiales para biberones y que pueden adquirirse en la farmacia o en tiendas de alimentación infantil. La leche condensada no es apropiada para los lactantes; la leche de vaca pasteurizada sólo debe introducirse en la dieta del niño después de los seis meses de edad. Este tipo de leche deberá diluirse siguiendo las instrucciones del pediatra. Para facilitar la digestión del lactante conviene a veces añadir un poco más de agua a la fórmula que aconsejan las instrucciones.

leche de vaca fresca. Su utilización tiene los mismos inconvenientes de la leche de vaca pasteurizada, condensada o evaporada, pero con las ventajas citadas anteriormente.

Leche en polvo modificada

Dentro de este amplio grupo tienen cabida todos los tipos de leche que se encuentran en el mercado, destinados fundamentalmente a la crianza artificial del bebé. El grado de modificación es variable de unas a otras, pero en general suelen ser bien toleradas por el lactante normal. La cuidada elaboración a que han sido sometidas por los laboratorios especializados en dietética infantil, les confiere una garantía extraordinaria y sus únicos inconvenientes pueden reducirse, en la práctica, a los errores que se cometen en las dosificaciones de reconstitución. La gran mayoría deben diluirse en agua a unos porcentajes entre el 12 y el 18 %.

Los actuales procedimientos industriales permiten modificar la leche de vaca y hacerla similar a la leche humana, a excepción del contenido en inmunoglobulinas que tienen actividad frente a la mayoría de las bacterias y los virus. El Comité de Nutrición de la Sociedad Europea de Gastroenterología y Nutrición Pediátricas y la Academia Americana de Pediatría han establecido unas recomendaciones para la elaboración de los preparados industriales destinados a la alimentación del lactante. Todos los que se encuentran actualmente en el mercado, bajo la denominación común de «fórmula infantil», se adaptan a estas normas, y permiten sustituir, completa o parcialmente, la leche de mujer, cubriendo todas las

necesidades nutritivas del lactante, aunque no las inmunológicas.

Existen tres tipos de fórmulas infantiles: iniciación, continuación y especiales.

a) La fórmula de iniciación cubre todas las necesidades nutritivas del lactante durante los primeros 4-6 meses de vida y es compatible con el inicio de la alimentación complementaria hasta el final del primer año, si se considera oportuno. Las diferencias entre unos y otros preparados son poco significativas, pero permiten al pediatra utilizarlas bajo su mejor criterio, según las circunstancias especiales de cada caso.

b) La fórmula de continuación está destinada al lactante de más de 4-6 meses, diferenciándose de la leche de vaca en modificaciones cualitativas y cuantitativas de los ácidos grasos y en el contenido de minerales y vitaminas. Constituye un paso intermedio para la tolerancia de la leche de vaca ordinaria.

c) Las fórmulas especiales son preparados comerciales sustitutivos de la leche materna que pueden utilizarse en determinadas situaciones. Entre las mismas pueden incluirse las fórmulas para prematuros; las que no contienen lactosa (para los casos de intolerancia al azúcar de la leche o como dieta especial en las diarreas); las hipoalergénicas (para bebés de riesgo alérgico), y los hidrolizados de proteínas (que permiten una correcta nutrición a niños con graves intolerancias a las proteínas de la leche).

No debe utilizarse cualquier tipo de leche en polvo sin consultar previamente al pediatra; aunque sea sugerida por personas de la mayor confianza, puede ocurrir que un mismo producto resulte ideal para un niño y, en cambio, otro no lo tolere. Por otra parte, ca-

No existe un momento fijo para añadir alimentos sólidos a la dieta del niño, pues un lactante se nutre perfectamente con leche materna o preparada, suplementada con vitaminas, durante los primeros meses o incluso más, dependiendo de cada caso. Normalmente, entre los tres y los cinco meses puede considerarse el momento adecuado para ir introduciendo sólidos.

da pediatra deposita su confianza en determinado tipo de productos y deberá seguirse su consejo como el más adecuado para el bebé.

Problemas de la lactancia artificial

Aunque el niño alimentado con leches en polvo no suele presentar problemas, gracias a la óptima calidad de las que se utilizan, pueden surgir pequeños conflictos que no siempre están directamente relacionados con la leche. Suele tratarse de pequeños conflictos relacionados con el biberón, con la técnica de la administración o con la forma de succionar del bebé. Cuando aparecen vómitos o las deposiciones son líquidas, semilíquidas o grumosas, es posible que exista una intolerancia al producto utilizado y entonces es mejor consultar al pediatra.

El primer problema que se suele plantear es el de si el niño se queda con hambre. Esta es quizá la preocupación más frecuente en las madres y deriva del interés en poder lucir bebés rollizos como si proporcionara más honor a la familia cuanto mayor fuera su peso. La verdad es que muchas veces existen motivos para pensar que el niño pasa hambre, pues llora al terminar el biberón, como si éste hubiera resultado insuficiente. En principio, no es fácil que tenga hambre un niño al que se le administran las cantidades y concentraciones que corresponde por su edad y su peso, pero existen variaciones personales y es posible que, niños con la misma edad y peso, coman cantidades sustancialmente distintas. Se podrá considerar que un niño se halla bien nutrido, durante su lactancia, si aumenta correctamente de peso, si las deposiciones son normales (1-3 al día), bien ligadas, de color amarillo claro, de un olor no muy bueno. Debe aumentar unos 25-30 gramos diarios durante el primer trimestre y unos 20-25 gramos durante el segundo. Normalmente, el niño bien nutrido no pide más alimento, llora poco, duerme bien y, en general, se encuentra satisfecho. Si a pesar del buen aumento de peso, el llanto persistente hace sospechar que el bebé se queda con hambre, deberá consultarse al pediatra, pues el llanto podría ser debido a una causa ajena o, simplemente, tratarse de una manifestación de una personalidad irritable.

Si en el curso de una lactancia artificial el bebé presenta un acceso febril sin acompañarse de otros síntomas (tos, resfriado, diarrea, etc.), debe repasarse inmediatamente la forma de preparación de los biberones, pues podría existir algún error en la concentración y se estuviera administrando una excesiva cantidad de polvo para el agua utilizada. Este trastorno ha sido conocido como «fiebre de la leche seca» y a veces puede conducir a una deshidratación, porque el niño utiliza sus reservas de agua para diluir la leche ingerida. Algunas madres, convencidas de que el niño se alimenta más si se les proporciona mayor cantidad de leche, no dudan en aumentar la concentración de polvo sin añadir la cantidad correspondiente de agua para mantener las proporciones. La fiebre desaparece rápidamente cuando se instaura de nuevo una alimentación a concentraciones normales o se administran cantidades suplementarias de agua.

Otro problema que puede plantearse es que el bebé rechace el biberón. En algunos casos puede ser debido a que no le guste la leche, por tratarse de una leche ácida o poco dulce, inconveniente que puede remediarse con la adición de algún edulcorante tipo sacarina. En otros, es posible que exista alguna pequeña enfermedad inaparente, como una otitis, en la que el dolor de oído puede impedir una cómoda succión, de un resfriado con obstrucción nasal que dificulta la respiración durante la succión o de la existencia de muguet, que ocasiona molestias al contacto con la tetina. En todos estos casos deberá recurrirse al médico para que diagnostique el problema e indique la forma de solucionarlo.

Por último, uno de los problemas frecuentes que surgen en la lactancia artificial, sin ser exclusivo de ella, es el de la aerofagia. El bebé traga una cantidad excesiva de aire y no lo expulsa con el eructo, el estómago se encuentra muy dilatado y el niño tiene sensación de plenitud, rechazando el biberón antes de terminarlo. Llora, llevándose las manos a la boca, y al ofrecerle de nuevo el alimento lo vuelve a rechazar. La aerofagia suele presentarse en niños que succionan defectuosamente, con gran avidez, sin aplicar correctamente los labios en la tetina. Se manifiesta, además, por contracciones de las piernas, llanto, sensación de malestar y emisión de ventosidades. Este conflicto suele solucionarse mediante una cura postural: colocando al bebé boca abajo, ligeramente inclinado, de modo que la cabeza quede más elevada que los pies. Se procurará instaurar pausas durante la comida para que no succione tan vorazmente y se le permitirá eructar las veces que sea necesario.

Para alimentar al niño con cucharilla, hay que sujetarle firmemente con un brazo, colocándole un babero o servilleta debajo de la barbilla. Se utilizará una cucharilla de plástico o de metal, redondeada, casi plana, y se colocará en el interior de la boca del bebé apoyándola en su labio inferior.

Alimentos no lácteos. La fruta

Una de las normas más importantes a tener en cuenta en la alimentación infantil es que sea equilibrada, variada y completa. La leche, en los primeros meses, resulta un alimento completo para las necesidades del bebé, pero en cambio no supone variedad alguna. La introducción de las frutas en el plan de alimentación aporta tres ventajas:

1. Asegura un aporte vitamínico, en especial de vitamina C, muy necesario en aque-

Biberones, tetinas, cucharillas y todos los accesorios susceptibles de estar en contacto con la leche del lactante deberán esterilizarse escrupulosamente cada día, ya que los microbios, y particularmente los gérmenes patógenos, se multiplican con mucha rapidez en la leche.

llos niños que son criados artificialmente, pues aunque la mayoría de las leches en polvo contienen un complemento vitamínico y mineral, no la llevan en cantidad suficiente y con el calor pierden su eficacia.

2. Facilita un equilibrio en las deposiciones ya que, como sabemos, la leche es predominantemente astringente.

3. Proporciona una innovación en los sabores, a los que el niño deberá irse acostumbrando.

En el segundo mes

Aunque, en general, no se considere imprescindible la administración de zumos de fruta hasta el final del segundo mes, es posible darlos antes, o más tarde, según las circunstancias personales de cada niño. Podrá iniciarse la administración de zumo de naranjas a partir de la tercera o cuarta semana a bebés habitualmente estreñidos, o retrasar la introducción en la dieta si el niño tiende a la diarrea o muestra una inicial intolerancia.

En todo caso, la instauración del nuevo alimento se hará de forma progresiva, empezando con pequeñas cantidades, que se irán aumentando lentamente. Los zumos más habitualmente usados son los de naranja o tomate natural, pero también pueden utilizarse zumos de otros frutos, como melocotón, pera, uva o albaricoque, no existiendo demasiados problemas en usar preparados comerciales embotellados, de plena garantía.

El primer día se darán dos o tres cucharaditas unas tres horas después de una tetada o biberón, esperando luego de media a una hora para la siguiente comida. Siempre será preferible administrarlo a temperatura ambiente o ligeramente calentado al baño María. No es imprescindible añadir azúcar o sacarina, aunque no hay inconveniente en edulcorarlo si se desea. Paulatinamente se irán aumentando el número de cucharaditas, de modo que, al final del tercer mes, el niño ya tome una cantidad equivalente a una tacita de café.

Si el bebé suele hacer las deposiciones poco espesas, puede utilizarse el zumo de limón, diluyendo quince o veinte gotas por cada cuatro o cinco cucharaditas de agua y edulcorando con un poco de azúcar o sacarina. Si el niño rechaza el zumo por mala aceptación de la cuchara, no hay inconveniente en dárselo con biberón, pero debe tenerse en cuenta que la cucharilla debe empezar a tomar carta de naturaleza en su nutrición y en esta época es preciso empezar el aprendizaje.

Desde el tercer mes

A partir del tercer mes, cuando ya se ha comprobado la tolerancia que presenta el niño al zumo administrado, podrá introducirse en la dieta el puré o papilla de frutas, en sustitución de una de las tomas de pecho o

biberón. Para su preparación deberán utilizarse frutas carnosas, con abundante pulpa, como plátano, manzana o pera, que proporcionarán una mayor consistencia a la papilla. Para prepararla se triturarán con un tenedor o se rallarán, procurando evitar la utilización del batidor eléctrico, ya que deja la papilla excesivamente fina. Ello no es ningún inconveniente al principio, pero hace que el niño se habitúe a ingerir alimentos muy triturados, dificultando posteriormente la aceptación de nuevos alimentos, como carne, verduras, hígado, etc., que debe tomarlos poco triturados. Otro aspecto a tener en cuenta en la preparación de la papilla de fruta es el de la temperatura. Normalmente, la mayoría de niños que rechazan esta papilla lo hace por encontrarla demasiado fría en comparación con los biberones, que suelen estar tibios. Así pues, se procurará, de entrada, que la papilla de fruta tenga una temperatura similar a las otras comidas, y a medida que el bebé vaya aceptándola, se podrá intentar que la tome a temperatura ambiente, no tardando en admitirla tal como sale del refrigerador. Para calentar esta papilla, puede hacerse al baño María o calentando el plátano, bien sea en el horno, bien directamente a la llama antes de eliminarle la piel. De este modo, el plátano también resulta más digestivo, aunque pierde parte de sus propiedades astringentes.

Al principio se tritura medio plátano y se mezcla con zumo de naranja, uva o albaricoque, se añade un poco de azúcar y también se puede añadir una o dos cucharaditas de cualquier harina tostada y precocida que neutralizará la acidez del zumo y contribuirá a espesar la papilla. Como en general pretendemos que la papilla de fruta sustituya una tetada o biberón, si al principio la cantidad que el niño toma no resulta suficiente para mantenerle satisfecho hasta la siguiente comida, podrá complementarse con una corta tetada o biberón, dejándole que coma según su apetito. A medida que la cantidad de papilla que ingiere sea mayor, podrá añadirse media pera o manzana ralladas y suprimir el complemento lácteo, con lo que esta comida quedará constituida exclusivamente por fruta.

Entre los tres y cuatro meses, si el apetito es bueno, podrá darse ya un plátano entero y una manzana o pera de regular tamaño. Según las épocas del año, podrán integrar

La mayor parte de las distintas etapas alimentarias del bebé son franqueadas en el mismo orden por todos los niños, a condición de haber empezado a superarlas desde el principio. Ahí está la clave del uso de la cucharita para los jugos de frutas a partir del primer mes y de la taza para los jugos de fruta y verduras hacia los cinco meses. Sin embargo, no es raro que el pequeño permanezca asido al biberón durante mucho tiempo, prefiriéndolo a cualquier otra forma de presentación de la comida. Se debe a que la necesidad de succionar todavía impera en él. En este caso es mejor respetar su deseo y tener un poco de paciencia.

El organismo infantil necesita el aporte diario de grandes cantidades de vitaminas, sobre todo si el bebé es alimentado a biberón. La mejor forma de asimilar las vitaminas contenidas en las frutas y verduras es administrándoselas en forma de jugos, que pueden diluirse con un poco de agua azucarada.

Para comer, el niño necesita tranquilidad, el lugar adecuado y comodidad. La comida no debe ser un problema, ni un motivo de riñas y disputas familiares, ya que éstos lo más probable es que echen a perder el apetito del pequeño. Por tanto, la madre debe preocuparse de que en torno a la mesa del niño haya una atmósfera serena y equilibrada. Esto repercutirá favorablemente en el apetito de su hijo.

también esta comida melocotones, uva y albaricoques. Las cerezas, fresas y frambuesas pueden desencadenar reacciones alérgicas antes de los 18 meses. Las grosellas son demasiado ácidas y las ciruelas y el melón demasiado laxantes, por lo que es preferible utilizar estos frutos después de los dos años, en que el aparato digestivo del niño está más preparado para asimilarlos.

Como veremos en los esquemas generales de alimentación, esta papilla puede constituir una merienda ideal para el bebé, como alimento único, pero hay quien prefiere dar la fruta como postre, después de alguna papilla de cereales o puré de vegetales. Ello debe realizarse, a nuestro juicio, a partir del momento en que el niño puede merendar con yogur, pan con leche, flan, etc. De momento, la fruta constituye un excelente alimento para media tarde, ya que se digiere fácilmente y permite que el niño llegue a la última comida del día con suficiente apetito.

A partir del sexto mes, puede ser muy bien aceptada una papilla preparada con frutas variadas, yogur natural, azúcar y harina tostada o galletas trituradas.

Problemas ante las papillas de frutas

Pueden presentarse diversos problemas con relación a la fruta. El primero de ellos, que el bebé la rechace. Normalmente todos los niños son reacios a los nuevos sabores, y a la fruta en especial, por su acidez. Es cuestión de paciencia, diluyendo el zumo en abundante cantidad de agua y azucarar a placer. En cuanto se pueda administrar en forma de papilla, la adición de una harina

tostada precocida o galletas proporcionarán un sabor más agradable o más acorde con los sabores a los que el bebé está habituado y probablemente la acepte de mejor grado. A pesar de ello, es corriente que, alrededor de los cinco meses de edad, el niño rechace la fruta sin motivo demasiado concreto, pero si se insiste en que la tome, volverá a aficionarse a ella en pocas semanas.

El rechazo de la fruta natural no debe suponer un serio inconveniente para que al niño se le sigan administrando frutas, más que nada para aprovechar parte de sus cualidades. Con ello queremos hacer referencia a la buena tolerancia que suelen tener los preparados comerciales a base de fruta en forma de harinas, homogeneizados y liofilizados. Quizá con estos productos no se proporcione un aporte vitamínico tan completo como con la fruta natural, pero pueden suponer un buen medio de habituación, además de proporcionar variedad a la dieta. Existen numerosos tipos de harinas de cereales, lacteadas o no, a las que se han adicionado diversas frutas enriquecidas con vitaminas y que, en algunos casos, también llevan miel. Son productos de agradable sabor, que el bebé suele aceptar complacido. Se preparan con agua o leche, según los casos, y su utilidad se amplía a las excursiones, viajes o épocas del año en que escasean las frutas habituales.

Las frutas homogeneizadas que se expenden en los ya clásicos «tarritos», también pueden ser una solución ante un rechace de la fruta natural o cuando se viaja, con la comodidad de que ya viene dispuesto para su consumo. La variedad de estos productos es enorme, como se podrá observar en las tablas adjuntas.

Por último, es preciso hacer hincapié en que la fruta debe persistir en la alimentación del niño durante todas las épocas de su vida, para que resulte suficientemente equilibrada. Es frecuente que, a partir del momento en que la fruta pasa a constituir un postre, quede fácilmente desplazada por alimentos derivados lácteos, como yogur, flan o queso, que el niño toma muy complacido. Este es uno de los motivos del tan habitual estreñimiento a esta edad, siendo preciso que, en alguna de las comidas del día, figure la fruta como medida laxante.

Los cereales

Las harinas de cereales representan, con la fruta, la primera novedad en la alimentación del lactante. Su papel en el crecimiento del niño es importante, pues le proporcionan un mayor aporte de calorías, de vitaminas del complejo B y hierro. Al mismo tiempo resultan muy tróficas, condicionando un mayor aumento de peso y saciando mejor el hambre en una época en que el lactante suele gozar de un excelente apetito.

Pueden utilizarse diversos tipos de harinas, pero los cereales más habitualmente empleados son el trigo y el arroz, a los que siguen en importancia el maíz, la avena, la cebada y el centeno. Muchos de los preparados comerciales contienen equilibradas mezclas de varios cereales. Del mismo modo que ocurre con la fruta, los distintos cereales tienen acciones diferentes sobre el aparato digestivo del niño, manifestándose en la mayor o menor consistencia de las heces. Así, el trigo, considerado como neutro, no condiciona un determinado tipo de heces y puede ser empleado cuando el lactante no tiene problemas; el arroz tiene propiedades astringentes, por lo que será utilizado por los niños que muestran tendencia a la diarrea y no se incluirá en la dieta del niño habitualmente estreñido; la avena y la cebada son preferentemente laxantes y se utilizarán en los casos en que se precise disminuir la consistencia de las heces. Según la naturaleza de las deposiciones, iniciaremos al lactante en uno u otro tipo de harina a partir de los tres meses de edad, según criterio del pediatra, aunque en algunos casos deba retrasarse por aparecer intolerancias, o pueda adelantarse su utilización si se precisa espesar los biberones.

Las papillas podrán administrarse en biberón si son muy líquidas y si el niño es menor de cuatro meses, aumentando siempre el tamaño del orificio de la tetina. Pasados los cuatro meses es muy importante administrarlas a cucharaditas, pues el bebé debe ir perdiendo el hábito de succionar e iniciar el aprendizaje de la alimentación sólida. Las papillas serán más espesas a medida que el niño las tolere y se observará comúnmente que las tragará mejor que si son muy líquidas.

Ventajas de las papillas de cereales

Las papillas de cereales no representan más que un paso hacia una alimentación variada ya que, por sí mismas, no acostumbran a proporcionar al bebé todo aquello que necesita para su subsistencia. Sus principales ventajas radican en el aprendizaje que supone para el bebé el paso de «succión-pecho o biberón» a «cuchara-papilla» y en el importante aporte de calorías y elementos plásticos que proporcionan. Pero las leyes de la alimentación enseñan que no deben faltar en la dieta una serie de principios fundamentales (agua, proteínas, hidratos de carbono, grasas, vitaminas, fermentos y sales minerales) en las proporciones adecuadas para responder a todas las necesidades del organismo. Por ello, el paso hacia una alimentación completa y variada debe hacerse tan rápidamente como lo permita el desarrollo de las funciones digestivas del niño.

El lactante necesita diariamente para su crecimiento y desarrollo unas 100 calorías por cada kilo de peso, que es mucho más de

lo que proporcionalmente necesita un adulto normal. Esta necesidad está condicionada al mayor ritmo de crecimiento del niño y se satisface con un adecuado equilibrio de los elementos nutritivos indispensables. Las papillas de cereales en este caso, aportan un buen número de calorías, pero muchas de ellas carecen de las vitaminas y sales minerales indispensables. Por lo tanto, será preciso instaurar el aporte de estas sustancias con una alimentación variada, y ello lo conseguiremos, al principio, con la instauración simultánea de la primera papilla de cereales y una papilla de frutas variadas. Este cambio de alimentación no deberá ser tan precoz ni intensivo si el bebé ha sido criado al pecho, pues la leche materna proporciona un número de calorías y un aporte vitamínico suficientes.

No todos los niños aceptan desde el principio la introducción de los cereales en su dieta y hay que ofrecerles la papilla, al principio, en pequeñas cantidades y sin forzarles a que se la terminen. En otros casos, acostumbrados al biberón, rechazan el alimento que se pretende administrar con la cuchara y debe prepararse la papilla más fluida y dársela con un biberón. Lo más corriente, de todas formas, es que el bebé acepte los cereales desde

Hacia los cuatro o cinco meses, según los niños, se puede empezar a diversificar realmente la alimentación, intentando establecer cuatro comidas al día, es decir, a un ritmo bastante próximo al de los adultos.

el primer momento, en especial si se utilizan los preparados con harinas tostadas, lacteadas o no, de preparación instantánea, que suelen tener un sabor muy agradable y poseen las ventajas siguientes:

1. Rápido y cómodo manejo.

2. Pueden ser preparadas directamente con agua hervida si se trata de variedades lacteadas, o con leche en polvo si no lo son, dado que no precisan hervirse.

3. Han sufrido previamente un proceso de predigestión que las hace más asimilables.

4. Permiten la asociación de harina de varios cereales en un mismo preparado.

5. Suelen ir adicionadas de vitaminas y sales minerales, así como enriquecidas con proteína, lo que las hace más nutritivas.

6. Su sabor es muy agradable, con lo que la aceptación, por parte del bebé, raramente plantea problemas.

7. Resultan muy cómodas para utilizarlas en viajes y vacaciones.

8. Algunas variedades van adicionadas con frutas, vegetales o carne, permitiendo la iniciación del bebé en estos alimentos, sin apenas transición en el sabor y consistencia del alimento.

A pesar de que en cada tipo de preparado se indica el modo de empleo, de un modo general podemos señalar que el mejor sistema de preparación consiste en colocar previamente en el plato la cantidad de líquido, que suele oscilar entre 150 y 250 c.c., utilizándose agua hervida para las papillas lacteadas, una dilución de la leche en polvo usada habitualmente, o una dilución de leche de vaca al 50 % para las papillas no lacteadas. Se añaden las cucharadas de harina necesarias y se deslíe con una cuchara o tenedor hasta conseguir una mezcla homogénea. El número de cucharadas que se pueden añadir es variable, dependiendo de ello el mayor o menor espesor final de la papilla. Al principio será mejor prepararlas poco espesas, en especial por si deben acabar administrándose en biberón, pero pronto se podrá comprobar que los niños las suelen preferir más espesas, pues las degluten mejor. En caso de utilizarse una leche en polvo para la preparación de una papilla de cereales no lacteada, se hará previamente la dilución de la leche en agua, añadiendo seguidamente la harina. Se procurará que la temperatura de la papilla sea similar a la de la leche de los biberones, o tenga una temperatura próxima a los 37° en el caso de que el bebé sea criado al pecho.

A partir de los cuatro meses

A partir de los cuatro meses podrán administrarse a dos papillas de cereales, una por la mañana y otra por la tarde, en sustitución de dos biberones o tetadas. Una de ellas podrá salarse progresivamente para que el bebé empiece a prepararse a la introducción de los vegetales en su dieta, que siempre se administran con una pequeña cantidad de sal. Para que la dieta resulte más variada,

estas dos papillas pueden ser distintas, dando por ejemplo una dulce lacteada y otra de cinco o seis cereales, preparada con leche de vaca o la misma leche en polvo que se administra como base de la alimentación.

Aunque, en todo caso, debe ser el pediatra quien indique el tipo de harina más adecuado para su hijo, vale la pena reseñar que, según las pautas de nutrición recomendadas por la ESPGAN (Sociedad Europea de Nutrición y Gastroenterología Pediátricas), se aconseja iniciar la ingesta de cereales con gluten (trigo, cebada, centeno, avena) no antes de los cuatro meses, utilizando, a partir de los tres meses, harinas de arroz, maíz y soja, con la finalidad de evitar los trastornos producidos por el gluten en algunos niños que lo toleran mal.

Los vegetales

Con la introducción de los vegetales en la dieta del niño, añadimos a la alimentación infantil sustancias que son ricas en agua, contienen abundantes vitaminas y sales minerales, y son pobres en calorías, pero que contienen un elemento muy importante, la celulosa, que pasa por el intestino sin digerir, eliminándose como tal, de modo que produce un aumento del volumen del bolo alimenticio y ejerce una acción favorable sobre el tránsito intestinal.

El aprovechamiento de estas importantes propiedades sugiere una pronta introducción de los vegetales en la alimentación del niño, siendo la edad más adecuada los cinco o seis meses, aunque en algunos casos, si el bebé lo requiere puedan administrársele antes, en forma de preparados que permitan su adición a los biberones.

De las diferentes vitaminas que contienen las verduras, la *vitamina A* se encuentra especialmente en las zanahorias, espinacas y tomates. Las zanahorias, además, tienen una acción antidiarreica que las hace indispensable en los trastornos digestivos del lactante.

La vitamina C resulta destruida en parte por la cocción, pero adquirirá gran importancia en cuanto el niño empiece a tomar verduras frescas. Las judías, alcachofas, espinacas,

Hasta el año, el niño debe tomar caldo una o dos veces al día, a condición de que gradualmente se le vayan añadiendo elementos más consistentes, que a la vez que le aporten más calorías le hagan la comida más apetecible y variada.

Enseguida que se pueda, hay que ir acostumbrando al pequeño a comer y a beber con los utensilios apropiados. Es un error administrarle alimentos sólidos, como son las papillas, con el biberón. Debe beber la leche en vaso; comer las verduras, las frutas, las patatas y la carne con una cucharita o un tenedor, a la vez que tiene que aprender a masticar paulatinamente con esmero.

apios, puerros, etc., tienen una suave acción laxante y un elevado contenido en hierro, siendo las verduras mejor toleradas por los niños, que pueden introducirse en la dieta desde los cuatro o cinco meses. En cambio, la patata, rica en fécula e hidratos de carbono, acostumbra a ser mal tolerada antes de los seis meses, incluso en forma de puré asociada a las verduras anteriormente citadas. Después de los seis meses podrá administrarse, siempre que esté muy cocida y en forma de puré muy fino.

El tomate es muy rico en vitaminas y posee una eficaz acción laxante cuando se administra en forma de zumo. Puede ser el primer zumo que se dé al bebé si padece estreñimiento o no acepta el zumo de naranja. Unas cuantas cucharaditas cada día de zumo de tomate pueden asegurar unas deposiciones normales en bebés estreñidos.

A los cinco meses

A partir de los cinco meses se iniciará la administración de verduras en forma de caldo. Se prepara, hirviendo en un litro de agua dos o tres zanahorias, un nabo, uno o dos puerros, un puñado de espinacas o judías verdes y una ramita de apio. Después de los seis meses se podrán añadir una o dos patatas pequeñas. Con el caldo que se obtiene —desechando las verduras— se prepara una sémola de trigo, arroz o avena, según sean las deposiciones del niño, y se administra en sustitución de una de las papillas. Si se prefiere, se puede utilizar el caldo para preparar una papilla de harina de cereales, resultando cómodo el empleo de una de las variedades de cereales precocidos, de preparación instantánea.

En todos los casos será conveniente salar la sopa o papilla obtenidas, ligeramente al principio, para ir aumentando la adición de sal hasta conseguir un grado de condimentación normal. De esta forma, el bebé se acostumbra paulatinamente al alimento salado y no rechaza el caldo de verduras. También es conveniente añadir un poco de mantequilla para proporcionar una pequeña cantidad de grasas al alimento. Las materias grasas de la mantequilla son fácilmente asimilables, además de contener vitaminas A y D. Se añadirá a la sopa o papilla, en una cantidad aproximada de media cucharadita de postre.

A los seis meses

Después del sexto mes podrán darse las verduras en forma de puré, tras una concienzuda trituración con el pasapurés, procurando evitar, como siempre, la utilización del batidor. Si, a partir de este momento, se aprecia en las heces la aparición de verduras sin digerir será preferible suspender momentáneamente la administración del puré hasta que el aparato digestivo se haya adaptado al nuevo alimento.

Las legumbres

Las legumbres (habichuelas, garbanzos, guisantes, lentejas y habas) no deben administrarse antes de los dos años. En todo caso, pueden utilizarse en pequeña cantidad para preparar el caldo vegetal. Después del segundo año, el niño puede tomarlos en forma de fino puré, pero no deben constituir parte importante en la dieta. Se darán siempre muy cocidas y pasadas por el pasapurés. Si se observan alteraciones en las heces, se suprimirán de la dieta y se esperará un tiempo para administrarlas nuevamente. Las legumbres que podemos incluir en primer lugar son los guisantes y lentejas, pero en un ritmo no superior a los dos días por semana, ritmo que deberá mantenerse prácticamente durante toda la infancia.

Preparados industriales

En el mercado se encuentran preparados en los que las verduras se hallan homogeneizadas con harina precocida de cereales. El sistema de elaboración de estos productos hace que las verduras sean perfectamente asimilables por los lactantes desde muy temprana edad, permitiendo la alimentación variada en el curso del segundo trimestre de la vida. Con ellos, el paso del régimen lácteo a la alimentación variada se efectúa sin dificultad, ya que el lactante los toma muy a gusto y los digiere perfectamente. Gracias a ello, nos permitimos aconsejar la utilización de alguno de estos productos, previamente a la introducción del caldo vegetal, para establecer un cambio más paulatino en los sabores, de modo que la aceptación sea mejor. A partir del cuarto mes, una papilla de cereales-verduras, preparada con leche y una ligera

Las comidas apetitosas servidas en platos y tazas decoradas con motivos infantiles inclinan al niño a comer. Una comida con un colorido eficazmente variado y llamativo aumenta el apetito; en cambio un plato monótono actúa repulsivamente. Ello se debe a que los pequeños adquieren estas impresiones mucho más persistentemente que los adultos. De esta manera se solucionan muchas de las obstinadas negativas ante las comidas «sin color».

adición de sal, puede servir de puente entre las papillas dulces y la de caldo vegetal.

Las verduras homogeneizadas que se encuentran en el comercio en forma de botes listos para comer (potitos), son verduras al vapor, transformadas en un puré muy fino gracias a un sistema especial de homogeneización. Son muy bien toleradas y útiles para los viajes, resultando cómodas también cuando, por alguna causa, no se dispone de verduras para el bebé. Una vez abierto el bote debe consumirse antes de las 24 horas, procurando conservarlo en el refrigerador. Un consejo interesante: si ante un viaje o salida dominical se piensa alimentar al bebé con potitos, debe pensarse que cabe la posibilidad de un rechazo si ello supone una novedad, por lo que, para evitar que se quede sin comida en un momento inoportuno, será mejor darle a probar algunos potitos en los días precedentes, a fin de saber si le gustan o no.

Las proteínas animales (carne, huevo, pescado)

Hasta los seis meses, el principal alimento proteico es la leche, pero a partir de esta edad, en que ésta disminuye notablemente en la dieta infantil, se hace indispensable un aporte de proteínas a través de otros alimentos. Los que reúnen condiciones idóneas por contener abundantes proteínas de origen animal son la carne, los huevos y el pescado, que se pueden administrar en forma natural y fresca o bien en forma de alimentos homogeneizados.

La carne

Ocupa un lugar prominente en la dietética infantil por el elevado valor biológico de sus proteínas y por su sabor. Las proteínas de la carne constituyen un importante complemento a las de la leche, ya que contienen todos los aminoácidos esenciales, sin olvidar el aporte de hierro, potasio, sodio, magnesio y las vitaminas del complejo B. Todo ello hace que la carne sea el principal alimento para el niño, después de la leche.

La carne participa por primera vez en la dieta del bebé cuando, a los cinco o seis meses, se hace hervir un poco de pollo o un hueso de ternera junto con las verduras de caldo. Realmente el valor nutritivo que aporta el pollo en forma de caldo no es muy grande, pero proporciona un sabor más agradable y el bebé establece su primer contacto con las proteínas de origen animal.

Entre los cinco y seis meses podrá iniciarse la administración de carne de ternera, buey o cordero, en forma de jugo adicionado al puré o papilla de verduras. De entrada no pueden darse trocitos de carne al bebé, pues probablemente no los digeriría, por pequeños que fueran. Por tanto, se le administrará un extracto o jugo de carne, que puede obtenerse de la siguiente forma: se toma un trozo de unos 50 gramos de carne de ternera o cordero, fresca y muy tierna, preferiblemente cortada gruesa, y se pasa ligeramente por la parrilla, de manera que quede bastante cruda, se corta a trocitos pequeños con unas tijeras, procurando eliminar las porciones grasas y se pasa por la batidora (por una vez podremos utilizarla) con un poco de caldo de verduras, seguidamente se cuela y se añade al resto de caldo o papilla ya preparada. De esta forma el bebé toma todos los principios nutritivos de la carne contenidos en el jugo y evita digerir la fibra muscular que, en principio, podría resultar difícil de asimilar. Si se administra la carne sometida a ebullición en forma de caldo, resultarían destruidas las proteínas y vitaminas principales y sería mucho menos nutritiva.

En algunos casos se hace necesario aumentar el aporte de proteínas mucho antes del quinto mes, siendo posible la adición de carne en la dieta a partir del tercer mes, con una tolerancia perfecta, como ha sido posible demostrar. En algunos niños, con aumento de peso deficiente, con tendencia a las infecciones repetidas, con dificultades de asimilación de las proteínas de la leche o afectos de anemia, la adición de carne en su dieta láctea puede proporcionar efectos realmente interesantes. En estos casos resultan muy útiles los preparados homogeneizados (potitos), que pueden administrarse diluyendo una o varias cucharaditas en el biberón.

A las dos o tres semanas de haberse comprobado una correcta tolerancia de la carne en forma de jugo, puede empezar a dársele finamente triturada o picada. A pesar de que, en esta época, el bebé no suele poseer dientes que le permitan una correcta masticación, es perfectamente capaz de deglutir trozos de carne de muy pequeño tamaño, en

A partir de los tres o cuatro meses, la carne o sus equivalentes: pescado, huevos y queso, entran en los menús infantiles, ya que el pequeño necesita proteínas animales, directamente asimilables por su organismo. Al principio, es decir entre los tres y seis meses, bastan algunos gramos mezclados con el caldo o la papilla de verduras. Para habituar al niño, se procederá gradualmente, de modo que sólo se le dará uno de estos alimentos por día. Cada nueva experiencia se puede detectar en las reacciones del niño y en sus deposiciones. A la menor alarma hay que parar; se probará de nuevo al cabo de unos días.

Sea cuales sean sus ventajas, los alimentos preparados en potitos no constituyen de por sí una alimentación completa para el niño. Este necesita para su desarrollo alimentos frescos, preparados inmediatamente antes de ser ingeridos: caldo, puré, compotas, etc. Además, nutrir al pequeño exclusivamente con alimentos preparados es muy caro, aparte de que se corre el peligro de que no quiera otra clase de comida.

Los alimentos sólidos administrados al lactante representan un sustituto de la leche, y un aumento energético y calórico. La leche es fácil de digerir y atraviesa rápidamente el sistema digestivo del pequeño, a diferencia de lo que sucede con los sólidos. Ello trae como resultado la reducción del número de comidas diarias.

especial si se consigue que queden sueltos, lo cual es perfectamente posible si se emplea una trituradora manual o mecánica en vez de la batidora eléctrica, que suele dejar la carne muy filamentosa. Además, ya hemos dicho que el bebé debe habituarse desde muy pronto a tragar partículas moderadamente grandes para no convertirse en un esclavo de la batidora. Si se acostumbra a tomar los alimentos excesivamente finos, cuando llegue la época de usar el tenedor resultará muy difícil conseguir que mastique.

Tipos de carnes

El tipo de carne empleado en la dieta del bebé diferirá según la edad del niño. Al principio, resultará mejor tolerada la carne muy tierna y jugosa, como el filete de ternera o el lechal; más adelante, se podrá dar carne de buey o hígado, así como otras porciones menos tiernas de la ternera. En cuanto al hígado, al principio se usará el de pollo, que puede administrarse crudo (machacado en el mortero), asado a la plancha o ligeramente hervido con las verduras, echándolo a la olla en los últimos minutos de la ebullición. Más adelante puede utilizarse el hígado de ternera asado a la plancha. A partir de los ocho meses se podrá alternar con muslo o pechuga de pollo muy triturados (suele aceptarse mejor el muslo por ser más jugoso). Los sesos, por ser bastante indigestos, deberán retrasarse hasta cumplido el primer año y se darán cada diez o quince días, estando contraindicados para niños que tengan alergias de cualquier tipo o que sufran trastornos hepáticos. La carne de caballo no deberá administrarse antes del segundo año.

A partir de los dos años, cuando el niño ha completado su dentición, podrá dársele la carne a trocitos más grandes y se cuidará que la mastique bien, no tragando los trozos enteros. Se variarán los tipos de carne, que en general se prepararán a la plancha, sin cocer excesivamente para no destruir las proteínas. De un modo prudente podrá iniciarse la administración de carne de cerdo, en especial el lomo, salchichas y jamón salado. Al cumplir los tres años ya podrán introducirse variaciones en la preparación y condimentación, abandonando paulatinamente el asado a la plancha para sustituirlo por los fritos y rebozados.

Los preparados comerciales a base de carne son de dos tipos: los botes homogeneizados, que pueden ofrecer variedades de carne o asociaciones a distintas verduras que, gracias a los modernos sistemas de fabricación, ponen a disposición de los bebés carnes predigeridas y fragmentadas que permiten su administración precoz, y harinas de cereales con adición de carne predigerida, que pueden prepararse con leche o caldo y suelen ser muy bien aceptadas.

Los huevos

Se introducen en la alimentación a partir de los cinco o seis meses. Dado que no todos los niños toleran los huevos, es muy importante descubrir prematuramente las posibles alergias. Por tanto, se aconseja iniciar la administración en forma de huevo duro, que es el mejor tolerado, a pesar de la difundida creencia de que es indigesto.

En un principio administraremos sólo la yema (la clara es la parte a la que pueden atribuirse más frecuentemente las intolerancias) finamente triturada y mezclada con el puré de verduras o papilla de cereales. Se pondrá sólo la mitad de una yema y, una vez administrada por primera vez, se esperará durante 48 horas a una nueva toma, para comprobar la posible aparición de síntomas de tolerancia (urticaria, diarrea, vómitos, eructos, pérdida brusca del apetito), en cuyo caso será necesario esperar un tiempo antes de una nueva administración. Si, por el contrario, la tolerancia es buena, se podrá ir aumentando progresivamente la cantidad de yema hasta alcanzar una entera, alrededor de los ocho meses. Se dará huevo solamente dos días a la semana, convenientemente espaciados. También es posible administrar la yema cruda, pero parece ser que no se absorbe hasta más adelante. En todo caso será preferible empezar por huevo hervido.

Es importante comprobar que el huevo sea fresco, pudiendo saberse si, una vez cocido, la cámara de aire que queda en la cúspide es muy pequeña. También es posible comprobarlo introduciendo el huevo en un recipiente con agua: cuando es fresco se va al fondo, si queda entre dos aguas o flota, debe desecharse.

A partir del año, la clara ya suele ser bien tolerada, pero las tortillas, huevos revueltos, etc., deben ser evitados hasta los veinte meses o dos años, pues muchos niños que toleran perfectamente el huevo duro o pasado por agua, no son capaces de digerir bien la tortilla.

Los huevos fritos pueden iniciarse en los menús infantiles después de los dos años, con la precaución de no darlos más de dos veces por semana.

Una pregunta muy frecuente de muchas madres es el número de huevos semanales que puede tomar un niño. Si la tolerancia es buena, podría resumirse en el siguiente cuadro:

6 meses:	media yema dos días/semana
7 meses:	tres cuartos de yema dos días/semana
8 meses:	una yema dos días/semana
10 meses:	una yema y media clara dos días/semana
12 meses:	un huevo dos días/semana
18 meses:	un huevo tres días/semana
2 años:	un huevo cuatro-cinco días/semana

Los pescados

Se introducen en la dieta del niño a partir de los siete u ocho meses, uno o dos días por semana, no consecutivos. Se emplearán solamente pescados blancos muy frescos (merluzas, rape, lenguado, etc.), hervidos o a la parrilla, pero nunca fritos al principio. Las cantidades serán similares a las de carne, según la edad o apetito del niño, siempre que sea bien tolerado. Se podrán desmenuzar en el puré de verduras o en puré de patatas en cuanto el niño empiece a tomarlo, añadiendo unas gotas de limón y un poco de mantequilla.

También es posible administrar el pescado en forma de sopa, hirviendo en medio litro de agua un trozo de cabeza de pescado con un poco de tomate, cebolla y un poco de aceite. En los últimos quince minutos de hervor se añadirá una rodaja de merluza o rape, que será la que después se desmenuce en la misma sopa, una vez desprovista de las espinas. Se puede preparar con pan o pasta, según el criterio de la madre.

A partir del año, podrá alternarse el pescado hervido o a la plancha con la bechamel de pescado, plato que suele ser muy bien aceptado por los niños, resultando nutritivo y de fácil digestión: se pone en una sartén una cucharada de harina, que se deja tostar un poco; se agregan seis o siete cucharadas soperas de leche, se deslíe y se deja hervir durante unos diez minutos. En otra sartén se fríen unos trozos de pescado con un poco de mantequilla, y cuando estén algo tostados se pasan a la bechamel con un poco de sal, y más mantequilla si se considera necesario.

La carne, el pescado y los huevos deben estar armónicamente repartidos en la dieta del niño. A partir de los ocho meses no pueden faltar en su alimentación, que por esta razón podrá considerarse como completa. Hasta los ocho meses, se alternarán en una de las comidas y, después de este momento, deben formar parte tanto de la comida como de la cena. Si el niño presenta alguna intolerancia a los huevos o al pescado, podrán sustituirse mutuamente en la dieta.

La congelación, cuando se realiza correctamente, no afecta negativamente al valor nutritivo de los alimentos, de modo que no vemos inconveniente alguno en que los niños puedan tomar alimentos congelados tanto de forma industrial como doméstica, si se conservan y descongelan de forma correcta.

La alimentación completa

Cuando el lactante ya acepta plenamente los cereales, frutas, vegetales, carnes, huevos y pescados, podemos considerar que su alimentación es lo suficientemente completa, variada y equilibrada para proporcionarle un desarrollo óptimo. A partir de este momento nuestras preocupaciones dietéticas deberán encaminarse hacia cuestiones más propias de la culinaria, con el fin de proporcionar menús que sean bien aceptados, de disminuir progresivamente la trituración de los alimentos a tenor de las posibilidades de masticación del niño y de introducir nuevos condimentos y formas de preparación que vayan aproximando el menú de los niños al de los mayores de la familia.

Desde los cinco meses, aproximadamente, el bebé se habitúa a comer cuatro veces al día y lo hace de manera prácticamente instintiva, dependiendo exclusivamente de sus necesidades fisiológicas. El mantenimiento de estas cuatro comidas lo consideramos fundamental para toda la infancia —por no decir toda la vida— pues se ajusta de forma muy exacta a las necesidades del organismo. La cantidad y calidad del alimento que se asigne a cada una de ellas dependerá de los hábitos generales de la zona donde el niño se desarrolla, pero es indudable que la distribución más lógica es la que se ajusta al patrón británico (desayuno fuerte, almuerzo suave, merienda ligera y cena fuerte). De todos modos, las características horarias, climáticas y sociales de cada país, configuran otros patrones a los que, sin duda, está obligado a acogerse el niño.

El desayuno

Dentro del patrón alimenticio habitual en nuestro país, el desayuno no es quizá la comida que menos cambios sufre durante los dos primeros años, desde el momento en que empieza a tomar una papilla. Lo más recomendable es una papilla lacteada de harina de cereales, en cantidad proporcionada a su edad. A partir del año, también puede resultar nutritiva una sopa de pan con leche o empezar con tostadas, bizcochos, mantequilla, mermelada, zumos de fruta, leche con cacao

La madre nunca debe forzar a su hijo para que coma, pues en tales circunstancias lo único que suele conseguir es aumentar la desgana ante la comida. Si el pequeño no tiene apetito alguno se puede, sin más, saltar una comida. Si después le entra apetito, se le hará esperar hasta la hora de la próxima comida. Entretanto no debe dársele nada, pues no volvería a tener apetito en la siguiente comida.

o yogur. De todos modos, cuanto más tiempo se mantenga la papilla de cereales, tanto más aseguraremos una nutrición suficiente, pues a menudo, cuando el niño rechaza la papilla, el desayuno queda muy deficiente desde el punto de vista nutritivo, en especial si debe tomarse con el tiempo justo para ir a la escuela.

El almuerzo

Las progresivas variaciones a introducir en el almuerzo dependerán en gran parte del grado de aceptación que ofrezca el bebé y a sus posibilidades de masticación. Durante mucho tiempo, los alimentos deberán triturarse, pero procurando no hacerlo en demasía, no estando de más el recordar la necesidad de no utilizar los batidores eléctricos, que trituran en exceso y contribuyen a que el niño no aprenda a masticar. En nuestro patrón alimentario, el almuerzo constará de dos platos y postre, pero durante los dos primeros años, los dos platos deberán administrarse mezclados en uno solo para facilitar su ingesta. El primer plato lo constituirá una sopa de caldo que podrá prepararse con una harina instantánea, sémola, maizena, tapioca o pasta pequeña, o bien un puré de verduras variadas. Después del primer año puede usarse el arroz hervido en grano, administrándolo seco o bien en su caldo, con la adición de mantequilla o una salsa de tomate. Otro plato que suele ser bien aceptado como entrante es el puré de patata con bechamel y queso rallado. El segundo plato debe constituirlo algunas de las proteínas animales en una cantidad similar a los 100 gramos: carne de ternera, vaca, buey o cordero; pollo, hígado, pescado, huevos, sesos, etc. Se darán triturados por métodos manuales, intentando, a partir del año y medio, que el niño aprenda a comerlos por separado, utilizando el tenedor o la cuchara. El postre puede ser muy variado: leche, fruta, flan, natillas, helados y quesos.

La merienda

La merienda, comida ligera de la media tarde, debe adaptarse a diferentes gustos y circunstancias que concurren en los pequeños. Lo habitual es darles algo que no llene excesivamente, como fruta, flan, natillas, yogur, leche con cacao, queso, galletas con mantequilla, etc. Las preferencias y apetito del niño dictarán, en todos los casos, la conducta a seguir.

La cena

La cena puede tener una composición similar a la del almuerzo, aunque en nuestro país suele ser más ligera. En general, podrá administrarse una sopa de caldo vegetal con cereales o pasta, adicionando huevo en cualquiera de sus formas (duro, pasado por agua, tortilla), jamón de york, queso, pescado o incluso carne, si no la había tomado en el almuerzo. Si el niño goza de buen apetito podrá tomar postre de modo similar al almuerzo.

Distintos alimentos y condimentos

Los quesos pueden introducirse muy pronto en la dieta infantil siempre que no se trate de un queso muy fermentado. De preferencia, hacia los ocho meses se darán quesos suaves dos días a la semana, adicionándolos a la sopa de vegetales, en cantidad moderada. Son ricos en proteínas, pero su elevado contenido de grasas hace que deban usarse con prudencia en aquellos niños que presentan intolerancia a las grasas y a la leche y sus derivados.

Uno de los componentes de la dieta infantil, que consideramos importante, son las salsas, que en general suelen ser muy bien aceptadas por el niño, dado que proporcionan sabores dominantes a la comida y contribuyen a una mejor deglución. Las primeras salsas que pueden emplearse en los menús infantiles son la bechamel y la salsa de tomate, pudiendo utilizarse la mayonesa a partir de los dos años.

Los frutos secos, administrados de forma moderada después de los dos años, proporcionan un buen aporte de calorías y suelen ser muy del agrado del niño, representando un postre asequible. Recomendamos en especial las nueces, avellanas, piñones, almendras y cacahuetes.

El chocolate, tan bien aceptado por los niños, suele ser causa de intolerancias y no pocos trastornos intestinales. Al principio, a partir del octavo mes, pueden utilizarse papillas de cereales que contienen cacao desgrasado, como desayuno o merienda. Después de los dos años ya pueden comer de forma moderada algún bombón o tableta de chocolate con leche. El chocolate a la taza debe ser demorado al máximo, pues suele ser mal tolerado. En cualquier caso, todo trastorno intestinal que pueda relacionarse con la ingesta de chocolate debe ser comunicado al pediatra y, en principio, suprimirlo de la dieta.

En general no hay inconveniente en que el niño de más de dos años coma dulces y repostería, como magdalenas, tartas, arroz con leche, rosquillas, bizcochos, etc., pero siempre con la debida mesura. Lo mismo ocurre con los caramelos, auténtico vicio para muchos niños. Como es natural, en todo ello debe imperar siempre la cordura, pues todo exceso resulta nocivo. Al tratarse de productos muy azucarados, suponen dos inconvenientes muy definidos: la pérdida de apetito si se ingieren entre comidas y el deterioro del esmalte dentario con predisposición a la caries. Tampoco debe olvidarse el peligro de asfixia si se traga entero el caramelo, en es-

A partir de los cuatro meses el niño puede tomar purés de verduras y hortalizas. Sin embargo, hay que vigilar las reacciones y deposiciones del pequeño, a fin de descubrir sus verduras preferidas y las que mejor le sientan.

Un niño feliz, alegre, de carnes firmes y que no presenta ningún retraso en el crecimiento, es generalmente un niño bien alimentado.

pecial si es de gran tamaño y de consistencia dura.

Por último, un breve comentario a los condimentos. En general deberá huirse de las especies y picantes fuertes en la preparación de los platos infantiles, así como de los vinos y licores para sazonar. En cambio, no hay inconveniente en usar condimentos habituales, como ajo, perejil, cebolla, laurel, tomillo y orégano, siempre que se utilicen con prudencia y a partir del segundo año. Resulta indiferente el empleo de aceite de oliva o manteca de cerdo para la preparación de los alimentos.

A partir de los dos años, el aparato digestivo del niño ya ha alcanzado una madurez funcional que puede compararse con la del adulto, por lo que su alimentación ya puede ser tan variada y completa como la de éste, pero existen una serie de factores que deben tenerse en cuenta en el momento de confeccionar los menús y que condicionan que éstos no puedan ser totalmente similares a los del adulto. Por un lado, el niño se encuentra en una fase de desarrollo que impone una serie de requerimientos especiales en cuanto a calorías, agua, vitaminas y sales minerales; por otro, el niño vive en una edad en que fácilmente se desarrollan hábitos con la comida, en un sentido generalmente unilateral. Por tanto, la nutrición en la edad preescolar debe ser vigilada cuidadosamente para que sea equilibrada y mantenga al niño en un estado óptimo de nutrición.

Las necesidades de calorías por kilo de peso y día van decreciendo paulatinamente desde el segundo trimestre de vida, tal como puede apreciarse en el cuadro adjunto, pero este descenso relativo, con el aumento de peso se convierte en aumento absoluto.

NECESIDADES CALORICAS POR KILO DE PESO Y DIA		
Edad	cal /kg/día	cal /día
Primer semestre	120	
Segundo semestre	110	
de 1 a 3 años	100	1.200
de 4 a 6 años	90	1.600
de 7 a 9 años	80	2.000
de 10 a 12 años	70	2.500

Los requerimientos relativos de agua también sufren un descenso a medida que el niño crece, pero aumentan de modo absoluto en razón a su mayor peso. Como, por otra parte, los alimentos secos proporcionan un menor aporte acuoso, será necesario suministrar un suplemento líquido en orden a las cifras expresadas en el cuadro:

NECESIDAD DE LIQUIDOS SEGUN EDAD Y PESO			
Edad	Peso medio	Agua total en 24 h	Agua/kg peso
1 año	9,5	1.150 a 1.300	120 a 135
2 años	11,8	1.350 a 1.500	115 a 125
4 años	16,2	1.600 a 1.800	100 a 110
6 años	20,0	1.800 a 2.000	90 a 100

El aporte extra de líquidos podrá hacerse en forma variable según la edad: agua, leche, zumos de fruta, etc., procurando aprovechar las ventajas de cada uno de ellos. Las bebidas gaseosas deberán limitarse por su tendencia a producir aerofagia y las bebidas con cola resultan demasiado excitantes.

El apetito varía de un niño a otro, y puede que una dosis racional de comida sea excesiva para el pequeño desganado. En principio no hay que forzarle, pues con ello sólo se lograría el vómito.

El crecimiento

Es un proceso que actúa desde el nacimiento hasta la edad adulta de un individuo. Durante el primer año de vida el crecimiento es espectacular. A continuación, el ritmo se va enlenteciendo, de modo que, a lo largo de la infancia, el aumento de un año a otro es regular.

Con la llegada de la etapa puberal, antesala de la madurez, el cuerpo humano vuelve a sufrir espectaculares cambios, cuyo resultado es la constitución definitiva, que nos acompañará durante nuestra vida adulta.

Es un proceso íntegro, porque el niño crece en peso y talla al mismo tiempo que madura bajo el punto de vista orgánico, psicomotor, intelectual, afectivo y social.

Son diversos los factores que intervienen en el proceso del crecimiento: la carga genética, la alimentación, el ejercicio, la calidad de vida, las enfermedades... Algunos aspectos favorecen un desarrollo positivo y orgánico. Es deber de los padres informarse convenientemente y ofrecer a sus hijos todos los medios que están a su alcance. El consejo y las indicaciones del pediatra facilitarán esta tarea.

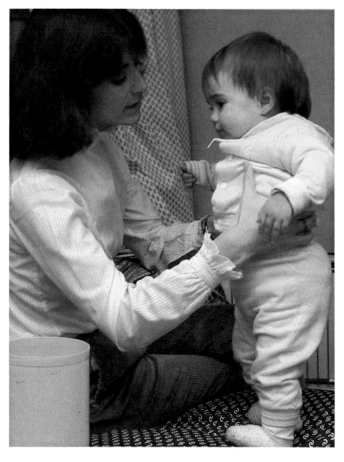

El bebé dobla el peso que tenía al nacer alrededor de los cuatro meses y el peso normal para el año de edad es de unos diez kilos, considerándose como cifra normal aquella que se aproxime al triple de su peso al nacer.

A partir de los 12-18 meses, la curva ponderal sufre un aplanamiento, probablemente como consecuencia de la mayor actividad que desarrolla el niño, que supone un mayor consumo de energías. El aumento anual hasta los 10 años sufre muy ligeras variaciones de un año a otro, de tal forma que vemos repetirse de un modo constante un aumento de 2 kg aproximadamente por año, quizás un poco más después de los siete años. Las variaciones personales son muy aparentes a estas edades, dependiendo de varios factores, pero fundamentalmente del hábito constitucional. Durante la pubertad, se pueden apreciar aumentos anuales mucho más importantes, del orden de 4 a 6 kg por año. Este incremento aparece algo más precozmente en las niñas, que suelen ultimar su desarrollo físico antes que los chicos. Después de la pubertad, los niños experimentan un desarrollo más evidente que las niñas.

Para llevar un correcto control del peso del niño, se le pesará semanalmente durante los tres primeros meses, sobre todo si es alimentado al pecho, procurando hacerlo siempre con la misma báscula, desnudo y antes de

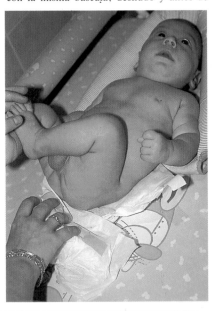

Cada niño se desarrolla conforme a unas características totalmente individuales. No hay ningún bebé que se ajuste a un patrón fijo, por lo que debe desecharse la pretensión de atender al pie de la letra unos datos estadísticos determinados. Un control de talla y peso muy severo ocasiona el nerviosismo de la madre; por tanto, si durante el primer año el niño aumenta en un 50% aproximadamente la talla y triplica el peso que tenía al nacer, es que se desarrolla dentro de la normalidad.

El peso

Al nacer, el niño pesa por término medio de 3.000 a 3.500 gramos, siendo normalmente un poco mayores los varones que las hembras. Las oscilaciones respecto al promedio pueden ser muy grandes, dándose los pesos inferiores en los prematuros y los pesos más altos pueden sobrepasar los 5.000 gramos. Durante los primeros días, el recién nacido suele perder un 10 % del peso que tenía al nacer, que se recupera entre el octavo y quinceavo día de vida. A partir de entonces, el peso aumenta progresivamente de la siguiente forma:

AUMENTO DE PESO DE 0 A 24 MESES		
	aumento diario	*aumento mensual*
de 0 a 4 meses	25-40 grs	750-1.250 grs
de 4 a 6 meses	20-25 grs	600- 750 grs
de 6 a 8 meses	15-20 grs	450- 600 grs
de 8 a 10 meses	10-15 grs	300- 450 grs
de 10-12 meses	8-10 grs	250- 300 grs
de 12-24 meses	5-8 grs	150- 250 grs

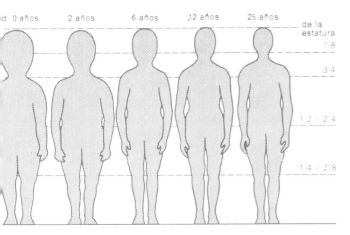

0 años   2 años   6 años   12 años   25 años

de la estatura

7/8

3/4

1/2 = 2/4

1/4 = 2/8

La variación de las proporciones corporales en diversas edades. Puede reconocerse claramente la modificación de la proporción del tronco, cabeza y extremidades, con respecto a la estatura, en distintas edades. Así, por ejemplo, la cabeza del lactante representa todavía 1/4 de la estatura, mientras que en el adulto es sólo 1/8 (las cifras de la derecha significan partes proporcionales de estatura).

una comida. A partir de los tres meses, un control mensual será suficiente, para reducirlo a un control trimestral después del primer año y dos mediciones anuales después del tercero.

La talla

Es un parámetro menos variable que el peso y las oscilaciones que pueden aparecer en el neonato son mínimas: 46-54 cm, siendo el término medio los 50 cm. Durante el primer año crecerá aproximadamente unos 20 cm y 10 cm durante el segundo, crecimiento que puede quedar reflejado en el siguiente esquema:

a los 4 meses:	60 cm
a los 12 meses:	70-72 cm
a los 24 meses:	80-82 cm
a los 3 años:	90-92 cm

Realmente no creemos indispensable efectuar controles del crecimiento en altura de los niños, ya que ni se experimentan descensos ni es probable que podamos influir de alguna manera en estimular el aumento de talla. No obstante, a todos los padres les gusta que sus hijos sean lo más altos posibles y en la mayoría de los hogares hay una pared donde se van señalando las distintas tallas que cada hijo ha ido alcanzando en su desarrollo. La forma de medir al lactante en el hogar consiste en tumbarle boca arriba sobre una superficie plana, procurando que sus extremidades inferiores estén completamente estiradas y que los pies formen un ángulo recto con las piernas. Las manos y brazos aplicados a ambos lados del cuerpo y la cabeza en el mismo eje que el cuerpo. Con dos reglas, o mejor con dos libros, aplicados en la cabeza y los pies, se señala la altura del bebé y se puede medir con una cinta métrica.

El control médico de la estatura no debe ser tan riguroso como el del peso. Mediciones mensuales desde el nacimiento hasta los cuatro meses, bimensuales de los cuatro meses al año y semestrales a partir de entonces, nos darán una idea exacta de la curva de crecimiento.

Existen pequeñas diferencias entre los niños y las niñas y el factor hereditario tiene una gran importancia, guardando la talla de los hijos una relación directa con la de los padres. Los incrementos anuales no son uniformes, existiendo variaciones muy acusadas de unos niños a otros y de un año a otro. Las niñas sufren una aceleración de su crecimiento en el período prepuberal y una detención muy manifiesta después de la pubertad, momento en que suelen ser sobrepasadas en altura por los chicos de su misma edad.

Osificación

En el momento de nacer, el niño no tiene un estado de osificación completo. La mayor parte de sus huesos tienen la consistencia de un cartílago, son blandos y ligeramente maleables, pudiéndose comparar con el tallo verde de un arbusto. Con el tiempo, los huesos deben adquirir su dureza característica gracias al depósito de sales de calcio, pero la completa calcificación no se alcanza, según los casos, hasta los 14 o 16 años. La osificación se inicia en todos los huesos a partir de unos puntos determinados, que son denominados centros de osificación, alrededor de los cuales radica la zona de crecimiento del hueso. Durante todo el desarrollo estas zonas se hallan en actividad, pero cuando ésta cesa, se detiene también el crecimiento del hueso.

En todo momento del desarrollo, a través de radiografías se puede comprobar el estado de los centros de osificación de todos los huesos, siendo posible determinar si un niño todavía va a crecer o, por el contrario, ha ultimado su desarrollo. En el lactante se suele comprobar su grado de osificación gracias al control de su fontanela, que es una zona romboidal que ocupa la parte media de la cabeza, que por palpación se nota blanda debido a no estar osificados los huesos que la delimitan. La fontanela suele desaparecer, por haberse completado la osificación, entre el primer y segundo años de vida, indicando su permanencia la posibilidad de un déficit cálcico importante.

La dentición

Salvo en casos francamente raros, el recién nacido nace totalmente desprovisto de dientes, a pesar de que éstos están formados desde mucho antes del nacimiento. Ambos

maxilares disponen en su interior los dientes de leche perfectamente formados e irán brotando por un orden que se repite de un modo prácticamente constante. La dentición definitiva, a pesar de que no empieza a brotar hasta los 6 años, se forma debajo de la dentición de leche prácticamente desde que el niño nace.

Es muy útil conocer el desarrollo de los dientes de leche, elemento importante en el crecimiento del niño. Su aparición tardía puede reflejar una mala nutrición o una carencia, aunque en la mayoría de los casos no representa ningún trastorno. De la misma forma que hay muchos niños que no poseen ningún diente hasta cerca del año, se ven otros casos en los que a los tres meses ya tienen algún incisivo.

La época normal y más frecuente de la salida de los dientes son los seis o siete meses, y su orden de aparición no difiere mucho del siguiente:

6-7 meses:	2 incisivos medios inferiores
7-8 meses:	2 incisivos medios superiores
8-9 meses:	2 incisivos laterales superiores
10-12 meses:	2 incisivos laterales inferiores
12-15 meses:	premolares inferiores
15-18 meses:	premolares superiores
18-20 meses:	caninos inferiores
20-24 meses:	caninos superiores
24-30 meses	molares

De esta forma queda constituida la dentición de leche con 20 piezas dentarias de efímera existencia, pues hacia los seis años empezarán a caerse para ser sustituidas por las piezas definitivas. El orden de salida citado es el que se aprecia con mayor frecuencia, pero es perfectamente posible, sin que suponga anomalía alguna, que algún niño posea los caninos antes que los premolares o que le salgan los incisivos laterales superiores antes que ninguno.

La salida de los dientes acostumbra a marcar una efemérides en el crecimiento y desarrollo del niño. Puede pasar totalmente desapercibida o puede ir rodeada de un importante cortejo sintomático. Por regla general causan molestias y el niño las manifiesta con una abundante salivación, pequeños trastornos digestivos, disminución de apetito, orinas fuertemente amoniacales que suelen producir irritación de la piel de la zona del pañal, aumento o disminución de sus deposiciones habituales y localmente se pueden ver unas encías rojas, hinchadas y tumefactas. No es raro que, durante la salida de los dientes, el niño presente febrículas sin importancia e incluso accesos febriles, por la asociación de algún proceso infeccioso al que se muestran particularmente sensibles durante este tiempo. El bebé está intranquilo, irritable, duerme mal, llora con frecuencia, se lleva constantemente las manos a la boca y le satisface morder sus puños y todo lo que tenga a su alcance, ya que ello le alivia momentáneamente el dolor. Al facilitarle algún objeto de goma dura, se le proporciona un medio de desahogo que no le perjudica.

La edad a la que empiezan a aparecer los dientes varía de un niño a otro. El dibujo muestra el orden de aparición habitual de los 20 dientes de leche. Cada uno de ellos tarda en salir unas 3 semanas, aunque también hay variaciones individuales al respecto.

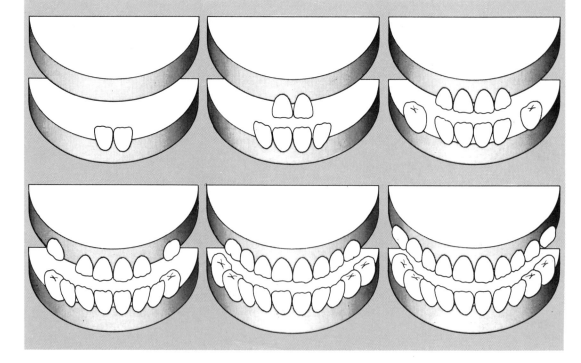

La dentición de leche

La característica principal de la dentición de leche es su provisionalidad, pues hacia el sexto año de vida estos dientes empiezan a caerse para ser sustituidos por los definitivos. Esta razón no exime de mantener unos cuidados meticulosos que deben redundar en el mejor estado y colocación de los dientes definitivos. Deben vigilarse de un modo muy especial los siguientes hechos:

a) Que a medida que el niño crece, los dientes de leche deben mantenerse lo suficientemente distanciados para que conserven el espacio que necesitan posteriormente los dientes definitivos, que tienen un tamaño superior.

b) Evitar por todos los medios las deformidades mandibulares, que casi siempre provoca el mantenimiento del chupete o el hábito de chuparse el dedo después del año y medio de edad.

c) Establecer una correcta vigilancia de las caries prematuras, en especial aquellas que acaban destruyendo por completo la pieza afectada, ya que el niño no aprende a masticar de forma adecuada y, por otra parte, la falta de un diente puede motivar deformidades en la mandíbula y que los dientes definitivos salgan torcidos y montados unos sobre los otros.

La dentición definitiva

Los primeros dientes definitivos o permanentes son los llamados molares de los seis años, que brotan a esta edad, por detrás de los dientes de leche, sin desplazar o sustituir a ninguno de éstos. Casi al mismo tiempo se caen los dos incisivos medios inferiores, que son sustituidos por dos incisivos definitivos; a partir de ello se efectúa una progresiva sustitución, que se realiza más o menos con arreglo a un orden que puede establecerse de la forma siguiente:

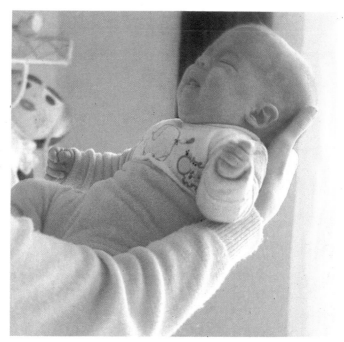

6-8 años	incisivos centrales
8-9 años	incisivos laterales
9-11 años	premolares
11-12 años	caninos
12-13 años	segundos molares
17-21 años	terceros molares o muelas del juicio, que salen por detrás de las muelas de los seis años

La salida de los dientes casi siempre es dolorosa. Las encías del bebé están tumefactas; se las refriega desesperadamente para intentar calmar el dolor. Algunos pequeños presentan diarreas o estreñimiento, asociados a una pérdida del apetito.

Casi nos parece absurdo llamar permanente la dentición definitiva, por cuanto parece que debería durar toda la vida; la realidad es que para que ello sea cierto es preciso dedicarle incontables cuidados. Existen numerosos enemigos de la dentadura, tales como factores hereditarios, influencias prenatales (alimentación defectuosa de la madre) e influencias derivadas de una incorrecta higiene dental. Los principales trastornos de la dentición en la edad infantil son las caries y la malposición, siendo el mejor modo de evitarlas llevar el niño al dentista en cuanto se aprecien los primeros síntomas.

Evolución pondoestatural en la infancia

El crecimiento es un proceso global y continuo, presente en todo momento, desde el nacimiento hasta que se alcanza la edad adulta. Es un proceso global, porque el niño crece en peso y talla al mismo tiempo que madura bajo el punto de vista orgánico, psi-

El dolor causado por la dentición no suele precisar asistencia médica. Hay que dar al niño a morder alguna anilla o algún juguete de goma dura, o también una corteza de pan seco, para fomentar el proceso de erupción.

El pediatra, mediante controles médicos que deben realizarse con una frecuencia, como mínimo, anual, es quien establecerá las pautas de alimentación y ejercicio físico, con el fin de que el niño se desarrolle de forma satisfactoria.

comotor, intelectual, afectivo y social. Es un proceso continuo porque no sufre en ningún momento detención alguna, cada etapa sigue sin solución de continuidad a la precedente.

A pesar de la existencia de una ley de crecimiento que cumplen de forma global todos los individuos, existen una serie de factores que inciden positiva o negativamente en el desarrollo, condicionando grandes diferencias individuales tanto en el ritmo de crecimiento como en el resultado final del proceso. Los factores intrínsecos más importantes son, en primer lugar, la carga hereditaria (factor genético) de cada individuo, es decir, que cada niño sale a los padres, así como éstos salieron a los suyos, teniendo en consideración que genéticamente pueden producirse transmisiones lejanas, es decir, heredar factores genéticos de familiares menos próximos que los padres. Otro factor importante es el racial o étnico: existen grandes diferencias pondoestaturales entre las distintas razas y siempre se mantendrán las características de la misma. También existen diferencias entre los dos sexos, siendo mayoría los chicos que alcanzan tallas y pesos superiores a las chicas. Por último, un factor individual ligado a los anteriormente citados es el funcionalismo endocrino de cada niño, del que depende todo el sistema hormonal que dirige biológicamente el proceso de crecimiento.

Pero también hay una serie de factores extrínsecos que pueden afectar de alguna manera en el crecimiento del individuo, como la alimentación, la categoría socio-económica y cultural, las enfermedades agudas y crónicas y algunos trastornos metabólicos. Son hechos comprobados científica y estadísticamente que los déficit nutricionales representan un factor negativo para el crecimiento, tanto para el peso como para la talla, y que una alimentación excesiva influye más en el aumento de peso y no tanto en el crecimiento en estatura. También resulta evidente que existen diferencias significativas del crecimiento entre grupos de población según la situación socioeconómica, con índices más elevados entre la clase media-alta. Algunas enfermedades agudas, pero especialmente las enfermedades crónicas y los trastornos metabólicos pueden provocar detenciones del proceso de crecimiento en niños que genéticamente hubieran sido capaces de alcanzar índices de peso y talla superiores.

Leyes de crecimiento

1. La velocidad y el ritmo de crecimiento no es uniforme a lo largo de la infancia y adolescencia sino que evoluciona en ciclos claramente diferenciados en todos los individuos.

El primer ciclo lo compone el primer año de vida, con una velocidad de crecimiento superior a cualquier otra en la vida. El peso del nacimiento, tras la pérdida fisiológica de los primeros días, se duplica hacia el quinto mes y se triplica al año. El aumento de talla en el

primer semestre de vida es de unos 14 cm, y en el segundo de unos 9 cm. Cumplido el primer año, la curva de crecimiento sufre una espectacular detención y durante el segundo año de vida el peso se incrementa en menos de un tercio que en el primer año y se crece aproximadamente la mitad.

El segundo ciclo lo comprende el período que transcurre entre los dos años y el inicio de la pubertad. Es un período de crecimiento regular y equilibrado con incrementos anuales de peso que oscilan entre 2 y 3 kg y de talla entre 4 y 6 cm.

El tercer ciclo corresponde a la edad puberal, en la que tiene lugar el estirón definitivo y no es contemporáneo en los individuos de la misma edad. El momento de inicio de la pubertad es distinto entre ambos sexos y variable entre individuos del mismo sexo, pero en líneas generales podemos indicar que el momento de rápido aumento estatural se observa principalmente entre los 10 y 13 años en las niñas y entre los 12 y 15 años en los niños.

2. El crecimiento en altura depende del crecimiento del esqueleto: son los huesos los que lo marcan, en especial los de las extremidades inferiores, que crecen de un modo muy notable en el período prepuberal y puberal. Al final de la pubertad se produce un significativo crecimiento del tronco por aumento del tamaño de las vértebras, que de todas maneras tiene escasa repercusión en la talla total.

El control radiológico del esqueleto permite conocer en cualquier momento el estado evolutivo del crecimiento. En la porción distal de los huesos largos se encuentra la zona fértil o zona de crecimiento que en las radiografías se muestra como una zona de menor densidad ósea. La existencia y anchura de estas bandas permite saber si el hueso conserva potencial de crecimiento y la desaparición de las mismas indica que el hueso ha finalizado su crecimiento. De todas maneras, la edad ósea de un niño se determina habitualmente radiografiando los huesos de la muñeca, midiendo su tamaño y cotejándolo con unas tablas. Si la edad ósea coincide con la edad cronológica se puede decir que el ritmo de crecimiento es normal si la edad ósea es inferior a la cronológica se dice que hay un crecimiento retardado y si la edad ósea es superior a la cronológica, que el crecimiento es avanzado. Ello puede resultar útil en caso de niños de talla baja para diagnosticar si la causa reside o no en un enlentecimiento del ritmo de crecimiento.

3. El crecimiento de la masa corporal se produce de forma más significativa al final de la pubertad a expensas de la musculatura y es un hecho más notable en el varón. Depende en gran manera de las características personales de cada individuo, pero puede estar sujeto a modificaciones en relación a la actividad física, la alimentación y otros factores extrínsecos.

La masa corporal que depende de los tejidos grasos está condicionada fundamentalmente por factores constitucionales, metabólicos y nutritivos, sufriendo un desarrollo bastante irregular, independientemente de la edad y del sexo.

Cuando se utilizan unas tablas de crecimiento para comprobar el grado de crecimiento de un niño, es necesario establecer la relación peso-talla-edad para que la valoración sea correcta.

Tablas de crecimiento

En cualquier momento del desarrollo, la valoración de las mediciones del peso y talla debe hacerse comparando los resultados con unos valores de referencia. Existe un buen número de tablas con estos valores y lo idóneo sería que en cada caso pudiera recurrirse a da-

tos obtenidos de la medición de individuos del mismo grupo étnico y de similar categoría socio-económica y cultural, que son variables fácilmente determinables. En un libro de amplia difusión como éste, hemos optado por reflejar unas tablas que no correspondan a un grupo de población concreto y han sido elaboradas a partir de algunas de las más usuales.

Para cada grupo de edad se señalan en las tablas tres valores: el de la izquierda, que corresponde al percentil 3 (P_3), el del centro, al percentil 50 (P_{50}) y el de la derecha, al percentil 97 (P_{97}). El valor correspondiente al P_{50} es la medida de peso o talla para cada sexo que corresponde a una edad determinada. Los valores por encima del P_{50} se considerarán como valores superiores a la media para esta edad, y los que se encuentran por debajo como valores inferiores a la media. El P_3 marca el valor que puede ser considerado como más bajo dentro de la normalidad, sólo un 3% de los niños tienen medidas inferiores a ésta; el P_{97} señala el valor más alto y sólo un 3% de los niños lo superan. El 94% de los niños tienen valores comprendidos entre el máximo y el mínimo y un 50% de los mismos pesan o miden valores próximos al P_{50}. Así pues, cuando quiera valorarse el peso y la talla de un niño o niña, se comprobará si sus datos se encuentran entre el P_3 y el P_{97} del grupo de edad más próximo al suyo en la tabla que corresponde a su sexo. Por ejemplo, una niña de 9 años y 7 meses que pesa 32.400 gramos y mide 138 cm, trasladando estos datos a la tabla correspondiente, se puede comprobar que ambos son valores situados entre el P_{50} y el P_{97} de las niñas de 9 años y medio, correspondiendo por tanto a un peso y talla superiores a la media.

Siempre será necesario establecer la relación peso-talla-edad para hacer una valoración correcta. Para utilizar adecuadamente las tablas, se comprobará siempre si la talla y el peso están situados entre los mismos percentiles. Si un niño tiene una talla ligeramente inferior al P_{50}, pero su peso se aproxima al que corresponde a un P_{97}, sin duda será un niño de talla normal, pero con un sobrepeso de al menos la diferencia entre el peso que tiene y el que corresponde al P_{50}.

Cuando los datos personales de peso y/o talla corresponden a valores inferiores al P_3 o superiores al P_{97}, debe considerarse que se apartan de la normalidad y será necesario considerar convenientemente la posible existencia de una alteración del crecimiento. En estos casos, para valorar si el peso es adecuado para la talla, será necesario cotejar el peso con el que corresponde al P_{50} de la edad media en que se alcanza la talla obtenida. Por ejemplo, si un niño de 5 años mide 100 cm tiene una talla inferior al P_3, para determinar cuál es su peso adecuado no lo cotejaremos con el peso P_3 de los 5 años, sino que buscaremos a qué edad corresponde una talla media de 100 cm, comprobando que es la talla P_{50} de los 3 años y medio, a la que corresponde un peso medio de 15.500 gramos, que es el peso que consideraremos como adecuado para este niño.

Peso en varones de 0 a 2 años (g)

Edad	P3	P50	P97
Al nacer	2.600	3.400	4.500
3 meses	5.000	6.200	7.600
6 meses	6.500	7.900	9.700
9 meses	7.500	9.000	11.200
12 meses	8.400	10.000	12.400
15 meses	9.000	10.700	13.300
18 meses	9.500	11.400	14.200
24 meses	10.500	12.600	15.800

Peso en mujeres de 0 a 2 años (g)

Edad	P3	P50	P97
Al nacer	2.600	3.400	4.200
3 meses	4.600	5.750	7.100
6 meses	6.000	7.500	9.100
9 meses	6.900	8.700	10.800
12 meses	7.700	9.700	12.100
15 meses	8.200	10.400	13.000
18 meses	8.800	11.000	13.800
24 meses	9.800	12.200	15.300

Talla en varones de 0 a 2 años (cm)

Edad	P3	P50	P97
Al nacer	46	50	54
3 meses	56	60	64
6 meses	62	66,5	71
9 meses	67	71	76
12 meses	70	75	80
15 meses	73,5	78,5	84,5
18 meses	77	82	87
24 meses	82	87	93

Talla en mujeres de 0 a 2 años (cm)

Edad	P3	P50	P97
Al nacer	46	50	54
3 meses	55,5	59,5	63
6 meses	61	65	69
9 meses	65	70	74
12 meses	69	74	79
15 meses	72	77,5	82,5
18 meses	75	81	86
24 meses	80	85,5	91

Peso en mujeres de 2 a 18 años (g)

Edad	P3	P50	P97
2 años	9.800	12.200	15.300
2 años, 6 meses	10.700	13.400	17.300
3 años	11.600	14.400	18.900
3 años, 6 meses	12.400	15.300	20.500
4 años	13.200	16.400	21.800
4 años, 6 meses	13.900	17.400	23.000
5 años	14.900	18.600	23.700
5 años, 6 meses	15.500	20.000	25.200
6 años	16.800	21.000	26.600
6 años, 6 meses	17.600	22.400	28.600
7 años	18.700	23.700	30.500
7 años, 6 meses	19.500	25.000	33.000
8 años	20.500	26.300	35.800
8 años, 6 meses	21.200	27.700	38.300
9 años	22.200	28.900	40.700
9 años, 6 meses	23.300	30.400	43.500
10 años	24.100	31.900	46.200
10 años, 6 meses	25.200	33.800	48.800
11 años	26.300	35.700	51.200
11 años, 6 meses	27.900	37.700	54.000
12 años	28.800	39.700	57.900
12 años, 6 meses	30.800	42.300	61.400
13 años	32.700	45.000	64.500
13 años, 6 meses	35.000	47.000	66.900
14 años	37.700	49.100	68.400
15 años	40.300	51.500	70.400
16 años	41.600	53.000	71.500
17 años	42.600	54.000	72.300
18 años	42.900	54.400	72.900

Peso en varones de 2 a 18 años (g)

Edad	P3	P50	P97
2 años	10.500	12.600	15.800
2 años, 6 meses	11.400	13.600	16.700
3 años	12.200	14.600	17.800
3 años, 6 meses	12.900	15.500	18.800
4 años	13.600	16.500	20.000
4 años, 6 meses	14.300	17.400	21.500
5 años	15.400	18.900	23.500
5 años, 6 meses	16.100	20.700	25.200
6 años	17.500	21.900	27.700
6 años, 6 meses	18.300	23.200	29.000
7 años	19.500	24.500	31.700
7 años, 6 meses	20.200	25.900	33.000
8 años	21.700	27.300	36.000
8 años, 6 meses	22.300	28.600	37.700
9 años	23.800	29.900	40.700
9 años, 6 meses	24.500	31.300	42.500
10 años	25.700	32.600	45.400
10 años, 6 meses	26.800	33.900	47.200
11 años	28.000	35.200	50.600
11 años, 6 meses	28.500	36.700	53.400
12 años	29.500	38.300	56.300
12 años, 6 meses	31.000	40.200	60.000
13 años	32.600	42.100	62.600
13 años, 6 meses	34.800	45.500	66.000
14 años	36.200	48.800	68.300
15 años	41.400	54.500	73.300
16 años	46.900	58.800	77.300
17 años	50.100	61.700	79.600
18 años	51.200	63.000	81.200

Talla en mujeres de 2 a 18 años (cm)

Edad	P3	P50	P97
2 años	80	85,5	91
2 años, 6 meses	84,5	91,5	98,5
3 años	88	95,5	103,5
3 años, 6 meses	92	99,5	108
4 años	95	103	112
4 años, 6 meses	98	106,5	116
5 años	101	109,5	118,5
5 años, 6 meses	104,5	112,5	122
6 años	108	116	125,5
6 años, 6 meses	111	119	128,5
7 años	114	122,5	131,5
7 años, 6 meses	116	125	134,5
8 años	119	128	137,5
8 años, 6 meses	121	130,5	141
9 años	123,5	133	143,5
9 años, 6 meses	125,5	136	147
10 años	127,5	138,5	149
10 años, 6 meses	130	141,5	153
11 años	132	144,5	157,5
11 años, 6 meses	135	148	160
12 años	138	152	164,5
12 años, 6 meses	141	154	165
13 años	144	157	168,5
13 años, 6 meses	146	158,5	169
14 años	148	159,5	170,5
15 años	150	161	171
16 años	150,5	162	172
17 años	151	162,5	172
18 años	151	162,5	172

Talla en varones de 2 a 18 años (cm)

Edad	P3	P50	P97
2 años	82	87	93
2 años, 6 meses	87	92	99
3 años	90,5	96	102,5
3 años, 6 meses	94	100	106,5
4 años	97,5	103,5	110,5
4 años, 6 meses	100,5	106,5	114
5 años	102	110	118
5 años, 6 meses	105	114,5	122
6 años	108,5	117,5	126
6 años, 6 meses	111	120,5	129
7 años	114	124	133,5
7 años, 6 meses	116	127	136
8 años	119,5	130	140
8 años, 6 meses	121,5	133	141,5
9 años	124	135,5	145
9 años, 6 meses	126,5	138	147
10 años	128,5	140	150
10 años, 6 meses	131	142	152
11 años	133	144	154
11 años, 6 meses	135,5	147	157
12 años	138	149,5	162
12 años, 6 meses	140	152	165
13 años	142	155	169,5
13 años, 6 meses	145	159	173
14 años	146,5	162,5	177
15 años	151,5	167,5	182
16 años	156,5	171,5	185,5
17 años	159	173,5	186,5
18 años	159,5	174,5	187,5

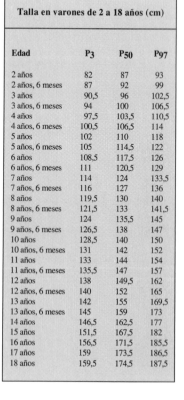

El aumento de peso presenta a estas edades variaciones personales muy aparentes, dependiendo de varios factores, pero fundamentalmente del hábito constitucional.

Pronóstico del crecimiento

Es un hecho indiscutible que en los países más desarrollados se está produciendo un lento pero continuo incremento de la talla media, al amparo de una nutrición cada vez mejor controlada y equilibrada, de una mejor calidad de vida y de la adopción de medidas preventivas que han permitido disminuir de forma espectacular las enfermedades infecciosas y los déficit vitamínicos. La recopilación de datos, facilitados por diversas fuentes, permite afirmar que se observan incrementos de 1 cm cada 10 años en la talla media final en la última mitad de siglo y también que la talla final se alcanza en edades más tempranas, del mismo modo que se observa un progresivo adelanto en la edad de aparición de la primera regla, siempre en grupos de población económicamente altos.

Para muchos padres constituye una auténtica preocupación conocer a priori la talla final que alcanzarán sus hijos, y lo demuestra la frecuencia con que se realiza esta consulta a los pediatras. Resulta difícil establecer pronósticos a largo plazo, pues durante toda la evolución del crecimiento pueden producirse incidencias sobre el mismo, y tampoco es fácil determinar la carga genética real de cada individuo. Cualquier pronóstico está expuesto a sorpresas, pero existen algunos datos que pueden utilizarse como indicios. El dato más valorable es el de la talla de los padres, hermanos y otros familiares cercanos. La talla de nacimiento tiene un valor relativo, pero si el niño al nacer tiene una talla P97 y la mantiene en el mismo percentil durante la primera infancia,

es probable que a los 18 años tenga una estatura que no se aparte mucho del P97.

Otro dato que puede resultar útil es el de la mitad de la talla definitiva. Observando los valores que figuran en las tablas, podremos comprobar que la mitad de la talla definitiva se alcanza a los 18-20 meses en las chicas y a los 24-26 meses en los chicos. Aplicando este dato a la inversa, podemos hacer un cálculo aproximado de la talla previsible de cada individuo.

Alteraciones del crecimiento

Con el fin de valorar las variaciones de la normalidad, deben tomarse en consideración los siguientes conceptos:

Talla normal: talla comprendida entre los percentiles 3 y 97.

Talla excesiva (hipercrecimiento): talla superior al P97.

Talla insuficiente (hipocrecimiento): talla inferior al P3.

Peso normal: peso comprendido entre los percentiles 3 y 97.

Peso excesivo (obesidad): peso superior al P97.

Peso insuficiente (delgadez): peso inferior al P3.

Normalmente, durante toda la infancia y adolescencia, los niños tienen una talla y un peso que corresponde al mismo percentil con ligeras variaciones. Si en un momento determinado se observa que se produce un cambio significativo de percentil en un período de tiempo no superior a los dos años, debe valorarse como alteración de la velocidad de crecimiento y es un signo de alarma de la posible existencia de una patología. En todo caso, el control pondoestatural del niño debe realizarlo el pediatra con revisiones repetidas a lo largo de toda la infancia, que serán mensuales durante el primer año, trimestrales en el segundo, semestrales hasta los cuatro años y anuales hasta los dieciocho o veinte, como medio más eficaz para detectar las posibles alteraciones del crecimiento y así instaurar pronto las medidas oportunas para su corrección.

Al hablar de trastornos del crecimiento no podemos dejar de hacer mención a un tema de actualidad: la hormona del crecimiento. El hecho de que haya sido posible la síntesis de esta hormona y su comercialización farmacológica ha hecho creer a algunos que disponemos de un eficaz medio para aumentar la talla de todos los niños. Esto es un grave error, ya que esta hormona sólo resulta eficaz para corregir la talla de aquellos niños que sufren un déficit congénito en la secreción de la misma, lo que les supondría padecer un enanismo. Así pues, este medicamento no sirve para hacer crecer a los bajitos, que lo son a pesar de segregar cantidades normales de hormona del crecimiento.

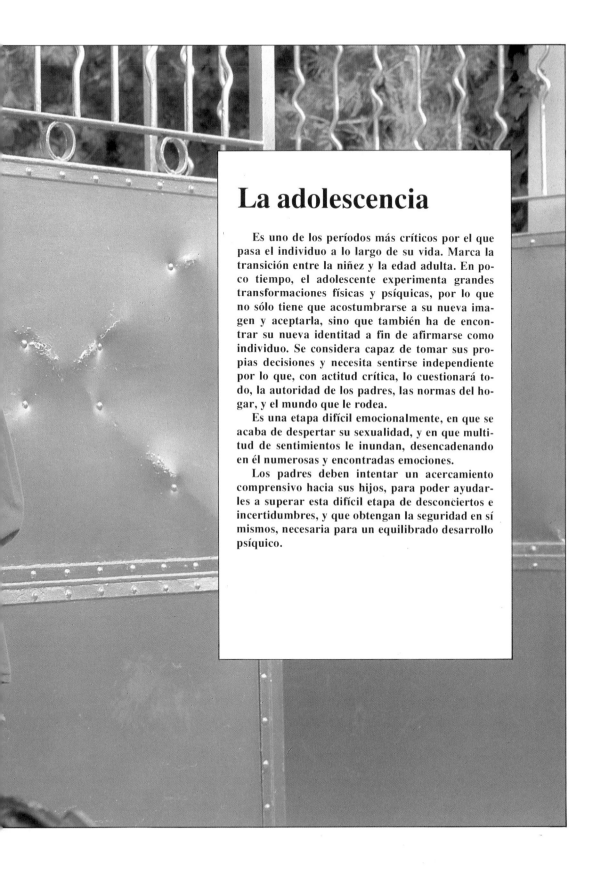

La adolescencia

Es uno de los períodos más críticos por el que pasa el individuo a lo largo de su vida. Marca la transición entre la niñez y la edad adulta. En poco tiempo, el adolescente experimenta grandes transformaciones físicas y psíquicas, por lo que no sólo tiene que acostumbrarse a su nueva imagen y aceptarla, sino que también ha de encontrar su nueva identidad a fin de afirmarse como individuo. Se considera capaz de tomar sus propias decisiones y necesita sentirse independiente por lo que, con actitud crítica, lo cuestionará todo, la autoridad de los padres, las normas del hogar, y el mundo que le rodea.

Es una etapa difícil emocionalmente, en que se acaba de despertar su sexualidad, y en que multitud de sentimientos le inundan, desencadenando en él numerosas y encontradas emociones.

Los padres deben intentar un acercamiento comprensivo hacia sus hijos, para poder ayudarles a superar esta difícil etapa de desconciertos e incertidumbres, y que obtengan la seguridad en sí mismos, necesaria para un equilibrado desarrollo psíquico.

La adolescencia

La adolescencia enmarca un período de la vida del ser humano extraordinariamente importante. Es una época de transición entre la infancia y la edad adulta, en la que el organismo experimenta los cambios más trascendentales, tanto en el aspecto físico u orgánico como en el psicológico. Es la etapa de la vida, junto con el primer año, en la que el ritmo de crecimiento es más desarrollado, al tiempo que se produce la maduración de la sexualidad hasta alcanzar la capacidad reproductiva que es la finalidad biológica del proceso. Ello coincide con una fase de reafirmación de la personalidad y del deseo de independencia.

Con la pubertad se pone punto final a la infancia, pero el adolescente aún vive en dependencia de los padres porque fundamentalmente no ha alcanzado la madurez social, lo que hace de la adolescencia una etapa especialmente conflictiva. A menudo no resulta fácil para el pediatra abordar la temática de la adolescencia, pues por sí misma requeriría una dedicación especializada. Pero en nuestra sociedad actual no existe aún esta dedicación y el pediatra es quien más a menudo es requerido por los padres para abordar los problemas que se suscitan porque consideran que, gracias al conocimiento de toda la etapa evolutiva precedente, se halla en mejor situación que nadie de conocer al adolescente. Por tanto, el pediatra no debe rehuir aportar sus conocimientos y experiencias para el correcto enfoque de los problemas que con los adolescentes puedan plantearse; su consejo puede ser muy valioso.

Quizá la mayor dificultad con que se encuentra el adolescente en su relación con la familia y la sociedad misma, es el de la incomprensión. Sólo a través de un profundo conocimiento de los cambios físicos que ocurren durante la pubertad y las especiales características que adopta la vida psicológica del adolescente es posible establecer la correcta relación que le permita alcanzar el proceso madurativo con equilibrio.

No es intención de esta obra profundizar excesivamente en el tema y por ello vamos a ofrecer fundamentalmente información sobre el cambio biológico que tiene lugar durante la pubertad, así como las características básicas de los conflictos emocionales y afectivos más corrientes en esta etapa.

El cambio físico en la pubertad

La pubertad normal es la expresión física de la maduración sexual, que depende de un complejo mecanismo hormonal y se manifiesta con una serie de cambios en el aspecto físico del niño o niña.

Se produce un crecimiento acelerado de las gónadas, hecho que sólo es objetivable en los varones: los testículos crecen de tamaño. En las niñas, el aumento de tamaño del ovario sólo se manifiesta en forma de algunas molestias abdominales bajas, esporádicas y no muy intensas.

Aparecen asimismo los caracteres sexuales secundarios, dependiendo de una mayor

Al iniciarse la adolescencia, finalizan los juegos en grupo entre niños y niñas. Por primera vez, los intereses de chicos y chicas se dedican a distintos objetivos. Se produce una definitiva separación del trabajo y de la diversión, es decir, ambas formas de actividad se despliegan una de otra en la conciencia pueril.

actividad hormonal de las gónadas:

1. Desarrollo de las mamas y transformación de la vulva en las hembras y desarrollo del escroto y del pene en los varones. En muchos niños puede apreciarse también un desarrollo transitorio y poco marcado del tejido mamario, acusando molestias al roce o a la presión, que es un hecho completamente normal.

2. Desarrollo del vello pubiano y axilar, por este orden, en ambos sexos.

3. Aceleración de la velocidad de crecimiento: durante la pubertad, el incremento de peso y talla por año alcanza un ritmo sólo comparable al del primer año de vida, superándolo en cifras absolutas, aunque no relativas. Esta aceleración de crecimiento aparece relativamente antes en la hembra que en el varón, es decir, que las niñas dan el «estirón» antes, alcanzando su talla definitiva en edades inferiores que los niños, que suelen crecer hasta más tarde.

4. Modificaciones de la distribución de la grasa corporal, que conducen a una configuración típica en cada sexo.

5. Aumento considerable de la masa muscular y modificaciones de la arquitectura del esqueleto: en el varón se ensanchan las espaldas, en la hembra se ensancha la pelvis.

6. Cambio de voz, más característico en el varón, al adquirir un tono más grave.

7. Modificaciones en la piel: acné, seborrea; vello corporal y facial en los varones.

8. Aparición de las primeras menstruaciones en edades comprendidas entre los 10,6 y 16 años (como media los 13,6 años) tardando normalmente más de un año en instaurarse los ciclos regulares y ovulatorios.

9. En el varón la edad media de la primera eyaculación consciente se sitúa alrededor de los 14 años y constituye un índice de maduración sexual.

10. Modificaciones de índole psicológica y de comportamiento, de las que trataremos más adelante.

La duración media de la pubertad es distinta en ambos sexos. En el varón es de unos 3 años, con variaciones de 1,9 a 4,7 años, y en la niña es de 1,8 años, con valores extremos de 0,7 y 3,6 años. La menarquía (aparición de la primera regla) se presenta como término medio dos años después del comienzo de la pubertad.

Comienzo de la pubertad

Existen una serie de factores, no directamente hormonales, que inciden en la edad de comienzo de la pubertad:

1. Factores genéticos o constitucionales, por los que hay una relación con la edad de la menarquía de la madre u otras hermanas y con la edad del cambio del padre u otros hermanos.

2. El sexo determina variaciones en la edad de comienzo de la pubertad, que aparece de uno a dos años antes en las niñas que en los varones.

3. Las condiciones socioculturales y, sobre todo, el contexto nutricional, que cuando es insuficiente puede retardar la aparición de la pubertad. A este respecto, parece evidente una mayor precocidad puberal en sociedades adelantadas que un siglo atrás.

4. Factores étnicos o raciales, que parecen no tener excesiva incidencia en el desarrollo genital propiamente dicho, pero en cambio se aprecian modificaciones de origen étnico en lo que se refiere a la pilosidad y el crecimiento pondo-estatural.

El comportamiento del adolescente

Paralelamente a los sustanciales cambios físicos que experimenta el niño con la llegada de la pubertad, se producen una serie de fenómenos que afectan a la conducta o comportamiento, cuyo estudio en profundidad requiere una dedicación exhaustiva que no nos proponemos abordar en todos sus aspectos. Pero es necesario establecer de algún modo una descripción que, aunque peque de superficial, informe a los padres sobre algunos de los rasgos de esta personalidad cambiante en sus hijos al llegar a la adolescencia.

Quizá lo más remarcable del cambio psicológico que experimenta el adolescente se fundamenta en establecer y confirmar el sentido de identidad, al mismo tiempo que procura sintetizar la personalidad y se esfuerza en independizarse de su familia, incorporando las enseñanzas que ha recibido a la realidad de la vida. Debe adaptarse a sus modificaciones físicas y orgánicas, asumiendo correctamente su desarrollo sexual y los impulsos psico-sexuales. En el curso de este proceso pueden aparecer situaciones conflictivas secundarias a una defectuosa relación con los padres, que se manifiestan en forma de ansiedad, aprensión, sentimientos de culpabilidad, comportamiento negativista, problemas o desviaciones sexuales, déficits de aprendizaje, malas relaciones con los adultos, incapacidad de asumir responsabilidades, actos de delincuencia y búsqueda de refugio en el mundo de la droga.

En la aparición de estos trastornos tiene gran parte de responsabilidad la mala orientación que, en las relaciones con el o la adolescente, hayan adoptado sus padres. Ocurre frecuentemente que muchos padres, que han sido muy eficaces en el aspecto educativo de las fases precedentes a la pubertad, con la llegada de ésta no saben cómo comportarse, se ven desbordados por la nueva problemática que se plantea e inconscientemente contribuyen a la aparición de trastornos de comportamiento y afectividad en sus hijos. No debe olvidarse que la adolescencia suele coincidir a menudo con crisis personales o matrimoniales de los padres por falta de asimilación de un envejecimiento que, no por

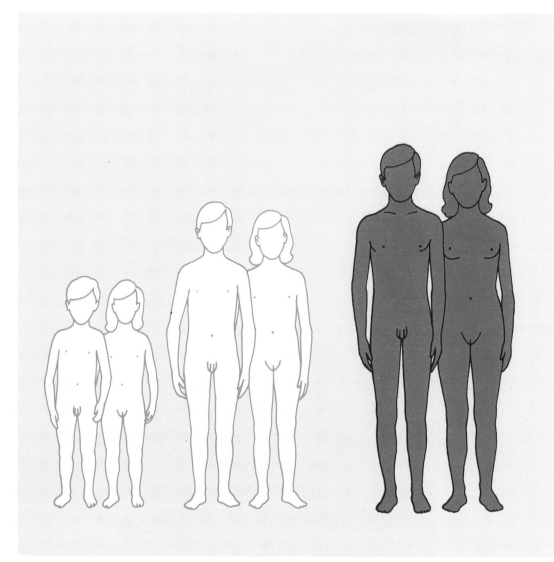

esperado, es siempre bien asumido. En líneas generales, podríamos decir que la correcta actitud de los padres para con sus hijos adolescentes debe contemplar las siguientes premisas:

1. Ayudarles a adquirir su completa emancipación, evitando prolongar excesivamente el control exhaustivo.

2. Ofrecerles un ambiente relajado y abierto que invite continuamente al diálogo.

3. Proporcionarles comprensión para su conducta y apoyo para sus nuevas vivencias.

4. Delimitarles el ámbito de su conducta y establecerles normas de comportamiento.

5. Aceptar las diferencias de criterio, no menospreciando nunca las opiniones del adolescente.

6. Intensificar la vida matrimonial para no sentirse vacíos ante la independencia de los hijos.

La crisis de la adolescencia

Los cambios de personalidad asociados a las transformaciones biológicas, características de la adolescencia, pueden ser considerados como una auténtica crisis por la que de alguna manera se rompe con el pasado. Quizás el rasgo más característico de esta crisis es la paradoja de que el adolescente sea inconsciente e imprevisible tanto combatiendo sus impulsos como dejándose desbordar por ellos. Es capaz de amar y detestar a la vez, de desear la independencia y de verse incapaz de comportarse como tal, de ser egocéntrico y desinteresado a un tiempo, de ser calculador y, sin embargo, idealista y generoso. Estas fluctuaciones, que podrían ser consideradas como anormales en cualquier otro período de la vida, en la adolescencia no son más que la manifestación de una etapa de transición en la personalidad.

La adolescencia es el período de la vida comprendido entre la pubertad y la madurez corporal. En los muchachos se inicia hacia los 14-15 años y en las chicas alrededor de los 12. Paralelamente a la modificación de los órganos genitales, a menudo se advierte un rápido crecimiento del cuerpo, que interesa al

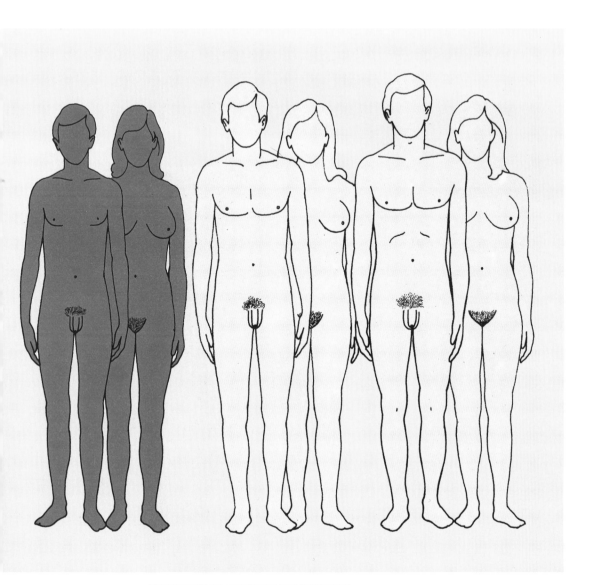

esqueleto y a los músculos; sin embargo, los protagonistas de la pubertad son las glándulas endocrinas, sexuales y no sexuales, como la hipófisis, las suprarrenales y las tiroides. La adolescencia también entraña una etapa conflictiva, de la que depende la definitiva personalidad del adulto.

Conflictos con los padres

En la búsqueda de la propia identidad, el primer choque que se produce es frente a los padres, por cuanto han representado hasta entonces el papel protector. El adolescente, para conseguir su propia libertad individual debe romper con esta protección, y lo hará de manera tanto más violenta cuanta mayor sea la resistencia que se le oponga. La actitud de los padres en este enfrentamiento será decisiva. Las posturas vacilantes y angustiadas son mucho más negativas que las firmes y decididas. Los padres que confunden la postura rebelde y crítica de su hijo con el fracaso de su actitud educativa, no hacen más que aumentar la inseguridad y confusión del hijo. Tener paciencia también

es educar. El mejor favor que puede hacerse al adolescente rebelde es ofrecerle posturas firmes, razonables y razonadas que correspondan a criterios estables en toda la etapa educativa. El adolescente proyecta con frecuencia sus sentimientos de resentimiento contra él en su propio padre. Conocedor de su propio conflicto y dificultad en tomar decisiones y en sentar reglas de disciplina, hace como si pareciese que el padre representa un aspecto de su conflicto. Los adolescentes son capaces de rebelarse contra las normas dictadas por los padres, pero se sienten satisfechos de tener unos padres capaces de tener unas normas. Frente a los amigos, les resulta mucho más aceptable criticar a los padres por la incomprensión que supone obligarles a llegar pronto a casa, por ejemplo, que asumir la responsabilidad de decidirlo por sí mismos.

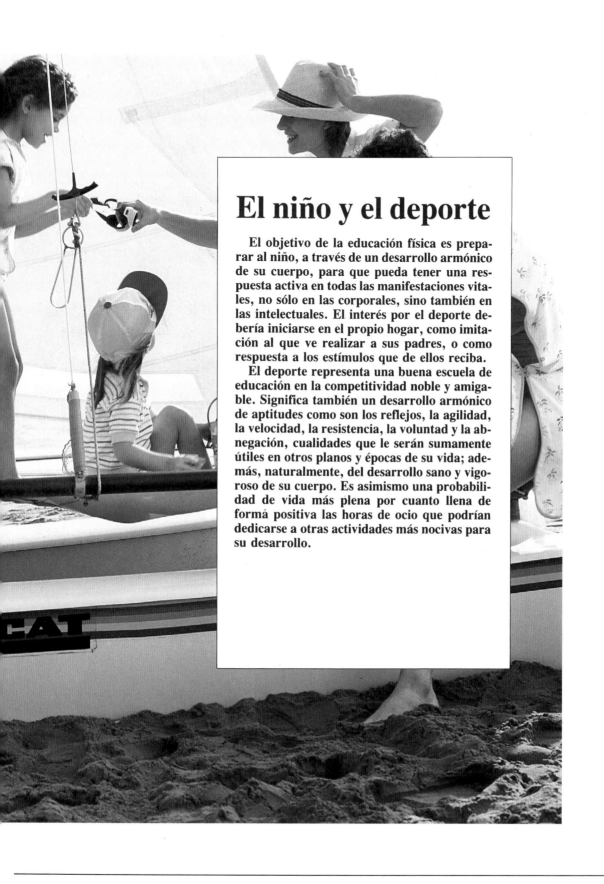

El niño y el deporte

El objetivo de la educación física es preparar al niño, a través de un desarrollo armónico de su cuerpo, para que pueda tener una respuesta activa en todas las manifestaciones vitales, no sólo en las corporales, sino también en las intelectuales. El interés por el deporte debería iniciarse en el propio hogar, como imitación al que ve realizar a sus padres, o como respuesta a los estímulos que de ellos reciba.

El deporte representa una buena escuela de educación en la competitividad noble y amigable. Significa también un desarrollo armónico de aptitudes como son los reflejos, la agilidad, la velocidad, la resistencia, la voluntad y la abnegación, cualidades que le serán sumamente útiles en otros planos y épocas de su vida; además, naturalmente, del desarrollo sano y vigoroso de su cuerpo. Es asimismo una probabilidad de vida más plena por cuanto llena de formá positiva las horas de ocio que podrían dedicarse a otras actividades más nocivas para su desarrollo.

Importancia de la educación física

Sin necesidad de recurrir a la ciencia ficción nos tiene que resultar fácil imaginarnos cómo será la vida cuando nuestros hijos se conviertan en adultos. Los progresos de la tecnología y la superpoblación configurarán una situación ambiental que diferirá bastante de la actual y mucho de la que vivimos nosotros en nuestra infancia. Las ciencias técnicas se preocupan de que el trabajo cada vez resulte más fácil y cómodo de realizar, que los desplazamientos tengan lugar con mayor rapidez y menor esfuerzo, que los hogares dispongan de mayores comodidades, en suma, que el automatismo sustituya al hombre en todo aquello que pueda representar un esfuerzo. Por otra parte, las ciudades, con sus grandes colmenas humanas, irán perdiendo zonas verdes, limitando la posibilidad de esparcimiento, la atmósfera y mares contaminados irán privando del libre contacto con la Naturaleza. Entre los hombres del año 2000, sólo destacarán aquellos que posean una salud a toda prueba y un excelente equilibrio psíquico. Por duro que esto parezca, estamos convencidos de que es algo muy real. Por esto no nos cansaremos de insistir que la puericultura que debemos desarrollar ahora debe ir encaminada a conseguir el máximo bienestar físico, psíquico y social de los niños. Para conseguirlo debemos facilitarles una alimentación sana y completa, una medicina preventiva racional, una educación basada en un excelente conocimiento psicológico y una educación física completa y adecuada a la constitución del niño.

En las páginas siguientes vamos a centrarnos en los aspectos fundamentales de la educación física de los niños. Su justificación podemos limitarla a dos hechos muy concretos: 1) resulta imprescindible para un óptimo desarrollo físico y para conseguir una estabilidad psíquica, evitando al mismo tiempo el peligro de posturas defectuosas, deficiente circulación o fallos de la coordinación motora; 2) orienta y habitúa al niño en la práctica de un deporte, hecho que consideramos imprescindible para su adolescencia y edad adulta, épocas en las que, poco a poco, tendrá una natural tendencia al sedentarismo.

Si comparamos la vida de los niños de ahora con la de los que nacieron hace un siglo o más, nos daremos cuenta de las grandes diferencias que los separan. De entrada, los escasos cuidados antenatales y postnatales ya suponían una criba que apeaba del camino a los más débiles. Las enfermedades infecciosas eran una dura prueba para los que quedaban y, a pesar de las deficientes condiciones de vida, los niños, gracias a su libertad, a los mayores espacios de que disponían, jugaban, daban volteretas, se subían a los árboles, brincaban y centraban sus juegos en la actividad puramente física. Los niños de

ahora ven limitadas sus posibilidades por falta de espacios adecuados, porque los juguetes son más técnicos, porque muchas escuelas no tienen patios o jardines y, si los tienen, se encuentran abigarrados de niños, porque, en suma, gozan de menos libertad. Esta actividad física espontánea que ahora ven notablemente limitada debe suplirse con un ejercicio controlado para que se fortalezcan sus músculos y se estimule su desarrollo.

Está comprobado que el ejercicio físico es una realidad positiva para el desarrollo físico y psíquico de niños, jóvenes y adultos. Su carencia, así como su práctica exagerada, producen efectos contraproducentes.

Influencia del ejercicio físico en el crecimiento

Una de las principales preocupaciones para muchos padres estriba en que sus hijos crezcan al máximo y alcancen, a ser posible, una talla superior a la de ellos mismos. La reiterada frase «¡qué alto está el niño!» es una de las mayores gratificaciones que pueden recibirse. Constantemente nos es solicitada la medida comparativa con la normalidad de la talla de los niños que acuden a nuestra consulta. Si ésta es normal o superior al promedio, podemos observar la expresión de orgullo y satisfacción en los padres. Si es inferior al promedio, se nos requiere para facilitar el medio de subsanar lo que se consi-

dera como un problema. Siempre decimos lo mismo, en estos casos: que la talla depende de las características hereditarias transmitidas por los padres y es algo que no podemos modificar; que es lógico que un niño sea bajito si sus padres son también bajos; que lo único que podemos hacer es no privar al niño de aquellos elementos que necesita para un correcto desarrollo estatural, una alimentación sana y completa, un aporte vitamínico y mineral suficiente y la realización de un ejercicio físico cabal y adecuado a las posibilidades del niño, según su edad y condiciones físicas.

Se han realizado estudios de las posibles influencias del ejercicio físico sobre el desarrollo y crecimiento de los niños, y aunque por el momento no hayan resultado muy concluyentes, proporcionan datos que hacen pensar que, efectivamente, ejercen una influencia favorable y pueden encontrarse mejores índices de crecimiento entre grupos de niños que practican algún deporte completo (atletismo, gimnasia, natación, etc.) que entre otros grupos de niños que no tienen este tipo de actividad.

Sea como sea y valorando también el excelente influjo que el deporte ejerce sobre la personalidad del niño, consideramos imprescindible la actividad física dentro del plan educativo de los niños, pero siempre de un modo racional, orientado y controlado por expertos y bajo asesoramiento médico. Lo que quizá puede parecer sorprendente es que esta actividad debe comenzar desde los primeros estadios de la vida, durante la lactancia, para que realmente sea efectiva. Los lactantes, a los que no se permite suficiente libertad de movimientos, corren el peligro de sufrir retrasos en su desarrollo. El bebé que pasa la mayor parte del tiempo en su cuna, además de ver muy limitados sus contactos con el mundo exterior, no desarrolla suficientemente sus músculos, puede ser que engorde mucho, pero no se fortalece. Por tanto, debe moverse, debe establecer contactos con lo que le rodea, para recibir estímulos que le inciten a levantar la cabeza, a sentarse, a darse la vuelta, a utilizar sus manos y sus pies, a desplazarse por sí mismo, a levantarse y, cuando llegue el momento, a empezar a andar. Todo ello, en suma, le ayudará también a algo muy importante: a crecer.

La madre debe ayudar al bebé a realizar ejercicios físicos, que cooperarán a su posterior desarrollo.

La gimnasia del lactante

Los movimientos espontáneos del lactante, del niño que todavía no anda, pueden resultar a veces insuficientes para fortalecer sus músculos. La realización diaria de unos sencillos ejercicios gimnásticos puede contribuir al fortalecimiento muscular y a la movilización de sus articulaciones, proporcionándole mayor agilidad. Al mismo tiempo, el gasto de energía que ello supone puede actuar como excelente estimulante del apetito. La gimnasia, en el bebé, hace consumir las grasas en beneficio de un mejor tono muscular.

A partir de los tres meses pueden empezar los ejercicios gimnásticos del lactante. Se realizarán diariamente durante un tiempo que oscilará entre 5 y 15 minutos. El momento ideal es antes del baño, con el niño completamente desnudo encima de una mesa cubierta con una manta o toalla.

Los ejercicios durante el primer año deben ser muy simples, realizándolos de forma pasiva al principio (sin exigir esfuerzo al niño) y activos a partir de los seis meses (procurando que el niño participe voluntariamente).

Ejercicio n° 1. Con este ejercicio se pretende que trabajen los músculos extensores del cuello y el bebé se acostumbre a mantener la cabeza erguida. Debe colocársele boca abajo y estimularlo a que levante la cabeza acercándole un objeto vistoso que le llame la atención. Se procurará que se mantenga en esta postura en tiempos progresivamente crecientes: al principio 30 segundos, después 1 minuto, e ir aumentando medio minuto cada vez hasta llegar a los 3.

Ejercicio n° 2. Lo realizaremos para movilizar las articulaciones de las extremidades superiores, hacer trabajar sus músculos y ensanchar la caja torácica. Se pone al bebé tumbado boca arriba y se hace que tome en cada mano uno de nuestros pulgares, que los sujetará con fuerza en virtud del reflejo palmar. Los movimientos se realizarán en 4 tiempos: 1) brazos en alto, a ambos lados de la cabeza, 2) brazos en cruz, 3) brazos a lo largo del cuerpo, 4) se retornará al primer tiempo, pasando por los brazos en frente. Se hará cinco veces en cada sesión.

Ejercicio n° 3. Con el bebé acostado de espaldas, se le hará coger los pulgares y, sujetándole ligeramente por los antebrazos, se le extenderán ambos brazos en cruz. Desde esta posición se llevarán a la línea media de modo que se crucen sobre el pecho en forma de abrazo, repitiéndolo cinco veces. Este ejercicio fortalece la articulación del hombro y estimula el desarrollo de los músculos pectorales.

Ejercicio n° 4. Coloque al bebé tendido boca abajo y sujetándole con ambas manos por los muslos, imprímale un lento movimiento de rotación hasta que quede colocado boca arriba. Al principio el niño efectuará el giro de una forma pasiva, pero rápidamente contribuirá con su propio esfuerzo. Repita el giro cuatro o cinco veces. Con este ejercicio se proporciona al bebé un sentido espacial de situación al mismo tiempo que se fortalecen los músculos del tronco.

Ejercicio nº 5. Para fortalecer los músculos de las piernas y proporcionar agilidad a las articulaciones de la cadera y rodillas resulta muy útil imitar de forma pasiva el movimiento del pedaleo. Se pone al bebé tumbado sobre su espalda y, sujetando las piernas por los tobillos con las manos, se dobla suavemente su rodilla hasta conseguir que el muslo contacte con el abdomen, mientras la otra pierna se mantiene estirada. Después se realiza el movimiento en sentido contrario: se estira una pierna mientras se flexiona la otra. Se repetirán estos movimientos cinco o seis veces, procurando no forzar nunca las articulaciones, y se comprobará que, de forma progresiva, va aumentando la flexibilidad.

Ejercicio nº 6. En la misma postura del ejercicio anterior, flexionar ambas rodillas a la vez, como si quisiéramos poner al bebé en cuclillas, y luego extender las piernas simultáneamente, con lo que estimularemos a los músculos extensores de las piernas. Estos movimientos se repetirán cinco o seis veces.

Ejercicio nº 7. Para estimular los músculos abductores de las piernas, se parte de la misma postura de los ejercicios anteriores: el bebé echado sobre su espalda y con las piernas extendidas, se toman sus tobillos con ambas manos, separándolos unos 20 cm, de modo que los ejes de las extremidades formen un ángulo de unos 45º. Al igual que con los otros ejercicios, lo repetiremos cinco o seis veces.

Ejercicio nº 8. Para realizar este ejercicio es preciso que el bebé haya cumplido ya los 6 meses, para que tenga un buen tono muscular en los extensores de la cabeza y en los músculos del tórax. Se coloca boca abajo, con los brazos estirados hacia los lados, se le coge con cuidado por los codos y se le levanta un poco la parte superior del cuerpo. Se repetirá seis veces, procurando que, en todo momento, el abdomen no se separe de la superficie plana. Muy pronto podrá apreciarse que el bebé participa activamente, con lo que se conseguirá un alto grado de fortaleza en los músculos de la espalda, muy necesaria para que se mantenga correctamente sentado.

Ejercicio nº 9. Póngase al bebé (si tiene más de 6 meses) echado sobre su espalda y haga que se sujete a nuestros pulgares. Se tira de los brazos suavemente hasta alcanzar la posición de sentado. En tanto no se aprecie participación activa del niño, sólo se hará dos o tres veces y sin llegar a sentarse. Muy pronto el niño se

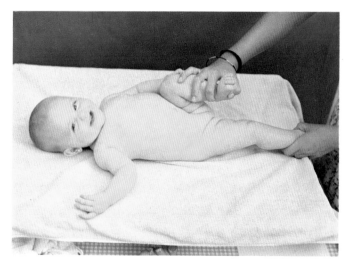

esforzará con la contracción de los músculos abdominales y entonces podremos aumentar el número de movimientos hasta cinco o seis y llegar a sentarle.

Ejercicio nº 10. Es una ampliación del ejercicio anterior, que puede realizarse después del octavo mes, cuando se aprecie que muestra tendencia a la incorporación. Estando el bebé sentado, se proseguirá la tracción de sus manos hasta que se ponga de pie, para sentarle nuevamente. Se repetirá el ejercicio cinco veces.

El ejercicio de pedaleo fortalece los músculos de las piernas y aumenta la agilidad de las articulaciones de cadera y rodilla. Se sujeta al niño por los tobillos y se le flexiona una pierna hasta que toque el abdomen, mientras la otra se mantiene estirada; a continuación se lleva a cabo el mismo movimiento en sentido contrario.

La gimnasia del niño que anda

Cuando el niño ha iniciado la deambulación, su ejercicio físico espontáneo aumenta considerablemente. Su movilidad y sus posibilidades de desplazamiento suponen un estímulo constante para su desarrollo muscular, evidenciándose en una ligera detención de la cúrva de peso. Se queman muchas grasas y los músculos aumentan de tono, especialmente los de las extremidades inferiores y abdomen, apreciándose una disminución de la barriga. Cuando aprende a encaramarse a sillas o sofás y a subir escaleras, todos los músculos del cuerpo participan en estos movimientos, que suponen un excelente deporte. Los ejercicios gimnásticos que pueden hacerse durante el segundo año de vida son más limitados, pues la colaboración del niño suele ser difícil, a no ser que se les dote de una gran dosis de imaginación y le resulten francamente divertidos. En todos ellos es necesaria una activa participación de los padres y la utilización de enseres domésticos que representan el papel de aparatos gimnásticos.

La gimnasia, o cualquier otro ejercicio físico, precisa de la intervención de la voluntad, que debe vencer y «hacer obedecer» al cuerpo. Por ello es difícil que el niño practique solo alguna clase de ejercicios. Deberá hacerlo en grupo, en la escuela al lado de sus compañeros o, todavía mejor, con sus padres y hermanos en el hogar.

Resultarán útiles una escoba, una silla, una cuerda, etc. Al mismo tiempo, empezará a ser necesaria la vida al aire libre para que los pulmones del niño reciban aire limpio y fresco, a fin de que aumenten las posibilidades de expansión. Ello se podrá conseguir acudiendo con frecuencia a parques y jardines o prodigando los fines de semana en el campo, playa o montaña.

Ejercicio nº 11. Con el niño colocado boca abajo, se le cogen los tobillos y se levantan suavemente las piernas hasta que apoye solamente el pecho, los hombros y los brazos; se le mantiene en esta postura diez segundos y se vuelve a bajar suavemente. Repetirlo cinco veces. Con este ejercicio se estimulan los músculos de la espalda y de la región glútea.

Ejercicio nº 12. Partiendo de la misma postura del ejercicio anterior, se sigue levantando las piernas hasta que el niño sólo apoya la cabeza y las manos, manteniendo el cuerpo en posición vertical. Con ello se ponen en juego los músculos extensores de la espalda. Repetir el ejercicio tres veces.

Ejercicio nº 13. Se toma al niño en brazos, de modo que sus piernas se coloquen a cada lado de nuestra cintura, se le sujeta fuertemente con ambas manos por la espalda, por encima de las nalgas. Desde esta posición se hace que el niño se heche hacia atrás y luego por sí mismo se incorpore hasta la postura inicial. Que lo repita tres o cuatro veces. Es un excelente ejercicio para conseguir un buen tono de los músculos abdominales.

Ejercicio nº 14. Es el ejercicio inverso al anterior, que pretende desarrollar los músculos de la espalda. Sujetando al niño por el abdomen se hace que coloque su espalda contra nuestro pecho. Se le invita a doblarse hacia delante (se le puede hacer coger un objeto) y a incorporarse nuevamente, repitiendo el movimiento tres o cuatro veces.

Ejercicio nº 15. Para estimular la coordinación motora de las extremidades inferiores, puede resultar útil colocar un palo o escoba horizontalmente a un palmo del suelo y hacer que el niño pase de un lado a otro, dándole la mano al principio y por sí solo más adelante.

Ejercicio nº 16. Para desarrollar el sentido del salto, resultan muy útiles las escaleras. Hacer que salte al principio desde el primer escalón, acompañándole de la mano, después que lo intente sin sujetarlo. Seguidamente desde el segundo escalón, con ayuda y después sin ayuda, siguiendo así sucesivamente.

La gimnasia entre los dos y los ocho años

Después del segundo año, el niño alcanza el grado de tono muscular y coordinación motora que nos permite ampliar considerablemente el número de ejercicios y hacerlos más variados y divertidos. Al mismo tiempo, el niño es mucho más capaz de comprender las explicaciones que a veces precisan. Estos ejercicios tanto pueden realizarse en casa como al aire libre y constituyen la base necesaria para lograr un desarrollo y elasticidad suficientes con que iniciar cualquier tipo de práctica deportiva.

Para el niño siempre será mejor hacer gimnasia acompañado de los mayores, y es prácticamente imposible pretender que haga solo sus ejercicios; ni siquiera es válido confiar la educación física a la escuela o gimnasio. No es que pretendamos que la actividad física en estos ámbitos docentes sea mala, pero muchas veces no es constante y en demasiados casos inexistente. Lo ideal es que la educa-

Puede decirse que entre los 2 y los 8 años el cuerpo infantil sufre una verdadera eclosión de crecimiento. Es muy importante que el pequeño practique ejercicios físicos que contribuirán a su conocimiento y control del funcionamiento muscular.

ción física se inicie en el ámbito familiar y, a ser posible, de forma colectiva. Tanto puede hacerse en el hogar como aprovechando las salidas al aire libre. El deporte en familia no tan sólo desarrolla las cualidades físicas, sino también estimula las relaciones familiares y sociales. Quisiéramos hacer comprender que uno de los principales medios de enriquecer la salud de los niños, e incluso de prevenir enfermedades, está en la realización de excursiones y paseos al aire libre, lo cual no significa, ni mucho menos, meter a los niños en el coche y dedicarse a devorar kilómetros de carretera. Es necesario, como primer y sano ejercicio, andar, correr, respirar aire puro, libre de contaminaciones, tomar el sol y mantener un contacto íntimo con la naturaleza. En segundo lugar, organizar juegos y ejercicios colectivos para los que serán necesarios pelotas, raquetas, cuerdas y otros útiles similares.

De entre los innumerables ejercicios que pueden hacerse con niños de edades comprendidas entre dos y ocho años, vamos a describir algunos que consideramos interesantes y que exponemos según orden relacionado con las edades.

Ejercicio nº 17. Se hace gatear al niño por entre las piernas del papá o la mamá, y alrededor de las mismas trazando un 8. Este ejercicio fortalece los hombros, pues los brazos actúan

La gimnasia rítmica y el ballet, clásico o moderno, son muy beneficiosos para que las niñas consigan un cuerpo y unos movimientos armoniosos. Si se dedican al ballet clásico no deben practicar ejercicios de puntas hasta los 8 o 9 años, para evitar la posible deformación de los pies.

como elemento impulsor y se estimula la flexibilidad de la columna vertebral.

Ejercicio nº 18. Se hace andar con las manos mientras se mantienen sujetas las piernas, simulando una carretilla. Durante la marcha se le invita a levantar primero una mano, después la otra, se le puede hacer subir un escalón, bajarlo nuevamente y tocar con la cabeza en el suelo.

Ejercicio nº 19. Se deja una cuerda en el suelo y que el niño permanezca de pie junto a ella, advirtiendo que trate de pisarla. Se toma un extremo de la cuerda y se le imprime un brusco movimiento lateral de modo que se mueva en forma de S. Con este ejercicio lo que se estimula es la agilidad y la capacidad de reacción del niño.

Ejercicio nº 20. Se coloca un almohadón en el suelo y se invita al niño a que lo salte, procurando no tocarlo. Para desarrollar la capacidad de salto de altura, pueden irse colocando almohadones, uno encima del otro, y para estimular el salto de longitud, colocar otro almohadón al lado e irlo separando paulatinamente.

Ejercicio nº 21. Con el niño echado de espaldas en el suelo, se le hace levantar las piernas juntas hasta alcanzar la posición vertical y luego bajarlas hasta el suelo muy despacio. Una vez en esta posición, indicarle que se siente bruscamente e intente tocar los pies con la punta de los dedos. Este ejercicio puede repetirse varias veces y estimula los músculos abdominales.

Ejercicio nº 22. Se toman los antebrazos del niño con ambas manos y se le pide que apoye los pies sobre nuestra barriga. Una vez en esta posición que se dé un poco de impulso con los pies hasta completar una voltereta hacia atrás. Seguramente este ejercicio le resultará divertido y será capaz de repetirlo cuatro o cinco veces. Sirve de preparación para realizar la voltereta en la barra fija, cosa que hará con facilidad en cualquier parque infantil, si se le ayuda al principio dándole un suave empujón en el momento justo.

Ejercicio nº 23. Sentarse en el suelo con el niño frente a frente, separar las piernas y apoyar los pies unos a otros y cogerse de las manos. Se pide al niño que se eche adelante todo lo que pueda mientras nosotros nos echamos hacia atrás. Seguidamente hacer el movimiento contrario a modo de columpio. Este ejercicio hace trabajar rítmicamente los músculos del abdomen y de la espalda y proporciona flexibilidad a la columna vertebral.

Ejercicio nº 24. Se coloca una silla en el centro de una habitación y se hace que el niño ande a gatas por el suelo, empujando una pelota con la cabeza alrededor de la silla. Además de obligar a un enderezamiento de la columna vertebral, favorece el ensanchamiento de la caja torácica por el esfuerzo a que se someten los brazos, en su postura, separados del tórax.

Ejercicio nº 25. Para estimular la coordinación necesaria para el salto, se toma al niño de una mano y se le hace saltar sobre un pie, luego sobre el otro y se le suelta para que lo haga sin apoyo.

Ejercicio nº 26. Para estimular el sentido del equilibrio, se coloca en el suelo una cuerda formando una línea recta y se hace que el niño la recorra en toda su longitud, pisándola siempre con un pie por delante del otro. Para mantener el equilibrio puede hacerse que ponga los brazos extendidos en cruz. Una vez se haya conseguido un buen equilibrio en la marcha hacia adelante, se puede intentar que recorra la cuerda andando hacia atrás.

Ejercicio nº 27. Se coloca al niño tumbado en el suelo, boca abajo, y se pone delante suyo un palo o escoba en sentido vertical. Se le invita a que trepe por el palo con las manos, colocando sucesivamente una mano sobre la otra, comprobando hasta qué altura es capaz de llegar, procurando que en ningún caso separe el abdomen del suelo. Este ejercicio actúa de modo favorable sobre la musculatura de la espalda y proporciona flexibilidad a la columna vertebral.

Ejercicio nº 28. Entre dos personas mayores se sujeta una escoba en posición horizontal, a modo de barra fija, a una altura del suelo un poco superior a la talla del niño, el cual debe cogerla con ambas manos y, encogiendo los pies, columpiarse cinco o seis veces. Este movimiento fortalece los brazos y los hombros, contribuyendo al enderezamiento de la espalda.

Ejercicio nº 29. Se hace que el niño se siente en el suelo con las piernas estiradas y se coloca una pelota delante de sus pies. Con una mano tiene que hacer rodar la pelota alrededor de su cuerpo, hasta ponerla otra vez delante de los pies. El ejercicio se efectuará cuatro o cinco veces, en cada sentido, para hacer trabajar por un igual todos los músculos del tronco, proporcionando además una gran elasticidad a la columna vertebral.

Ejercicio nº 30. La madre y el niño se ponen de pie, dándose la espalda, a una distancia ligeramente superior a un metro. El ejercicio consiste en pasarse la pelota, una vez por un lado, otra por el otro, procurando no mover los pies en ningún momento. Con estos movimientos se hace trabajar mucho la cintura; también pueden efectuarse estando de rodillas o sentados en el suelo.

Ejercicio nº 31. Consiste en que el niño

efectúe un giro lo mayor posible, al mismo tiempo que salta sobre los dos pies. Con las piernas ligeramente separadas se le hace que salte, al tiempo que gira sobre su propio eje, intentando llegar hasta la postura inversa a la de reposo.

Ejercicio nº 32. Se trata de la típica flexión del tronco hacia adelante hasta conseguir tocar el suelo con la punta de los dedos, sin doblar las rodillas. Normalmente no puede conseguirse antes de los 5 años. Una variedad del mismo ejercicio puede consistir en hacer flexionar las rodillas y apoyar las palmas de las manos en el suelo y, bruscamente, efectuar un salto hacia atrás sin mover las manos y conseguir que las piernas queden estiradas, apoyando sólo las puntas de los pies en el suelo.

Ejercicio nº 33. Se coge una escoba, del mismo modo que en el ejercicio 28, pero esta vez se coloca a 60 o 70 cm de una pared. El niño debe suspenderse de la misma con ambas manos y apoyar los pies en la pared, intentando trepar por ella, con sus pies descalzos. A medida que el niño sea capaz de ganar mayor altura, llegará un momento en que, con un ligero impulso de las piernas, será capaz de dar una voltereta hacia atrás por encima de la escoba.

Ejercicio nº 34. A partir de los 6 años ya puede empezar a dar volteretas sin ayuda de nadie. Para ello, debe disponerse de una colchoneta o varios almohadones, si se hace en casa, o de césped en el campo o arena en la playa. Al principio, la voltereta se ensayará desde una posición estática, poniendo la cabeza en el suelo cerca de los pies y dándose un ligero impulso con las piernas, pero más adelante debe intentarse hacer la voltereta con ligera carrerilla y dando un salto con los dos pies antes de apoyar la cabeza y las manos en el suelo.

El niño desarrolla generalmente una gran actividad física, en especial si puede vivir una parte importante de su tiempo al aire libre. Se deberá procurar que las vacaciones representen para él una temporada en la montaña o en el mar, en contacto con la naturaleza. Los juegos y competiciones con sus compañeros suplen con creces las actividades gimnásticas que practica en la escuela durante el invierno. Si debe permanecer en la ciudad en el verano, se le buscará alguna actividad entre las muchas que organizan los organismos públicos.

El niño: salud *versus* enfermedad

La salud es una necesidad básica en la realización práctica de una existencia plena y feliz, aunque sea posible encontrar seres que, a pesar de no poseerla, han logrado una vida llena de complacencias y de belleza.

La salud debe ser el ideal de existencia que los padres se propongan para sus hijos; la enfermedad es la realidad que deben afrontar. Contra la dolencia los padres deben luchar con las mejores armas: el conocimiento y la asistencia especializada.

Saber qué son las enfermedades, cómo se desarrollan, cuáles son sus síntomas y los medios que contra ellas se emplean, no significa que los padres deban suplantar al médico, representa poder enfrentarse a las dolencias con la serenidad que da tener delante algo ya conocido. Tras esto se debe buscar inmediatamente la asistencia del especialista y secundarla, atendiendo de la forma más exacta posible todas sus indicaciones.

La medicina es la tutela de la salud en sus dos vertientes: la curación de las enfermedades y también, lo que es quizá más importante, mediante su prevención. En estos dos aspectos la aportación de los padres reviste gran importancia.

Medicina preventiva en la infancia

A partir del momento en que la Medicina ha empezado a preocuparse de la salud, considerándola como el remedio más eficaz para combatir la enfermedad, se ha iniciado verdaderamente una nueva era médica. Hasta este momento, el médico sólo se preocupaba del individuo enfermo, sin valorar que la mejor forma de luchar contra la enfermedad era tratar de evitarla. Cuando el médico se ha dado cuenta de la importancia de la salud, ha nacido la Medicina Preventiva que se desarrolla fundamentalmente, en toda su esencia, durante la infancia. El mantenimiento de la salud en el niño es la mejor garantía de una vida sana; la medicina infantil debe poseer una visión de futuro, alcanzando no sólo a solucionar los problemas planteados durante la niñez, sino tratando de evitar secuelas para la edad adulta.

La salud, según el sentido difundido por la Organización Mundial de la Salud, es el estado de completo bienestar físico, psíquico y social, no la mera ausencia de enfermedades. La consecución de este estado de bienestar, en el niño, es responsabilidad primordial de los padres y secundaria de la familia, la sociedad y la Medicina.

Los padres, al transmitir su carga genética en el momento de la concepción, dan el primer paso del largo camino de una vida por la que deberán velar en múltiples aspectos. En primer lugar, procurando engendrar hijos a partir de un estado de salud satisfactorio, más adelante manteniendo un control riguroso de la gestación hasta el momento del parto, que debe tener lugar en condiciones idóneas. A partir del nacimiento del nuevo ser, proporcionándole una nutrición, higiene y atenciones apropiadas; manteniendo un control pediátrico eficaz, integrando al niño de forma adecuada en su status socioeconómico y procurando conocerle suficientemente para darle aquello que necesita y de la forma más conveniente para su bienestar.

La Pediatría preventiva es pues, en esencia, lo que pretendemos definir como Puericultura, «el arte de cuidar a los niños», que abarca aspectos tan amplios como higiene, nutrición, educación, psicología, enseñanza y deporte; también comprende conceptos tan generales como la mejoría de las condiciones de vida, en sus aspectos social y económico. Poco puede hacerse para conseguir el bienestar de los niños si la sociedad no se preocupa de luchar contra el hambre y la contaminación, de elevar el nivel medio de vida y de cultura o de proporcionar una asistencia médica completa. Por ello, la Puericultura es una labor de conjunto cuya coordinación compete al pediatra, quien debe contar con el apoyo incondicional de los padres, por un lado, y de la sociedad por otro.

El logro de la salud mental en el niño lo concebimos en el seno de la vida familiar y como consecuencia de un equilibrio estable. Así como el hogar, para que exista, precisa del ente material de una vivienda, la familia, como tal, necesita de la existencia de unos hijos que, partiendo de sus progenitores, condicionen a éstos como tales. El niño se sentirá equilibrado si su familia está homogéneamente constituida en independencia de los factores económicos, religiosos y culturales. Los principales problemas que a nivel mental se presenten serán consecuencia, casi siempre, de la pérdida de este equilibrio, tal como ocurre con la pérdida de uno de los padres, en casos de separación matrimonial, etc. Los restantes factores, ambientales, personales, actúan a un nivel secundario e influyen de modo marginal en el bienestar mental del niño.

Pero aquí, quizás, en lo que mayormente podemos insistir es en la forma de obtener un óptimo bienestar físico del niño, tratando de impedir la aparición de la enfermedad. Este fin ve paulatinamente cumplidos sus objetivos con una disminución de la mortalidad infantil, que ha alcanzado sus cotas más bajas en los países desarrollados. Los hechos concretos que han contribuido a este descenso podemos resumirlos en:

Los reconocimientos periódicos en la infancia permiten descubrir a tiempo imperfecciones, carencias o algunas deficiencias en el desarrollo infantil, pudiendo, de esta forma, evitar futuras enfermedades irreversibles, precisamente porque pueden tratarse en sus comienzos.

a) Mayor conocimiento de los caracteres hereditarios gracias a estudios genéticos, con lo cual se ha podido limitar la descendencia de individuos portadores de taras o enfermedades hereditarias.

b) Vigilancia médica del embarazo y del parto.

c) Control neonatal de enfermedades metabólicas que, gracias a su diagnóstico precoz, han podido ser corregidas con las medidas adecuadas.

d) Crecientes adelantos de la Medicina en el tratamiento de las enfermedades infecciosas, alérgicas, degenerativas, metabólicas y funcionales.

e) Difusión de las normas higiénicas y dietéticas, adaptadas a las circunstancias y condiciones de cada niño, siempre bajo control pediátrico.

f) Vacunaciones sistemáticas contra un mayor número de enfermedades.

g) Revisiones médicas periódicas, incluso en estado de aparente salud, que permiten efectuar un control del desarrollo físico y psíquico del niño, facilitando la detección de los posibles trastornos en fases muy precoces.

h) Instauración de planes de prevención de accidentes en la infancia, de los que hacemos amplio comentario en el capítulo XVI.

Medidas generales de prevención de enfermedades

Evitar los contagios

Entre todas las enfermedades, las infecciosas son las que permiten la instauración de medidas más eficaces para impedirlas. Todas las enfermedades infecciosas son más o menos contagiosas, y nuestra actitud debe ir encaminada a la interferencia de este contagio, procurando aislar al niño. Cuando alguna de las personas que conviven con el niño adquiere una enfermedad infecciosa presuntamente transmisible, la medida más fácil de impedir que contagie a los niños consiste en aislarlos, y esta medida puede desecharse cuando éstos poseen inmunidad frente a la enfermedad, por haberla padecido anteriormente o por estar vacunados.

En algunas ocasiones, la posibilidad de contagio no dimana precisamente de enfermedades concretas o conocidas, por cuanto existen individuos afectos de procesos sin diagnosticar o que actúan como simples portadores sanos de gérmenes. Por ello no resulta conveniente que los niños tengan una convivencia demasiado estrecha con los adultos, y será norma de higiene elemental no prodigar los besos a los niños pequeños, limitar lo posible el compartir la habitación con los padres y evitar prudentemente la intimidad con

personas de edad avanzada, habitualmente tosedoras. Hemos aconsejado que los bebés dispongan de su propia habitación a partir de los tres o cuatro meses, y una de las razones es precisamente ésta, pero aún consideramos más importante la necesidad de que en ningún momento el bebé comparta la cama con un adulto.

Durante los tres primeros meses, los niños disponen de la inmunidad transmitida por la madre y las posibilidades de infección durante este tiempo son moderadamente reducidas. De todos modos deben mantenerse una serie de normas protectoras, que aumentarán esta situación de seguridad del lactante: cuidada ebullición del agua y otros alimentos, esterilización de los biberones, utilización de mascarilla protectora si la madre padece algún proceso de las vías respiratorias, la higiene de las manos previa a la manipulación de los alimentos y del propio niño, etc.

A partir de los tres meses, momento en que se inicia el desarrollo de la inmunidad del bebé, estas medidas pueden relajarse discretamente, de forma paulatina, para permitir que el niño vaya estableciendo contactos con los gérmenes habituales de su ambiente. Este es el momento en que se inician las vacunaciones preventivas y también de la aparición de pequeños procesos infecciosos que van estimulando la inmunidad del niño.

El momento cumbre del desarrollo inmunitario tiene lugar coincidiendo con el inicio del parvulario. Ahí es donde los contagios se establecen con mayor facilidad, y es frecuente que los primeros meses de escolaridad se caractericen por la repetición de procesos infecciosos de vías respiratorias altas, las más afectadas por este tipo de contagio. Cuando un niño está resfriado, al toser, hablar o respirar despide unas diminutas gotitas que contienen gérmenes y pueden ser inhaladas por otros niños, con lo que queda establecida una transmisión aérea. Resulta fácil impedir este tipo de contagio mediante un aislamiento adecuado, pero no siempre los niños resfriados dejan de asistir al parvulario por este motivo y los contagios resultan inevitables.

Por su mayor grado de vulnerabilidad, los pequeños están más expuestos a contraer enfermedades contagiosas. El contagio puede proceder de los adultos y también, y éste es el caso más frecuente, de otros niños con los que conviven en el jardín de infancia. Estas enfermedades suelen ser benignas y ayudan a que el niño desarrolle su propio sistema de defensas.

Los niños tienen que habituarse a soportar, o a disfrutar, del frío y del calor, evitando siempre en lo posible el paso brusco del uno al otro. Es tan perjudicial un exceso de ropa en invierno como ir demasiado descubierto en épocas de calor. En el primer caso se puede convertir al niño en un friolero que terminará resfriándose continuamente, y en el segundo el menor descenso de temperatura significará también un enfriamiento.

Quizá si los padres tuvieran conciencia de este problema y dejaran a los niños en casa cuando están resfriados, o bien los parvularios fueran más rigurosos en la admisión de niños en deficientes condiciones de salud, se conseguiría que la frecuencia de enfermedades respiratorias a esta edad decreciera bastante.

Control del frío y del calor

Las condiciones térmicas ambientales tienen una influencia decisiva en la salud del niño. Por un lado, tanto el calor como el frío pueden ser causa de enfermedad, pero además pueden actuar como vehículo que facilite la transmisión de gérmenes agentes de procesos infecciosos. El mantenimiento de una temperatura ambiente estable puede ser una garantía de salud en muchos casos.

Un proceso frecuente es el denominado *golpe de calor*, constituido por una serie de trastornos consecutivos a un exceso de temperatura ambiental. Aunque más frecuente en verano, no es exclusivo de esta época, pues no siempre depende de factores climáticos y puede aparecer tanto por una exposición prolongada al sol, como por la permanencia en un lugar exiguo, mal aireado y con calefacción excesiva, o por un exceso de ropas de abrigo. Afecta con mayor incidencia al lactante (los primeros meses de vida se caracterizan por una deficiente regulación de la temperatura corporal) y de forma más acentuada en el curso de enfermedades febriles, por la gran tendencia a abrigar en exceso a los niños con fiebre. La temperatura ideal que debe tener una habitación donde se encuentra un niño es de unos 20-22° y en estas circunstancias debe ir medianamente abrigado, incluso cuando tiene fiebre. Cuando a un niño febril se le abriga demasiado se consi-

gue que sude abundantemente y esta transpiración hace que la madre, exageradamente celosa, le tape aún más, con lo que aumenta la sudoración. La pérdida de agua que supone esta transpiración —y aún más si se acompaña de un déficit de administración de líquidos— puede representar un primer paso hacia la deshidratación. Así pues, como norma general debemos aconsejar se eviten tanto los excesos de temperatura ambiental como los de prendas de abrigo en situaciones febriles, pues ambas cosas pueden conducir al golpe de calor, cuyo grado máximo es la deshidratación.

El frío puede ser responsable asimismo de trastornos importantes en los niños, que culminan en las congelaciones y cuyo grado más leve lo constituyen los frecuentes y molestos sabañones. Pero quizá la mayor responsabilidad del frío como agente de enfermedad esté en el gran número de infecciones agudas de garganta y bronquios en las que actúa como factor desencadenante y que, por ello, son conocidas como «enfermedades a frígore» (resfriados, faringitis, laringitis, bronquitis, neumonías, etc.). El mejor modo de prevenirlas es habituando de forma progresiva a que el niño soporte bajas temperaturas, procurando que lleve siempre las prendas de abrigo necesarias, pero nunca en exceso. Lo más importante es no convertir al niño en un «friolero» a base de ir muy abrigado sin necesidad. Las prendas deben ponerse en función de la temperatura ambiental, teniendo en cuenta que los problemas generalmente nacen de los cambios bruscos de temperatura y pueden presentarse tanto en el caso de que un niño muy sofocado pase a un ambiente frío sin la precaución de abrigarle, como del mantenimiento de prendas de abrigo en un ambiente caldeado.

Un ejemplo que puede dar fácilmente una idea sobre este tema lo tenemos en los pre-

maturos. Estos niños, con un peso inferior a los 2.500 gramos reúnen una serie de condiciones fisiológicas entre las que destaca su insuficiencia en establecer una perfecta regulación térmica de su organismo; su temperatura corporal durante mucho tiempo es inferior a la normal de 36,5°. A consecuencia de esta particularidad se hace necesario la colocación de estos niños en incubadoras, donde gozan de una temperatura ambiente de 30° aproximadamente, que es la considerada como óptima para su desenvolvimiento, y a esta temperatura se les mantiene desprovistos de toda prenda de vestir. Si un prematuro puede permanecer desnudo a 30°, será fácil establecer una relación de las prendas que precisan los niños con temperatura corporal superior a los 36,5° en ambientes térmicos habituales de 20-22°, que son los que suelen existir en la mayoría de hogares climatizados.

Exámenes médicos periódicos

El examen médico practicado regularmente es un medio de prevenir enfermedades que aún se encuentran en sus inicios o en período de incubación, así como la detección precoz de trastornos del desarrollo físico o psicomotor. Como norma, puede establecerse un examen mensual durante el primer año, y cada dos o tres meses a partir del segundo. Durante este tiempo, el examen médico, aparte de su interés preventivo, es útil para efectuar controles de peso y talla del niño, para orientación de los distintos cambios que deban efectuarse en la alimentación, para vigilancia de las distintas etapas del desarrollo psicomotor y para la aplicación de las distintas vacunas. Aunque el niño goce de aparente salud, no debe esperarse a que le vea el médico cuando esté enfermo, pues de este modo no podrán desarrollarse los principios de la medicina preventiva.

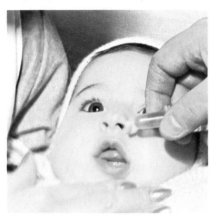

Resulta francamente interesante la posesión de un pequeño carnet de salud, donde puedan anotarse todos aquellos datos de interés sanitario e higiénico: evolución del peso y talla, fechas de salida de las distintas piezas dentarias, edad del cierre de las fontanelas, inicio de la deambulación, del lenguaje, fechas de las distintas vacunaciones aplicadas, enfermedades sufridas, etc. Este carnet, en caso necesario puede dar una imagen completa del niño en cuanto a su desarrollo y estado de salud y, al mismo tiempo, proporciona a la madre un recordatorio de una serie de datos que fácilmente pueden ser olvidados y, en un momento dado, ser de gran interés para un médico distinto del que habitualmente controla al niño.

Vacunaciones

Han transcurrido casi dos siglos desde el descubrimiento de este auténtico milagro de la medicina preventiva, que constituye un método de aprovechar las ventajas del mecanismo natural de defensa. La inoculación de vacunas en los niños constituye el seguro más eficaz ante una larga lista de enfermedades infecciosas, muchas de las cuales podrían ser graves.

Las vacunas constituyen un medio de exaltar la inmunidad del organismo por el simple hecho de colocarle en contacto con gérmenes vivos o atenuados que no son capaces de provocar la enfermedad pero sí de movilizar el conjunto de defensas de que dispone el niño. Algunas de ellas provocan una inmunidad definitiva y otras temporal, precisándose nuevas vacunaciones a medida que discurre el tiempo.

En términos generales, todas las vacunas actúan según un principio semejante. Cada vacuna se fabrica partiendo de un germen (microbio, bacteria o virus) que ha sido modificado o debilitado en grado suficiente para evitar que cause una enfermedad grave, pero no lo bastante como para destruir su capacidad estimuladora de la formación de anticuerpos. En muchos casos, conseguir estos fines sólo ha sido posible tras largos años de arduos esfuerzos, pero en la actualidad la ciencia médica puede poner a disposición de la humanidad un conjunto de vacunas que, si por un lado pueden resultar insuficientes, por otro son lo suficientemente seguras para confiar plenamente en ellas. Enfermedades como la difteria, tétanos, viruela, poliomielitis, tosferina, sarampión, tifus, cólera, etc., que se habían apuntado innumerables listas de víctimas en su haber, hoy pueden considerarse dominadas gracias a las vacunas.

A pesar de los buenos resultados de las vacunas, la actitud de la población, especialmente en determinados medios, frente a las mismas, sigue siendo en cierto modo pasiva. Aun en algunos círculos médicos existen recelos acerca del valor y posibles complicacio-

Además de las visitas médicas que los niños ya reciben en los dos primeros años de vida, los padres deberían habituarse a llevar a sus hijos al pediatra cada cierto tiempo que, dependiendo de la vitalidad y del estado de salud del pequeño, no debería superar los 6 meses.

Izquierda, vacunación de un niño mediante la administración oral de la vacuna contra la poliomielitis tipo Sabin, que es la más corriente. Esta vacuna ha constituido uno de los mayores logros de la medicina preventiva en los últimos decenios.

nes de algunas vacunas, pero todo ello lo trataremos conscientemente en las páginas siguientes, haciendo hincapié en las más importantes vacunas recomendables en el momento actual.

Para el establecimiento de un eficaz calendario de vacunaciones, se ha procurado unificar los criterios médicos actuales, siguiendo las directrices de la Organización Mundial de la Salud y tratando de establecer un orden cronológico con el fin de lograr una buena inmunización frente a las diversas enfermedades infecciosas que pueden afectar al niño, procurando reducir al máximo las molestias y peligros.

Los niños deben beneficiarse lo antes posible de las ventajas que suponen las vacunas, por lo que éstas deben aplicarse en el momento adecuado, que, por un lado, dependerá de la edad de mayor receptividad a los gérmenes contra los que puede ser vacunado y, por otro, de la edad a partir de la cual es capaz de responder adecuadamente con la producción de anticuerpos. En otro orden de cosas es preciso valorar el aspecto epidemiológico general del medio ambiente en que el niño se desarrolla, por el cual el calendario de vacunaciones puede variar de unos países a otros. El que describiremos en estas páginas está concebido para el momento presente en Europa y puede estar sujeto a variaciones respecto al calendario útil en otros puntos del planeta.

El recién nacido, hasta los tres meses aproximadamente, posee una inmunidad más o menos completa que le ha sido transmitida por la madre, quien la ha recibido a través de vacunaciones o del padecimiento previo de las enfermedades. Existen excepciones, como en el caso del tétanos o la tuberculosis, que no confieren inmunidad por haberlas padecido, siendo posible evitar su transmisión sólo si la madre ha sido vacunada durante el embarazo.

Teniendo en cuenta que a partir de los tres meses el niño es capaz de iniciar la fabricación de gammaglobulinas en cantidad suficiente para la elaboración de anticuerpos, y que en esta edad es cuando decrece de forma ostensible la inmunidad recibida de la madre, podemos considerar que los tres meses es el momento oportuno para iniciar las vacunaciones, aunque es imprescindible administrar dosis de recuerdo entre los doce y dieciocho meses, pues la inmunidad adquirida con las primeras dosis decrece considerablemente al final del primer año de vida.

Partiendo de estos conceptos, podemos establecer que el calendario de vacunaciones que consideramos idóneo en el momento actual, dadas las características sanitarias del país, es el siguiente:

Hace 200 años la medicina logró una gran victoria en la prevención de las enfermedades infecciosas con el descubrimiento de las vacunas, que provocan la inmunidad ante una determinada infección, aprovechando todas las ventajas de los mecanismos naturales de defensa. En las naciones desarrolladas, las vacunas son obligatorias y en muchos casos gratuitas y su administración ha entrado en los cauces de la normalidad. En los países más pobres y de menor nivel cultural, las autoridades sanitarias tropiezan con dificultades, como puede ser una oposición de los padres, por razones sociales o religiosas, o la falta de personal especializado.

Calendario de vacunaciones

E D A D	D.T.P.		Triple vírica	D.T.	
	Difteria Tétanos Tos ferina	Tétanos	Sarampión Rubéola Paperas	Difteria Tétanos	Antipoliomielítica oral trivalente
3 meses	●				●
5 meses	●				●
7 meses	●				●
15 meses			●		
18 meses	●				●
4-6 años				●	●
11 años			●		
14-16 años		●			

Calendario de las vacunaciones que en la actualidad se consideran más idóneas.

Antes de pasar al comentario detallado de cada una de ellas, debemos añadir solamente que la aplicación está supeditada al control médico previo para determinar las posibles contraindicaciones de las mismas, que pueden depender de causas individuales o generales, como el padecimiento de determinadas enfermedades.

Vacuna antituberculosa

La tuberculosis no es, ni mucho menos, una enfermedad erradicada. Los medicamentos de que se dispone actualmente para su tratamiento han variado considerablemente su pronóstico y gracias a ello los enfermos han curado más rápidamente y han logrado salvarse de lo que antes constituía una irremisible condena. Este hecho ha contribuido a que, en muchos países, se haya considerado a la tuberculosis como desaparecida y no se haya cuidado de la vacunación sistemática de la población. Con sorpresa se ha comprobado que, después de unos años, la tuberculosis había experimentado una reactivación y se ha pensado nuevamente con seriedad en planes de erradicación mediante vacunación masiva y sistemática.

La única forma de conseguir la total erradicación de la tuberculosis es la vacunación preventiva. Si un niño nace en ambiente tuberculoso es indispensable vacunarle antes del primer mes; si nace en ambiente presuntamente sano, puede ampliarse este plazo a un año.

El BCG (Bacilo de Calmette y Guerin) es un bacilo tuberculoso bovino, no humano, tratado de tal forma que deja de ser virulento, es decir, es inofensivo e incapaz de provocar la tuberculosis en el ser humano, pero capaz de exaltar las defensas contra el bacilo tuberculoso (bacilo de Koch). Puede administrarse por vía oral, un tiempo antes de una comida (15-30 min.), mezclado con una pequeña cantidad de agua. Cuando se administra en el primer mes de vida, no es necesario hacer nada previamente, pero si se hace más tarde, será preciso practicar antes la prueba de la tuberculina (Mantoux) que sirve para detectar si el niño ha sufrido contagio previo o no. Después de la vacunación se hace nuevamente la prueba, cuya positividad indicará el éxito de la vacunación. Otra forma de inoculación de esta vacuna es la intradérmica por escarificación, utilizada en algunos medios de forma preferente a la oral.

No obstante, esta vacuna tiene también sus detractores, al menos su uso en los primeros años de vida, debido a las complicaciones a que puede dar lugar, aunque éstas son raras. Puede prescindirse de esta primovacunación cuando funciona una eficaz campaña nacional de vacunación que cuide de la administración sistemática en la edad escolar de todos aquellos niños con reacción negativa a la tuberculina. Cuando un niño no posee la primovacunación tuberculosa debe ser controlado de forma sistemática, realizándo-

le anualmente una prueba de la tuberculina. Si en algún momento es positiva esta reacción, debe hacerse una exploración a fondo e instauración de un tratamiento adecuado.

Vacuna antipoliomielítica

La inmunización contra la poliomielitis debe iniciarse antes de nacer el niño, mediante la vacunación de la madre para que pueda transmitir una inmunidad duradera hasta el momento de iniciarse las primovacunaciones. Para ello bastará que la madre tome una dosis durante los primeros meses de embarazo.

Existen dos tipos de vacuna antipoliomielítica: 1) Vacuna tipo Salk, que se aplica por inyección, sola o asociada a las vacunas antidiftérica, antitetánica y antitosferina. Produce una inmunidad parcial, sólo contra uno de los tres tipos de virus responsables de la polio, el denominado tipo I, causante de un 70 % de los casos. Por lo tanto, con esta vacuna queda un 30 % de posibilidades de contraer la enfermedad. 2) Vacuna tipo Sabin, mucho más utilizada actualmente y de más cómoda administración, por vía oral; proporciona una inmunidad total. La administración por vía oral puede hacerse sola o en un terrón de azúcar, procurando que el niño la tome fuera de las comidas, para facilitar su absorción digestiva.

Como se ha indicado, la administración se inicia a los tres meses, conjuntamente con la vacuna triple (difteria-tétanos-tosferina). La segunda y tercera dosis se darán en intervalos 6 a 8 semanas después de la precedente. A los 18-24 meses, debe tomarse una dosis de refuerzo y las de recuerdo se repetirán a los 6, 10 y 14 años respectivamente.

La reacción que presenta el niño después de la administración de esta vacuna suele ser discreta durante los dos o tres días siguientes: fiebre discreta, malestar general, dolor abdominal y, en algunos casos, diarrea.

Vacuna triple (difteria-tétanos-tosferina)

A la ya antigua vacuna antidiftérica, se han asociado la antitetánica y antitosferinosa, sin que el conjunto pierda actividad frente a ninguna de las enfermedades. Su aplicación conjunta se limita a las primeras dosis, pues más adelante se administran separadamente.

La primera dosis se dará a los tres meses, mediante inyección, al mismo tiempo que la antipolio oral, completándose las tres dosis iniciales en intervalos de 6-8 semanas entre cada una de ellas. Se aplicará una dosis de refuerzo entre los 18 y 24 meses y, a partir de este momento, ya no se repetirá la fracción anti-tosferina, pues el riesgo de contraer la enfermedad es menor y, en cambio, aumentan las posibles complicaciones de la misma.

La vacuna contra la difteria-tétanos-tosferina es de aplicación obligatoria en la mayoría de países. Las dosis deben administrarse en los intervalos señalados por el calendario de vacunación vigente, y cualquier modificación del mismo debe supeditarse a la opinión del pediatra.

A los 6 años se inyectará una nueva dosis contra la difteria y el tétanos, y a los 10 y 14 años se repetirán dosis antitetánicas exclusivamente.

El grado de inmunidad que confiere esta vacuna contra cada una de las tres enfermedades es variable, pudiendo considerarla como muy segura frente a la difteria y tétanos, cuyo riesgo se ha reducido de una forma casi absoluta. La eficacia contra la tos ferina puede cifrarse en un 70-80%, pero es indudable que los niños que estando vacunados contraen la enfermedad presentan unos síntomas mucho más atenuados, de tal modo que en ocasiones la hacen difícilmente diagnosticable. Cuando un niño ha sido vacunado con tres dosis de antitetánica, ve reducido enormemente el riesgo de contraer la enfermedad a partir de heridas tórpidas producidas en situación contaminante, y esta eficacia se ve aumentada gracias a las dosis de recuerdo que deben administrarse cada cuatro años. A pesar de ello, ante una herida sospechosa de contaminación tetánica producida un año después de la última dosis administrada, es aconsejable la aplicación de una gammaglobulina antitetánica que refuerza la acción de la vacuna por un período aproximado de treinta días.

La reacción que produce esta vacuna es muy discreta: aparición de fiebre durante 24-48 horas aproximadamente y dolor local en el punto inyectado, donde puede aparecer enrojecimiento e incluso un pequeño nódulo que desaparecerá a las pocas horas.

Esta vacuna puede ir asociada a la antipoliomielítica tipo Salk en la misma inyección, pero no la aconsejamos pues resulta más eficaz la vacunación tipo Sabin por vía oral.

El día que se vaya a vacunar al niño se le alimentará normalmente así como al día siguiente no se le forzará si no tiene apetito debido a la reacción. Se le llevará al médico para que sea él quien le vacune, después de revisarle cuidadosamente, pues no le podrá vacunar si está afecto de cualquier enfermedad infecciosa o general, siendo aconsejable evitarla asimismo si se encuentra en ambiente de contagio de alguna de las típicas infecciones infantiles (sarampión, paperas, varicela, etc.). Una vez vacunado podrá administrarse algún calmante para disminuir los síntomas de la reacción, y si ésta presentara síntomas anormales, deberá consultarse al pediatra.

Vacunación antivariólica

Simplemente una referencia histórica, puesto que esta vacuna ya no figura en los calendarios de vacunación de ningún país desde que la Organización Mundial de la Salud declaró a la viruela como enfermedad mundialmente erradicada, tras dos años sin la existencia de ningún caso en el mundo entero.

El interés de citarla aquí radica en que se trata de la primera vacuna que se aplicó de una forma sistemática a toda la población mundial y sus logros han sido lo suficientemente elocuentes para combatir a los detractores –si los hay– de las vacunaciones como medida preventiva de enfermedades. La viruela, que en una época ya lejana supuso un auténtico azote para algunas comunidades, gracias a la vacuna ha podido convertirse en una enfermedad para la historia. Esperemos que allí se mantenga.

Vacunas contra el sarampión, paperas y rubéola

Tres enfermedades, consideradas tradicionalmente como benignas, están destinadas a convertirse en un recuerdo histórico gracias a las vacunas que han permitido la inmunización de varias generaciones de niños. El sarampión ha sido la enfermedad exantemática más frecuente en la infancia y cuyos síntomas son fiebre elevada, tos intensa, resfriado nasal y ocular y la característica erupción. Es una enfermedad que no tiene tratamiento específico sino sólo un tratamiento sintomático de la fiebre y de la tos. Este es el hecho más importante, ya que las graves complicaciones que en algunas ocasiones pueden presentarse, como la neumonía y la encefalitis, no pueden medicarse y pueden producir incluso la muerte del niño. Por ello, en la actualidad vacunar contra el sarampión es de una importancia médica capital porque se impide la enfermedad y se rompe la cadena de contagio.

La rubéola es una enfermedad muy benigna en los niños, pero no ocurre lo mismo en las mujeres embarazadas. Si una mujer gestante padece la enfermedad durante el primer trimestre de su embarazo, pueden producirse graves lesiones en el feto. Ocurre con relativa frecuencia que, estando una madre embarazada, si uno de sus hijos padece la rubéola, y como en la mayoría de los casos se ignora si ella tuvo la enfermedad de pequeña, se viva unos días de angustia ante la posibilidad de contagio. La aplicación de una gammaglobulina anti-rubéola puede ejercer una protección transitoria, que siempre es insegura. Si la mujer padece la rubéola durante el primer trimestre de su embarazo los daños que puede sufrir el feto son muy graves, dando lugar a retraso mental, anomalías auditivas, visuales y cardíacas. La vacuna de la rubéola ha modificado sustancialmente las perspectivas de este problema, siempre que las mujeres lleguen a su edad fértil habiéndola recibido. Actualmente se recomienda vacunar a todas las mujeres en edad fértil y también a todos los niños, para evitar así la propagación de la infección y el posible contagio a mujeres embarazadas. Es importante destacar que esta vacuna está totalmente contraindicada en las mujeres embarazadas, por lo que si una mujer en edad de procrear decide vacunarse, debe hacerlo tomando las debidas medidas contraceptivas durante tres meses o va-

La vacuna antitetánica debe aplicarse en intervalos de 10 años, a partir de la dosis que se administra a los 14 años, a lo largo de toda la vida, pues el peligro de contraer esta enfermedad es permanente a través de heridas tórpidas. Aunque la incidencia no es muy frecuente, se dan anualmente un suficiente número de casos como para no descuidar las revacunaciones.

cunándose inmediatamente después de un parto.

La parotiditis, o paperas, es una enfermedad que se caracteriza por la inflamación de las glándulas salivales, acompañada de fiebre a menudo elevada. Son preocupantes sus complicaciones, en especial, la meningoencefalitis, que aparece en un 10% de los casos, y la orquitis (inflamación de los testículos) que puede darse especialmente a partir de la pubertad y causar la esterilidad. La disponibilidad de una vacuna permite eliminar los riesgos de estas complicaciones si se aplica sistemáticamente a todos los niños y así conseguir una total erradicación.

Estas vacunas pueden aplicarse por separado o asociadas, en forma de la denominada vacuna triple vírica. Todas ellas pueden aplicarse a cualquier edad, después de cumplido el primer año de vida y siempre según el mejor criterio médico. Actualmente, en la mayoría de países los planes de vacunación contemplan la aplicación sistemática de la vacuna triple vírica a los 14-16 meses, con una dosis de recuerdo hacia los 11 años a todos los niños sin distinción de sexo. En caso de no haberse administrado a estas edades se podrá hacer a cualquier edad. Esta vacuna es compatible con todas las demás del calendario vacunal, aunque siempre es mejor aplicarla aislada. Se ha comprobado una cierta eficacia preventiva de esta vacuna si se aplica en las primeras 72 horas después del contacto con un enfermo de sarampión.

Existen algunas contraindicaciones de la vacuna triple vírica, por ejemplo no se aplicará en el curso de una enfermedad aguda y en especial si el niño tiene fiebre por encima de los 38°. Tampoco deben vacunarse los niños afectos de enfermedades que ocasionan un déficit inmunitario como algunos tumores, o cuando se está tratando con corticoides, antimetabolitos o radioterapia. En caso de alergia a las proteínas del huevo o a determinados antibióticos tampoco debe aplicarse la vacuna triple vírica. Si el niño está afecto de una tuberculosis activa, no puede vacunarse hasta que lleve, por lo menos, dos meses de tratamiento. Si se han aplicado gammaglobulinas, plasma o transfusiones sanguíneas, han de esperarse al menos 3 meses para aplicar la triple vírica.

La reacción de la vacuna no es muy frecuente, pero en algunos casos puede aparecer fiebre, irritación conjuntival, malestar general y un tenue exantema a los 7-10 días de la aplicación y, en casos más raros, una inflamación de las glándulas parótidas (paperas) a las tres semanas.

Otras vacunas

En circunstancias especiales puede ser útil la administración de vacunas cuya utilización sistemática no esté en vigor. Las vacunas antigripales son recomendadas para niños afectos de enfermedades crónicas de corazón, aparato respiratorio, renal, nervioso o diabéticos, para los que la gripe puede resultar particularmente peligrosa.

En momentos de epidemia, las autoridades sanitarias pueden aconsejar la vacunación sistemática de la población, como ocurre con el cólera o la tifoidea. Referente a la vacuna anti-tifoidea, resulta aconsejable su aplicación cuando se viaja a zonas denominadas endémicas, o sea lugares donde suele haber casos de tifus de modo habitual. Generalmente se trata de zonas ganaderas, donde las aguas no se hallan suficientemente controladas. La vacuna anti-tifoidea se administra por vía oral en tres dosis administradas con intervalos de dos días, en niños mayores de tres meses, proporcionando una inmunidad que dura por lo menos durante tres años.

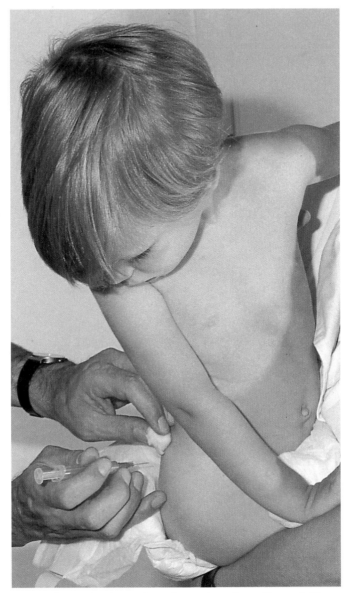

Se considera probable que, en un futuro cercano, la mayoría de las enfermedades cuenten con su propia vacuna. Es éste uno de los ideales de la medicina, pasar de curativa a preventiva, ya que en este caso sería el mismo cuerpo el que dominaría la enfermedad, no unos medicamentos que le son extraños.

Afecciones en la infancia

Durante la infancia es frecuente que el niño contraiga enfermedades, a pesar de que se adopten medidas preventivas generales, tal como hemos descrito en el anterior capítulo. Existen una serie de afecciones de tipo general que tanto pueden afectar al adulto como al niño, pero algunas de ellas se manifiestan de modo casi exclusivo en la infancia.

El médico tendrá una ayuda muy valiosa en los padres que posean un suficiente conocimiento de las enfermedades que pueden afectar a sus hijos, pues al saber valorar los síntomas podrán solicitar la asistencia médica en el momento justo y ésta podrá resultar más eficaz. No pretendemos enseñar a diagnosticar ni a instaurar tratamientos caseros, pues en modo alguno los padres pueden sustituir al médico con un libro en la mano, sino difundir unos datos elementales de las más corrientes enfermedades infantiles que pro-

porcionen una cultura médica básica. Ante un niño enfermo no deben adoptarse iniciativas propias más que en los cuidados más elementales y jamás se instaurará un tratamiento curativo sin la autorización del médico. Asimismo deben evitarse los consejos de aquellas personas que, no siendo médicos, puedan considerarse como poseedoras de una mayor cultura sanitaria.

Gracias al prolongado y constante estudio, a la diaria experiencia, el médico es la única persona que puede correr con la responsabilidad del diagnóstico, pronóstico y tratamiento de las enfermedades, y en él debe estar depositada la confianza de los padres. Esta confianza es el pilar fundamental de la relación médico-enfermo y que, en el caso de la medicina infantil, queda suplida por la relación médico-familia, sin olvidar, de todos modos, que, a partir de cierta edad, el niño ya puede demostrar de forma clara su confianza hacia quien le ha proporcionado alivio en sus enfermedades. Por esto, vamos a omitir deliberadamente en las siguientes páginas todos aquellos datos que sobre las enfermedades puede proporcionar el pediatra, para que en ningún momento este libro pueda sustituirle, dejando que se manifieste libremente el criterio y buen hacer de cada facultativo. Sólo informaremos de cuestiones de orden general, como la actitud a adoptar ante distintos síntomas y enfermedades, tratando de clarificar algunos conceptos cuya errónea interpretación podría conducir a situaciones angustiosas para los padres.

La infancia es la época más vulnerable ante el contagio de muchas enfermedades, ya que el organismo infantil aún no ha creado las defensas necesarias. Los niños no sólo necesitan la protección médica sino la vigilancia constante de los mayores, alerta ante cualquier síntoma de una dolencia.

Medidas a adoptar ante un niño enfermo

La primera manifestación de enfermedad en un niño es muy variable, pero lo más frecuente es que se aprecia un cambio en su conducta o actitud, acompañado o no de alguno de los síntomas más corrientes: fiebre, vómitos, tos, diarrea, etc. En general, la atenta vigilancia de los padres captará esta nueva situación en seguida y se someterá al niño a un control más riguroso, con el fin de recoger el mayor número de datos posibles sobre sus funciones orgánicas. En ningún momento debe perderse la serenidad, pensando que es un hecho corriente que el niño se ponga enfermo y que normalmente suele superar con facilidad sus problemas, por débil e indefenso que pueda parecer. Se procurará no abusar del concepto de urgencia, pues si bien en algunos casos es urgente la necesidad de intervención médica, en la mayoría se trata de falsas alarmas, afortunadamente. Quizá resulte un handicap que el niño no sepa expresarse y manifestar sus dolencias, pero pronto se aprende a comprenderle y valorar cuando realmente se siente mal.

El control del niño que se supone está enfermo, se inicia tomándole la temperatura a intervalos de 2-3 horas y anotando los valores comprobados, prestando atención a los síntomas más aparentes: tos, dolores, vómitos, estornudos, aspecto de la orina, de la lengua, de las heces, color de la piel, etc. En caso de duda se conservarán sus excrementos, orina o producto del vómito para ser mostrados al médico o bien se pensará en algunos términos comparativos que puedan orientar con facilidad. Por ejemplo se hablará del color de la orina, similar a determinados líquidos, como vino, coñac, coca-cola, etc. Las deposiciones pueden ser compactas o líquidas, en forma de puré, de colores amarillo, dorado, ocre, marrón oscuro, verdes, como alquitrán, etc.

Reposo

En todos los casos se procurará encamar al niño. El reposo y el sueño son siempre beneficiosos. En afecciones benignas pueden ser suficientes, en enfermedades importantes son indispensables. Muchas madres argumentan que, a determinados niños, resulta casi imposible mantenerles en cama, y ello es muy cierto, pero la necesidad de reposo, para un niño enfermo, es tan importante que incluso requiere muchas veces el sacrificio de una madre que debe permanecer en la cabecera de la cama constantemente.

Distracción y dieta

Si el niño quiere estar sentado en la cama y tiene edad para entretenerse, dejar que se distraiga con sus juguetes preferidos. No abrigarle excesivamente; siempre es preferible aumentar el número de mantas que ponerle demasiadas prendas de abrigo. Si desea dormir, dejarle solo, con poca luz, y observarle frecuentemente. Si tiene tos o sensación de ahogo, mantenerle semiincorporado, con dos o más almohadas. La temperatura de la habitación no debe ser fría, pero tampoco excesivamente calurosa; si se conserva entre 18 y 20°, es la ideal. Ante el desconocimiento de si la enfermedad es contagiosa, no dejar que los otros niños de la casa entren en la habitación y evitar en lo posible las visitas, pues no conviene que la habitación se llene de personas que, con su mejor intención de distraer al niño, contribuyen a impedir su descanso y enrarecen el ambiente.

Es normal que el niño enfermo sienta una disminución de su apetito, aunque su problema no afecte los órganos digestivos. Ello es motivo de preocupación de muchas madres, que pretenden utilizar toda clase de argumentos para que el niño coma. No importa demasiado que el niño permanezca a dieta durante varias horas, y en todo caso deben administrarse alimentos suaves, fáciles de digerir, preferentemente líquidos, como caldo ligero, zumos de frutas o compotas, tostadas,

mermeladas. Si se trata de un niño en época de lactancia y toma pecho, se dejará que coma a voluntad, si toma biberones, se prepararán éstos ligeramente más diluidos, y si ya toma papillas, se suprimirán momentáneamente hasta que el médico indique la conducta a seguir, sustituyéndolas por biberones. En el niño mayorcito, no se le dará leche de vaca si se sospecha una afección intestinal o hepática, sustituyéndola por yogur o leche vegetal. Si el niño rehúsa todo alimento, contentarse con que tome pequeñas cantidades de líquido en forma de infusión o zumos de frutas.

Asistencia médica

Una vez valorados los síntomas, es necesario ponerse en contacto con el médico, relatándole de forma cronológica y concisa las molestias que manifiesta el niño, así como todos aquellos datos de observación personal. Es muy importante que esta descripción sea cronológica para que el pediatra no tenga confusiones, y concisa —evitando detalles

Cuando el niño enferma, una vez el médico ha diagnosticado el tipo de mal que le aqueja y ha dado sus instrucciones, los padres se convierten en simples delegados y administradores de las órdenes del pediatra.

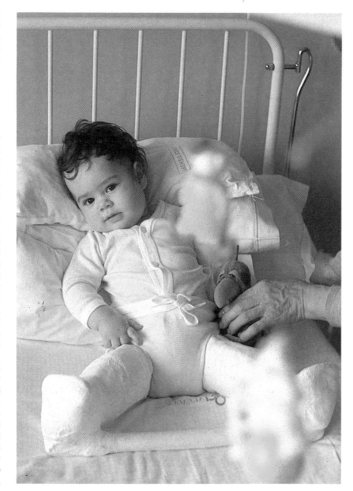

superfluos— para no deformar el problema principal. Si el médico decide pasar a visitar al pequeño en su domicilio y el niño es mayorcito, se le comunicará la llegada del médico sin darle demasiada importancia, especialmente sin atemorizarle con amenazas absurdas. Está muy difundida la costumbre de amenazar a los niños con las terribles inyecciones que ponen los médicos; con ello solamente se consigue que la presencia de éstos se vea secundada por toda suerte de manifestaciones dramáticas que dificultan su labor. Debe hablarse del médico en tono muy natural, como la persona amiga que le pondrá bueno en seguida, contando con la habilidad del pediatra quien, con su trato, deberá ser capaz de atraerse al paciente y confirmarle esta amistad que el niño podría poner en duda.

Asimismo, debe prepararse lo necesario para el reconocimiento y evitar pérdidas inútiles de tiempo: más o menos siempre será necesario lo mismo, una cuchara de mango ancho para poder ser utilizada como depresor de la lengua, un pañuelo, una linterna, si se dispone de ella, útiles para el aseo de las manos, alcohol y algodón o gasas. Una pequeña nota con las temperaturas obtenidas, una muestra de las heces u orina, si éstas han parecido anormales, o la conservación de un vómito si ha presentado características peculiares y ha podido recogerse, facilitarán mucho la labor del médico. Estos detalles siempre se agradecen, por leve que sea la dolencia.

Durante la visita del médico, exponer en primer lugar los síntomas que se han apreciado en el niño, sin pretender dar un diagnóstico de entrada. No decir nunca: «El niño

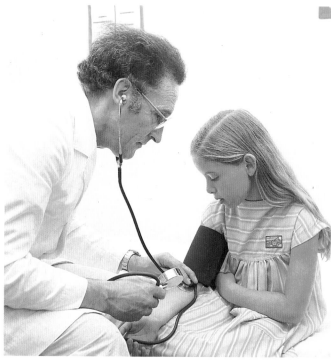

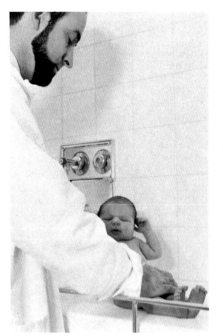

tiene anginas», pues en este caso la misión del médico ya no tiene objeto. Una vez éste se ha enterado de los primeros datos, efectuará un interrogatorio a la madre e incluso al niño, si tiene edad para ello. Procúrese prestar atención a estas preguntas y responder lo más exactamente posible. Mientras el médico explora al niño, se evitarán las interrupciones y conversaciones, especialmente cuando se está auscultando. En cuanto haya terminado la exploración podrán hacerse todas las consultas que se deseen sobre el diagnóstico, duración de la enfermedad, régimen alimenticio a seguir, posibilidades de contagio, posibilidad de baño, complicaciones posibles, etc. No queremos dejar de considerar que, en muchas ocasiones, el médico no puede emitir un diagnóstico de entrada cuando los síntomas no son lo suficientemente evidentes y puede precisar algunos datos complementarios, como análisis o radiografías y, en ocasiones, simplemente esperar prudentemente la evolución de la enfermedad. La inquietud de los padres puede hacer emitir precipitadamente un diagnóstico erróneo y, posteriormente, estos mismos padres criticar injustificadamente un fallo que ellos mismos han provocado. Cuando se ha depositado la confianza en un médico, debe dejarse que actúe dentro de los márgenes que esta confianza le concede.

Los medicamentos

La receta del médico constituye la culminación de su visita. Debe ser perfectamente

Si el niño enfermo es mayorcito, es preferible que él mismo explique sus dolencias al pediatra, pues a veces los pequeños detalles facilitan el diagnóstico del facultativo.

Por encima de los consejos del médico, no debe tener ningún valor la sabiduría de familiares, amigos o vecinos. No existen dos casos iguales aun tratándose de una misma enfermedad, ya que cada niño es un ser irrepetible.

comprendida en todos sus términos: medicamentos a administrar, cantidad, frecuencia, forma de administración, tiempo del tratamiento. No es agradable que a las pocas horas de su visita, el médico deba ser consultado por teléfono sobre su prescripción.

La administración de los medicamentos debe ajustarse a lo ordenado por el médico. Si son varios los productos que deban darse al niño, puede ser una buena ayuda el desarrollo en un papel de un esquema donde figuren, por orden cronológico, los medicamentos a administrar, con el fin de no olvidar nada. Supongamos que en la receta se prescriben tres preparados como tratamiento, por ejemplo, de un resfriado: un jarabe que debe tomarse después de las principales comidas, unas gotas nasales que deben instilarse cada tres horas y un preparado vitamínico en forma de gotas en una sola dosis de veinte gotas al día. El esquema podría confeccionarse así:

8 h.	gotas en la nariz
después desayuno	jarabe
11 h.	gotas en la nariz
14 h.	gotas en la nariz
antes de la comida	XX gotas de vitaminas
después comida	jarabe
17 h.	gotas en la nariz
20 h.	gotas en la nariz
después cena	jarabe
23 h.	gotas en la nariz

A veces, la administración de los medicamentos constituye un problema, a pesar de que actualmente hay presentaciones idóneas para la infancia. Los laboratorios de productos farmacéuticos han mostrado un interés creciente en las presentaciones de los medicamentos para los niños, dotando a los productos a administrar por vía oral de sabores muy agradables y tratando de evitar en lo posible las inyecciones que, a pesar de todo, constituyen la vía de administración más rápida en sus efectos.

Existen diversas vías de administración y cada una de ellas presenta peculiaridades que serán dignas de considerar. La más corrientemente utilizada en pediatría es la vía oral, en forma de jarabes, suspensiones, soluciones, gotas, granulados, polvos, comprimidos o ampollas bebibles. Las grageas y cápsulas suelen quedar limitadas a niños mayores, capaces de deglutirlas con ayuda de un poco de líquido. Suelen estar dotadas de un sabor agradable que haga más fácil su ingesta, pero algunos precisarán ser mezclados en los alimentos para disimular en lo posible su sabor. Para el lactante, la leche será el vehículo habitual, para el niño mayor, los zumos de fruta, agua azucarada, miel, fruta o yogur serán más agradables. Cada niño necesitará una forma de administración peculiar para tomarse el medicamento y la madre sabe mejor que nadie cómo conseguirlo. Muchas veces, para el médico poco importa la forma de tomar una medicina, lo importante es que el niño la tome.

La vía rectal, por medio de supositorios o enemas, es una forma muy utilizada en el lactante por su comodidad de aplicación, pero a muchos niños les representa un estímulo para la defecación. Se esperará a aplicar el supositorio a que se haya efectuado una evacuación espontánea del intestino y, una vez introducido, se mantendrán aproximadas las nalgas durante un prudente espacio de tiempo en espera de la absorción del medicamento. Si a pesar de esto el niño expulsa el supositorio, se le pondrá otro hasta que lo retenga. Los enemas suelen utilizarse, en cambio, para conseguir una evacuación forzada, pero siempre debe procurarse que lo retengan por espacio de unos diez minutos, pues la expulsión inmediata siempre suele ser negativa.

Otros medicamentos son de aplicación tópica, lo cual significa de uso externo, y se trata de gotas nasales, para el oído u ojos, pomadas, cremas, lociones o ungüentos. Su utilización suele ser sencilla y solamente requiere una cierta colaboración por parte del niño, y tranquilidad y paciencia por parte de la madre. Es importante saber, por ejemplo, que las gotas ópticas deben instilarse a la temperatura corporal, calentándolas previamente al baño María o por fricción manual.

La aplicación de inyecciones debe ser encomendada a enfermeras o practicantes, que conocen perfectamente las técnicas de aplicación. La madre puede aplicarlas si tiene práctica y es capaz de hacerlo serenamente, procurando hacer los preparativos en ausencia del niño con el fin de evitar la tensión previa.

El médico y el niño

El pediatra juega un papel muy importante en la vida del niño. En el anterior capítulo

Los padres deben comprender bien las prescripciones del pediatra y seguirlas con toda exactitud.

A los médicos no les molesta que los padres pidan aclaraciones sobre el tipo de medicinas, dosis, tiempos de administración y demás datos que no figuran en la receta. Los padres deberán preguntar todas las dudas que se les presenten acerca de la administración de los medicamentos y sobre el tratamiento general que debe recibir el niño durante el curso de la enfermedad.

ya hemos hablado de que actúa como coordinador de las medidas preventivas que deben adoptarse para asegurar la salud general del niño, pero también representa el alivio de las enfermedades que éste pueda padecer.

La relación entre el pediatra y los padres debe estar presidida por una gran confianza y aceptación mutuas, de las que, lógicamente, se beneficiará el niño, quien no habrá podido participar en la elección, pero que, a la larga, con su actitud demostrará el acierto o equivocación de la misma.

Suponiendo, en principio, que la categoría científica de los pediatras es similar, deben valorarse otros aspectos de su personalidad médica que serán variablemente calibrados, según las familias. Del mismo modo que hay padres que necesitan que se les faciliten muchos detalles de las enfermedades de sus hijos, otros prefieren médicos poco comunicativos, y otros valoran más que se trate de una persona simpática y agradable para con los niños. Dadas las grandes variedades temperamentales de los humanos, es posible encontrar al pediatra idóneo para cada familia, mas para que ello sea posible, es necesario que todo el mundo pueda escoger libremente al médico que debe cuidar de sus hijos, huyendo de las siempre molestas imposiciones. Del mismo modo, cuando no exista una buena compenetración, o bien se haya perdido la confianza depositada, es mejor buscar a otro facultativo, pues con el cambio todo el mundo saldrá beneficiado: los padres, que se sentirán más tranquilos, y el médico, que dejará de actuar cohibido, con la impresión de que no goza de la confianza de sus pacientes.

Es muy importante comprender que la Medicina tiene muchas limitaciones y no pueden solucionarse todos los problemas por el simple hecho de proponérselo. No siempre es posible establecer un diagnóstico en la primera visita al niño enfermo, ni se consiguen efectos espectaculares a las pocas horas de iniciado un tratamiento. En los casos difíciles, no representa ninguna ayuda para el médico el apremio por parte de los padres, que quisieran tener ya curado a su pequeño. La confianza debe demostrarse facilitando la labor médica dentro de los márgenes normales. Debe pensarse que el médico desea, ante todo, curar, y cuando no lo consigue en seguida es porque realmente no puede. Si surge la duda, podrá proponerse la consulta a otro facultativo, pero siempre dentro de las normas de la ética profesional. Las consultas realizadas a espaldas del pediatra, además de suponer un desprecio, suelen ocasionar situaciones confusas y contradictorias.

Hoy en día, con la paulatina desaparición del médico de cabecera, el pediatra de la familia se está convirtiendo en el auténtico consejero familiar, pero su papel muchas veces resulta ampliado hacia aspectos menos médicos. De cara al niño, cuando se ha establecido una auténtica relación afectiva, puede llegar a representar un personaje importantísimo. El niño lo demuestra claramente con su actitud, en el espontáneo y cariñoso tuteo, al contarle sus cosas, ofrecerle pequeños trabajos de los que se siente orgulloso, y hasta llega el momento en que, sintiéndose enfermo, solicita su presencia con ilusión. Los padres deben comprender la eficacia de esta corriente afectiva entre el niño y su pediatra, no deformando su figura para utilizarla como amenaza ante un mal comportamiento del niño, no impidiendo las espontáneas manifestaciones ni intentando fomentar un falso respeto. Una de las más íntimas satisfacciones que podemos tener los médicos de niños es el sabernos apreciados por nuestros pequeños pacientes y observar la satisfacción con que muchas veces se realizan nuestros encuentros.

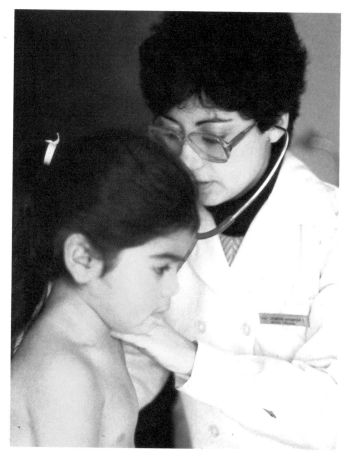

Tiene gran importancia la relación afectiva que se establece entre el niño y su pediatra, por lo que resultan contraproducentes los posibles comentarios o comparaciones entre éste u otro médico, o algunas críticas sobre su comportamiento o su físico. Al niño no se le escaparán estos detalles, que pueden hacerle perder la confianza que ha depositado en su doctor.

Los grandes síntomas de las enfermedades infantiles

Inicialmente vamos a describir algunos de los síntomas que más frecuentemente apare-

Rara es la enfermedad infantil en la que no aparece la fiebre como síntoma primero y espectacular. La temperatura corporal puede medirse de las tres formas que muestra la ilustración: axilar, colocando el termómetro en la cavidad axilar (arriba); rectal, introduciéndolo en el recto (centro); y sublingual, manteniéndolo debajo de la lengua (abajo).

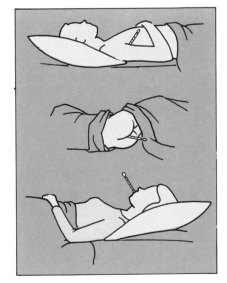

cen en las enfermedades infantiles. No se trata más que de manifestaciones que, aisladamente o en grupo, constituyen la base para llegar a un diagnóstico. Por ejemplo, la tos orientará hacia una afección de vías respiratorias, especialmente si va acompañada de mucosidades en la nariz, fiebre y pérdida del apetito, pero a veces puede ser síntoma de la existencia de lombrices en el intestino si se acompaña de picor en la nariz o ano, rechinamiento de dientes y palidez.

Una correcta valoración inicial de los síntomas que presenta el niño es fundamental para que el médico pueda llegar fácilmente a un diagnóstico.

Dolor

Es quizás el primer síntoma de alarma en la enfermedad infantil. Cuando el niño se siente enfermo suele referir dolor en alguna parte del cuerpo. Ello no siempre es valorable en su totalidad, pues a veces se trata de una simple molestia y el niño no sabe manifestarse de otro modo. El valor que podremos dar a sus quejas es variable según la edad, y así por ejemplo el lactante lo manifiesta con un cambio de conducta o llanto franco; en cambio, el niño mayorcito puede referir una localización más fiable. De todas maneras, la manifestación más socorrida es la del dolor de tripa, pues el niño considera el abdomen como el centro de su organismo. Si el niño es mayor y se queja claramente de dolor de cabeza, de oídos o al tragar, podrá darse más valor a su manifestación, pero siempre se dejará que sea el médico quien confirme tal aserto.

Ante una crisis de dolor, se comprobará si además tiene fiebre o presenta signos de inflamación en la zona presuntamente dolorosa. Deberán comunicarse estas observaciones al médico, quien indicará la conducta a seguir. Para estos casos será importante disponer siempre en casa de algún calmante apropiado para los niños, en comprimidos o supositorios.

Fiebre

Constituye el principal motivo de alarma para los padres, pues su existencia va ligada, de modo casi constante, a la enfermedad. La fiebre es casi siempre signo patológico, pero no siempre es signo de gravedad. Un niño a 40° de temperatura, por este simple hecho no está grave. Puede estarlo si la enfermedad que ocasiona la fiebre es grave, pero no por la fiebre misma. Muchas veces es menos importante una temperatura de 39-40° debida a una infección aguda, como unas anginas, que una febrícula de 37,5° persistente, que puede ser debida a una enfermedad más seria y larga. En especial, es necesario desterrar la creencia vulgar de que la fiebre muy elevada puede provocar una meningitis. Ciertamente que la meningitis puede cursar con tempera-

turas muy altas, pero afortunadamente no todos los niños que tienen fiebre alta padecen meningitis. Quizás esta idea venga dada porque algunos niños, especialmente predispuestos, al sufrir una brusca elevación de la temperatura pueden presentar convulsiones e incluso pérdidas de conocimiento de corta duración. Este hecho puede suponer la existencia de un trastorno del sistema nervioso, mucho más frecuentemente que una infección meníngea.

Ante un niño que está excesivamente caliente, se le tomará la temperatura correctamente, utilizando un buen termómetro, preferentemente por vía rectal (imprescindible para que tenga valor en los lactantes). Se limpia previamente el termómetro con alcohol y luego se lubrifica con un poco de vaselina; se introduce en el recto hasta el ensanchamiento esférico que hay después del depósito de mercurio y se mantiene durante uno o dos minutos, tiempo suficiente para observar que la columna de mercurio se mueve hasta alcanzar la señal que indicará la temperatura corporal. Para evitar problemas, se mantendrá al niño echado sobre su espalda, sosteniéndole las piernas hacia arriba. La temperatura rectal normal es de 36,5 a 37,5 grados, esto es, medio grado superior a la temperatura axilar. De los 37,5 a los 38° se considerará como febrícula (décimas) y fiebre por encima de los 38°.

La primera medida que adoptará la madre ante un niño febril, en espera de la visita del médico, será aliviarle. Se le administrará un antitérmico en forma de comprimido o supositorio, que proporcionará un descenso momentáneo de la temperatura y un alivio de las molestias, sin enmascarar los síntomas de la enfermedad responsable. No se abrigará mucho al enfermo para evitar una sudoración excesiva, y se administrarán líquidos a temperatura ambiente. En casos rebeldes, podrán aplicarse compresas frías en la frente,

lociones de alcohol en pecho y espalda, dejando que evapore espontáneamente, e incluso podrá realizarse un baño de agua tibia (32-34°), con lo que se conseguirán descensos importantes de la temperatura.

Lo que no debe hacerse ante un niño con fiebre es empezar a administrar antibióticos sin el consentimiento médico. El uso y abuso de los antibióticos por cuenta propia ha supuesto la creación de gran cantidad de resistencias, de tal forma que resultan inoperantes cuando son realmente necesarios.

Anorexia

Se entiende por anorexia la pérdida de apetito. Este es el gran caballo de batalla de la pediatría. Resulta enormemente difícil distinguir las verdaderas anorexias de las falsas, porque el concepto de las madres sobre el apetito de sus hijos es enormemente variable. En todas las edades, la anorexia acompaña constantemente a enfermedades febriles agudas y es frecuente en las enfermedades crónicas. Puede aparecer también aislada e incluso selectiva de determinados alimentos; en este caso, suele ser consecuencia de hábitos defectuosos en la alimentación. En el lactante puede deberse a gran diversidad de factores, tales como intentos de alimentación forzada o tomas demasiado frecuentes de alimento. En niños mayores, una excesiva insistencia sobre los buenos modales en la mesa puede llegar a crear aversión a la comida o resultar en detrimento del placer de comer, hasta el punto de adquirir la anorexia un carácter persistente.

Debe tenerse en cuenta que el apetito del niño puede variar de una toma a otra y de uno a otro día y que la capacidad gástrica de niños de una misma edad es variable, al igual que sus necesidades calóricas. Algunos padres crean dificultades con el intento de que todos sus hijos se adapten a una pauta única. También puede haber falta de apetito hacia determinados alimentos por razones de gusto personal, y el niño que rechaza determinado plato es capaz de comer seguidamente otro de su preferencia.

La excitación nerviosa es una de las causas más frecuentes de la anorexia. Los niños afectivamente inestables reflejan con frecuencia su conflicto con pérdida del apetito. A veces la causa podrá encontrarse en el nacimiento de un hermanito. En otras ocasiones no podremos invocar los problemas psicológicos como causa, sino que existirá un trastorno latente, como una infección aguda o crónica o defectos en la digestión de determinados alimentos, con importante retraso en el vaciado del estómago. Hay niños que digieren muy lentamente y suelen hacer sólo una o dos comidas correctamente al día, vomitando fácilmente si se les fuerza.

Se ha invocado mucho el efecto nocivo que puede tener el comer «entre horas» y ello es muy discutible. Si bien es cierto en la mayoría de los niños, algunos precisan comer poca

cantidad y muy frecuentemente, por lo que sienten inclinación a «picar» a todas horas del día, y en cambio son incapaces de hacer una comida completa. Cuando el niño hace esto es porque su estómago no admite grandes cantidades de alimento de una sola vez y precisa un mayor número de ingestas.

No es conveniente en absoluto forzar a los niños a que coman. Si el niño no quiere comer, el médico podrá averiguar las causas de esta negativa, determinando si hay alguna enfermedad o trastorno que justifique la anorexia; si no lo hay, sus orientaciones serán las más exactas y beneficiosas.

Por último, téngase en cuenta que, para tratar la anorexia, no basta con administrar uno de los muchos productos que existen para estimular el apetito; ante todo, debe investigarse la causa y tratarla de forma directa.

La anorexia, o falta de apetito, es un síntoma que hay que comunicar al pediatra, ya que puede ser indicio de alguna dolencia.

De todas formas, y a menos que el médico decida lo contrario, no conviene obligar a comer a los niños enfermos cuando no tienen apetito.

Tos

Las enfermedades del aparato respiratorio presentan como síntoma más sobresaliente la tos y la secreción de mucosidades por la nariz. Está muy difundida la creencia de que si un niño tose tiene una bronquitis. Esto no es cierto, considerado en forma absoluta. Cuando el niño tose, hay muchas probabilidades de que tenga un problema respiratorio, pero no es indispensable que se trate de una bronquitis. Puede tratarse de un simple resfriado y toser por las mucosidades que se acumulan en la garganta, estimulando los centros de la tos que en ella se encuentran; puede tener una faringitis que, asimismo, estimule estos centros; puede tener una bron-

quitis, anginas o incluso lombrices en el intestino.

Para facilitar el diagnóstico de la enfermedad causante de la tos es muy importante que los padres presten atención a las características de esta tos: su frecuencia, duración, si es diurna o nocturna, seca o blanda, productiva o no (si se acompaña de expectoración o no), si es sibilante o va precedida de una inspiración en forma de gallo, si se acompaña de vómitos, etc. Estos detalles podrán contestar el interrogatorio que invariablemente hará el médico y es necesario saber exponerlos con precisión y claridad.

Estreñimiento

Es otro de los frecuentes problemas de la infancia. Se puede decir que un niño es estreñido cuando sus evacuaciones son poco frecuentes, su cantidad demasiado escasa o su consistencia excesivamente firme y seca. Existen variaciones personales en la cantidad y consistencia de las heces: algunos lactantes, por ejemplo, a una edad en que se suele evacuar dos o tres veces diarias, hacen una sola deposición, que no podrá considerarse como estreñimiento si tiene un volumen suficiente y su consistencia es normal; otros niños, en edades en que cabría esperar una sola deposición al día, pueden hacer tres o cuatro, pero duras e insuficientes y ser, en realidad, estreñidos.

No existe pues, ninguna regla absoluta en cuanto al número de deposiciones diarias, ni siquiera es necesario que se efectúe regularmente una evacuación al día. El tamaño y consistencia de las heces es mejor exponente del estreñimiento que la frecuencia. Consideraremos en general, como estreñimiento, la disminución del número habitual de deposiciones, el aumento de la consistencia de las mismas y la dificultad para evacuar.

El estreñimiento puede ser debido a defectos de la alimentación, especialmente en edades comprendidas entre los 12 meses y 3 años, por tener ésta características demasiado unilaterales, generalmente por escasez de frutas y verduras en la dieta, ya que éstos son los alimentos que peor suele tomar el niño. En otros casos, la causa del estreñimiento puede encontrarse en el hábito constitucional a ciertas enfermedades (raquitismo, anemia, etc.), al reposo prolongado en enfermedades crónicas que obligan a guardar cama largo tiempo, a la falta de ejercicio, o al abuso de supositorios, enemas o laxantes, que llegan a provocar una auténtica pereza intestinal.

Puede intentarse la solución del estreñimiento, antes de consultar al médico, mediante unas sencillas medidas dietéticas. La administración de abundante zumo de frutas, especialmente naranja y tomate, son las medidas más corrientes para el lactante. Cuando el niño ya toma papillas, la sustitución de las harinas de trigo o arroz por avena, puede ser suficiente. Los purés de verduras (espina-

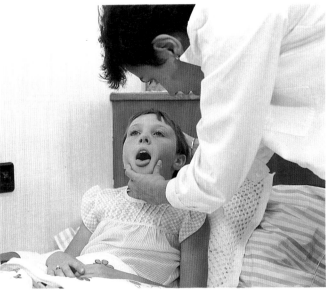

cas, judías verdes) dan buenos resultados en niños de todas las edades. Otras frutas y verduras, como las ciruelas, albaricoques, higos, espárragos, ensaladas, también tienen propiedades laxantes.

También es muy importante la educación de los niños a este respecto. Se les acostumbrará a defecar a una hora fija y sin prisas, generalmente después de una comida, que es cuando hay más estímulos intestinales. No se les mantendrá excesivo tiempo sentados en el orinalito, pues acaban inhibiéndose; si al poco rato no se ha conseguido la expulsión de heces, se les dejará corretear un rato, pues el ejercicio físico siempre favorece la defecación. No fomentar tampoco los esfuerzos intensos, pues pueden facilitar la formación de fisuras anales. Transitoriamente, como medida de habituación diaria a la defecación, pueden aplicarse supositorios de glicerina, pero nunca durante un período prolongado. En ningún caso se instaurará tratamiento con laxantes sin el consentimiento del pediatra.

Diarrea

Es éste un síntoma que se presenta en muchos de los procesos de toda índole que afectan a los niños, en especial durante el primer año de vida. El concepto de diarrea, aún poco claro para algunos, comprende el aumento del número de deposiciones diarias, asociado a la disminución de la consistencia habitual. Para poder hablar de diarrea debe hacerse siempre referencia al ritmo y consistencia habituales, dada la gran variedad personal de las defecaciones.

Podemos hablar de diarrea cuando un niño que habitualmente hace una o dos deposiciones al día, aumenta el número de éstas de forma evidente y la consistencia pasa a ser

La tos infantil se presenta como síntoma de muchas enfermedades respiratorias, por lo que los padres deberían fijarse en otros detalles que la acompañan como son su frecuencia, si es seca o blanda, si se agudiza por la noche, etc. Esta precisión es de gran ayuda para el médico en el momento de establecer su diagnóstico.

pastosa, grumosa, semilíquida o francamente líquida. El aspecto de las heces puede ser variable: como un puré, con trozos sin digerir, con moco o sangre, y de distintos colores, que pueden ir desde el negro al verde, marrón o amarillo. El recién nacido y el lactante durante los primeros meses, en especial si es alimentado al pecho, suelen hacer deposiciones durante o después de todas las comidas y su consistencia no es muy espesa, pero no debemos considerarla como diarrea a no ser que la cantidad sea muy exagerada y el color difiera mucho del amarillo habitual. En el lactante, una sobrealimentación, un defecto en la preparación de los biberones o papillas, una dieta inadecuada, pueden ser causa de diarrea, incluso más frecuentemente que una infección intestinal, siendo también muy importantes, en esta edad, las diarreas secundarias o procesos ajenos al intestino, como ocurre con las otitis. En muchos casos puede resultar un trastorno grave, debido principalmente al exceso de eliminación de agua por las heces que, de no ser sustituida convenientemente, puede llevar con rapidez a una deshidratación del niño.

La causa de la diarrea, así como su naturaleza y tratamiento, deberá señalarlo el médico, pero es muy necesario que las madres tomen medidas oportunas cuando aparece el primer síntoma. Ante todo, es absolutamente inevitable la administración de agua al niño, para reponer las pérdidas y evitar así la deshidratación. Es aconsejable el uso de cualquier agua mineral sin gas, a la que se añada una pequeña cantidad de bicarbonato (una cucharadita por litro aproximadamente), agua de arroz con unas gotas de limón o agua de zanahorias, con preferencia quizá por éstas, ya que, además, actúan como astringentes. En el niño mayorcito, instaurando la dieta adecuada, se efectuará el primer paso hacia la curación de la diarrea. El arroz es el alimento más usual en estos casos, en forma de crema o sopa, las manzanas crudas o en compota, el membrillo, las tisanas o infusiones, el yogur y la supresión de la leche, pueden ser suficientes para restablecer la normalidad en el ritmo y consistencia de las deposiciones.

Vómitos

Es la expulsión por la boca de una cantidad variable del contenido del estómago. En el lactante debe distinguirse el vómito de la simple regurgitación, que no es más que la expulsión de una pequeña cantidad de leche después de una ingesta, sin esfuerzo alguno y generalmente asociada a un eructo. En cambio, el vómito es la expulsión en forma violenta del contenido del estómago, sin relación precisa con las comidas.

Cuando un niño vomita es preciso mantenerle inclinado hacia adelante, manteniéndole la cabeza sujeta, procurando evitar que queden restos alimenticios en la boca que podrían ser aspirados a las vías respiratorias.

Finalizado el vómito, se administrará una pequeña cantidad de agua o infusión de manzanilla tibia, se limpiará la boca de restos del vómito y se le acostará sobre un lado, abrigándole convenientemente, con un bolsa de agua caliente o esterilla incluso. Durante la primera hora siguiente al vómito, no darle en absoluto ningún alimento, ni sólido ni líquido, y si tiene sed, se harán enjuagues en la boca con agua mineral no carbónica. Pasada una hora —especialmente si es un lactante— se empezará a darle agua mineral con bicarbonato sódico en pequeñas cantidades, pero muy frecuentemente, de tal forma que en ningún momento pueda quedar encharcado el estómago, lo que podría provocar nuevos vómitos. Si es un niño mayorcito y no pide comida, no forzarle en absoluto. Si tiene apetito, según su edad puede dársele un poco de leche descremada, alguna tostada, galletas, caldo ligerito, tisanas o infusiones, etc. Lo que no debe hacerse es administrar medicamentos antes de la llegada del médico, pues sus efectos podrían enmascarar el cuadro y crear dificultades diagnósticas.

Uno de los problemas que más suelen preocupar a los padres respecto a los vómitos es el del lactante habitualmente vomitador. Se trata de niños menores de seis meses que

Los vómitos acostumbran a ser trastornos pasajeros y no deben preocupar demasiado a los padres. Su carácter más o menos grave viene determinado por la cantidad, la frecuencia y el olor. Los niños pueden presentar vómitos acetonémicos que se caracterizan por su olor a manzanas o a acetona; en este caso sí debe avisarse al médico. Tras el vómito se aconseja que el niño ingiera un poco de agua o una infusión tibia de manzanilla.

toman su alimento –pecho o biberón– con gran avidez, desordenadamente, agitados, lo rechazan antes de terminarlo, lloran, se contorsionan, enrojecen y al final eructan y expulsan una cantidad más o menos abundante de leche, que puede ser entera o cortada, según el tiempo que llevara en el estómago. Normalmente, el niño no tiene fiebre, efectúa unas deposiciones completamente normales, tiene buen apetito y su estado general es excelente. Aumenta bien de peso o bien se mantiene estacionado, pero nunca adelgaza. El problema que tiene este tipo de niños radica en un defectuoso cierre del cardias, que es la válvula de entrada al estómago, permitiendo la salida del contenido cuando alcanza ciertos niveles, favorecida por un excesivo acúmulo de aire ingerido con la leche por la deglución demasiado rápida. El estómago se dilata en exceso y responde con una contracción brusca que ocasiona el vómito.

Las medidas que puede adoptar la madre ante un niño vomitador serán, en primer lugar, evitar que trague tanto aire, inclinando el biberón de modo que la tetina quede siempre llena de leche y que el aire ocupe la parte alta del biberón, procurando que el orificio de la tetina no sea demasiado grande ni demasiado pequeño y administrando el biberón lentamente, con interrupciones periódicas. Si toma el pecho, lo único que puede hacerse durante la ingesta son pausas más o menos frecuentes, intentando que en algunas de ellas eructe. Después de la comida, y una vez haya eructado nuevamente, acunarle sin almohada, boca abajo y con la cabeza ladeada. Incluso puede ser beneficioso mantener inclinada la cuna de modo que la cabeza quede más alta que los pies; en casos muy rebeldes llega a hacerse preciso mantener al niño sentado de forma casi permanente. Otras medidas que podrán adoptarse, pero ya bajo control médico, serán el espesamiento de los alimentos o la utilización de medicamentos especiales.

Algunos niños mayorcitos pueden presentar crisis de vómitos más o menos espaciadas, de uno a tres días de duración, en las que el aliento del niño tiene un especial olor a manzanas o al disolvente del esmalte de uñas y que reciben el nombre de *vómitos acetonémicos*. La acetona es una sustancia de transformación producida en el hígado a través de las grasas. Este hecho ocurre cuando en el organismo tiene lugar, por diversas causas, un agotamiento de los depósitos de azúcares y se efectúa una sustitución de los mismos a partir de las grasas. La acetona se elimina por la orina, donde puede determinarse su presencia por un simple análisis. Este síntoma –la presencia de acetona en la orina– asociado a vómitos repetidos, es muy orientativo para el médico, quien, tras la minuciosa inspección del enfermito, dictaminará el proceso que padece e instaurará el tratamiento adecuado. Como medida inicial, la madre puede iniciar la administración de agua azucarada en pequeñas y repetidas cantidades, y la supresión de las grasas en la dieta, especialmente la leche entera y sus derivados.

Convulsiones

Son movimientos desordenados e involuntarios del cuerpo que pueden aparecer bruscamente, acompañándose de pérdida de conciencia. Son muy numerosos los motivos y formas de presentación de las convulsiones, pudiendo abarcar una gran gama de posibilidades diagnósticas y pronósticas. Siempre constituyen un motivo de alarma y preocupación para los padres, ya que se teme por la existencia de un trastorno grave del sistema nervioso, sobre todo cuando se invocan términos como epilepsia, encefalitis o tumor. El valor de las convulsiones es distinto según la época de la vida en que se presenten, los síntomas de que se acompañen y los antecedentes patológicos del niño. La aparición de este trastorno es motivo de indispensable y urgente asistencia médica, tanto para la instauración de un tratamiento eficaz como para la indicación de las pruebas complementarias que deberán conducir a un diagnóstico correcto.

No siempre las convulsiones son consecuencia de una alteración cerebral, pudiendo ser motivadas a veces por desequilibrios en los niveles normales de calcio o azúcar en la sangre, o bien por importante pérdida de agua y sales minerales, con deshidratación en los recién nacidos y lactantes. En los niños pequeños se observa una mayor incidencia de crisis convulsivas, coincidentes con estados febriles de aparición brusca; en estos casos puede existir o no una alteración cerebral. Algunos procesos infecciosos banales, que provocan una elevación súbita de la temperatura corporal, pueden ocasionar pérdida de conciencia durante unos minutos, con movimientos rítmicos de las extremidades, salida de espuma por la boca y, a veces, emisión involuntaria de heces u orina. Este tipo de convulsiones no suelen tener una gran importancia y aunque puedan repetir en varias ocasiones, dejan de presentarse después de los siete u ocho años. Normalmente, en estos casos, una vez superada la crisis, el niño aparece completamente normal, y si se consigue hacer descender suficientemente la fiebre, es capaz de adoptar una actitud de completa normalidad. Si ello no ocurriera y, por el contrario, el niño continuara sumido en un estado de estupor, somnolencia o depresión, debería pensarse en algún problema más importante, pero siempre deberá confiarse en que el médico aclare el problema.

Cuando un niño presenta una convulsión acompañada de fiebre elevada, lo único que debe hacer la madre es intentar que la temperatura descienda lo antes posible por los medios más usuales: supositorios antitérmicos, fricciones con alcohol, baños de agua fría o desnudando al niño y envolviéndole en una sábana empapada de agua a temperatura ambiente.

Desarrollo psíquico del niño

A lo largo de la vida, el hombre atraviesa por distintas etapas que van formando su personalidad y marcando su desarrollo psíquico. Estas etapas o estadios se inician en el momento mismo de la concepción y se prolongan a lo largo de toda la vida.

Dentro del desarrollo psíquico del hombre, la infancia es sin duda el período más importante, ya que cuando un niño alcanza la adolescencia su personalidad estará esencialmente definida. De las distintas teorías del desarrollo psíquico infantil, la de la escuela psicoanalítica es la más diferenciada y específica. Según ella, el niño atraviesa por cinco fases: la *oral*, que se extiende desde el nacimiento al año; la *anal*, de los doce meses a los tres años; el *período de latencia*, desde los cinco a los once años y, finalmente, el *período genital*, que comienza al transformarse el niño en un adolescente.

De la concepción al parto

En el momento de nacer, cuando mediante la sección del cordón umbilical se establece la desconexión definitiva entre la madre y el niño, existen algunos órganos y sistemas que inician su funcionamiento o sufren una adaptación para que sea posible la vida en el nuevo ambiente. Esto ocurre por ejemplo con los pulmones, que no han sido utilizados durante toda la vida intrauterina y que entran en funcionamiento a partir del momento en que el recién nacido lanza su primer grito, o con el sistema circulatorio, que debe modificar su recorrido por el hecho de que los pulmones remplazan a la placenta en la función de intercambio de oxígeno.

Al iniciarse la alimentación por la boca, el aparato digestivo inicia sus funciones; y lo mismo ocurre con los riñones, que van a tener que comenzar su labor depuradora de sustancias de desecho. En cambio, el cerebro no sufre ningún cambio importante por el hecho de haberse iniciado la vida extrauterina.

Desde que en el embrión se diferenciaron las primeras células nerviosas, se ha ido configurando paso a paso la estructura del cerebro y en cada momento ha tenido unas funciones propias de su madurez. Poca diferencia existe entre la estructura y funciones del cerebro de un recién nacido de un mes y el de un feto de ocho meses de edad gestacional. El sistema nervioso va madurando de una forma progresiva, y esta madurez se manifiesta por la actitud motriz y psicológica del niño en las diferentes épocas de su vida. Podríamos decir que evoluciona según una curva que partiendo de la diferenciación de células nerviosas en el embrión, tiene un recorrido ascendente hasta la consecución del mayor grado de madurez mental en el adulto y con un descenso gradual en la senectud.

Precisamente el estudio de las manifestaciones psicomotoras de un recién nacido nos permite establecer de una forma bastante aproximada la edad de gestación en el momento del nacimiento en aquellos casos en que por alguna circunstancia no había sido posible establecer la fecha de la última regla. Por mucho que intentemos profundizar en el recuerdo de nuestro pasado, no llegaremos a evocar nuestras primeras manifestaciones vitales. Nos resulta total-

mente imposible recordar la sensación que nos produjo alimentarnos al pecho de nuestra madre y aún más lo que sentimos al llegar a este mundo. Nunca podremos saber si estuvimos satisfechos de nacer o habríamos preferido seguir en el claustro materno, donde habitamos en perfecta simbiosis los primeros nueve meses de nuestra existencia. Todavía nos es más difícil recordar nuestras vivencias de la edad fetal. Todo aquello que conocemos del pensamiento del recién nacido y lactante es simplemente una suposición después de numerosas y detenidas observaciones del comportamiento de muchos niños durante las primeras semanas de su existencia.

Cuando se nos pregunta si un recién nacido oye los ruidos que se emiten a su alrededor, contestamos que "suponemos" que los oye, basándonos en sus reacciones ante estímulos más intensos de lo corriente, por ejemplo, dando un portazo. Por esta misma razón "suponemos" una serie de vivencias en el feto,

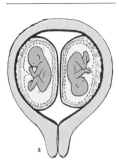

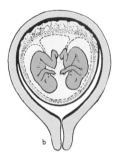

a

b

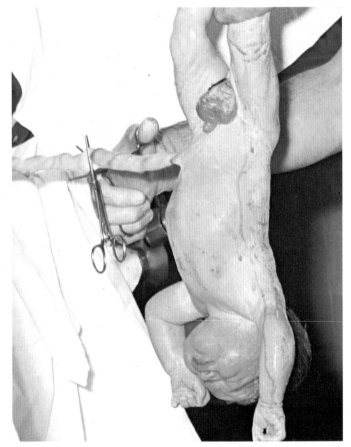

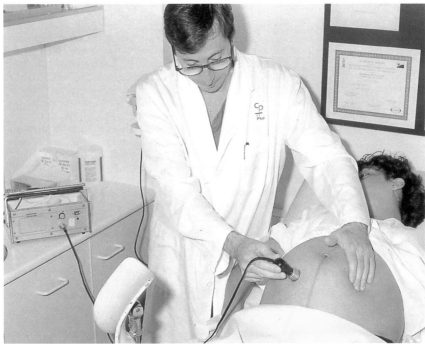

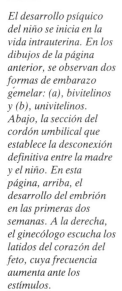

El desarrollo psíquico del niño se inicia en la vida intrauterina. En los dibujos de la página anterior, se observan dos formas de embarazo gemelar: (a), bivitelinos y (b), univitelinos. Abajo, la sección del cordón umbilical que establece la desconexión definitiva entre la madre y el niño. En esta página, arriba, el desarrollo del embrión en las primeras dos semanas. A la derecha, el ginecólogo escucha los latidos del corazón del feto, cuya frecuencia aumenta ante los estímulos.

basándonos en unas interesantes experiencias que han realizado varios autores y que pueden ser comprobadas con relativa facilidad.

Manifestaciones psíquicas del feto

Los métodos seguidos para ahondar en la psicología del feto han sido muy variados y de muy diversa categoría científica. Quizás el más profundo desde el punto de vista científico es el psicoanálisis, por el que se pretende llegar, mediante un análisis detenido del subconsciente, hasta las vivencias más remotas. No creemos que nadie, hasta el momento, haya sido capaz de referir sus experiencias fetales sin haber hecho uso de una fantástica imaginación. Solamente en algunos casos de enfermedad mental han existido referencias a los recuerdos de la época fetal, pero ello puede considerarse como patológico.

La circunstancia de la inexistencia de recuerdo no implica, a nuestro modo de ver, que el feto no tenga sus propias vivencias. Su sistema nervioso no está capacitado para llorar o reír pero en cambio es capaz de succionar o reaccionar con movimientos enérgicos ante estímulos externos violentos. Que el feto es ca-

paz de succionar lo demuestran dos hechos: por una parte, radiografías efectuadas durante el embarazo han evidenciado imágenes de fetos con la mano o el pie en la boca; por otra, si la gestación se interrumpe prematuramente el recién nacido es capaz de succionar apenas llegado al mundo.

Algunas de las experiencias se han llevado a cabo provocando estímulos de diversa índole, en condiciones tales que puedan ser percibidos por el feto, para estudiar seguidamente su reacción. Se ha comprobado que el feto responde con una mayor frecuencia de sus latidos cardíacos ante un estímulo violento sobre la pared abdominal de la madre. Esta respuesta puede compararse a la palpitación que acompaña al estado angustioso de un adulto ante una emoción intensa. Se ha de "suponer", por tanto, que el feto es capaz de sentir angustia.

Otro hecho que se puede comprobar con gran facilidad es que durante las primeras horas de sueño de la madre, son más frecuentes e intensos los movimientos fetales. Hemos de "suponer" que esta mayor actividad es una manifestación de satisfacción por gozar de una postura más cómoda y desahogada. No tenemos muchas dudas de que el feto es capaz de sentir a su modo sensaciones de bienestar e incomodidad y es capaz de manifestarlas de algún modo.

La inapetencia

El niño que no quiere comer, especialmente en la edad que aquí consideramos, o sea en los cinco primeros años de su vida, preocupa gravemente a su familia, y con frecuencia incluso al pediatra que lo atiende. Se trata, desde luego, de niños sanos, en los que el médico no encuentra enfermedad alguna, ni presente ni en incubación, y cuyo aparato digestivo está en perfectas condiciones. Son aquellos niños que parecen negarse a comer "casi por desprecio". Las madres son muy sensibles a la alimentación de su hijo. Lo han llevado en el vientre durante nueve meses, lo han parido con mayor o menor dificultad, pero siempre con ciertos sufrimientos y cierta conmoción, y ahora temen ver frustradas sus esperanzas de verlo crecer como es debido, porque no come suficientemente...

Señalemos en primer lugar que muchas madres pretenden saber cuánto debe comer su hijo, y a veces le imponen la ingestión de una cantidad de alimento que es superior a sus necesidades.

El niño obligado a comer más de lo que le pide su apetito, reacciona disgustado y rechaza aquellos alimentos que la madre juzga normales pero que para él son demasiado abundantes. Es recomendable que, en cambio, cada niño coma cuanto quiera, y pronto se observará que las manifestaciones de rechazo se atenúan. Los trastornos de la alimentación pueden aparecer desde el comienzo de la lactancia, o bien más tarde, tras un período más o menos prolongado durante el cual el niño siempre ha comido con regular apetito.

En el primer caso vemos que el recién nacido, casi desde su venida al mundo, toma la leche materna en cantidad inferior a la indicada por el pediatra, se muestra lento y parece cansarse en seguida del pecho. La madre, preocupada por el hecho de que el bebé no coma lo suficiente, adopta involuntariamente una tensión en su gesto y su actitud. Desesperada, lo mantiene largo tiempo en el pecho, con la esperanza de que ingiera unos gramos más de leche. Su jornada transcurre casi por completo en esta enervante rutina y con ello se añade a la preocupación por el niño un auténtico cansancio físico que acentúa la desazón psicológica.

El bebé, que vive en una vinculación estrechísima con la madre, percibe su estado de ánimo y reacciona en consecuencia con una sensibilidad finísima. A través de las sensaciones que le llegan procedentes del contacto físico con la madre, cuando ésta lo cambia, lo lava y lo toma en brazos para amamantarlo, o bien por el tono de su voz, se da cuenta perfectamente de su disposición emotiva, nota que algo no marcha como es debido, y come todavía menos. Se crea entonces un círculo vicioso que es muy difícil interrumpir, y a menudo las madres, desesperadas, adoptan la lactancia artificial. Sin embargo, bastaría con no insistir demasiado para que el niño comiese más, y aceptar con serenidad las dificultades iniciales de la alimentación, para verlas desaparecer poco a poco a medida que el pequeño crece.

Otro momento en el que pueden iniciarse los trastornos de la alimentación es el del destete. Hasta ese momento, el niño ha estado acostumbrado a succionar el pezón materno o el biberón, y ahora, después de meses de ese hábito agradable, debe renunciar a este placer y adoptar la cucharilla y el tazón, fríos y rígidos, y además aprender a tomar alimentos diferentes de la leche, de sabor distinto y con otra consistencia. Es indudable que la leche moderna o las leches artificiales son alimentos adecuados a las necesidades biológicas del pequeño, al que gusta extraordinariamente su sabor. Sin embargo, el cambio le desconcierta y trastorna, y entonces es fácil que escupa la papilla o incluso la vomite.

El repudio del alimento ocurre en especial cuando, por causas diversas, el bebé es destetado de modo repentino, o bien cuando la lactancia se prolonga en exceso sin que se introduzca en la dieta algún alimento suplementario de sabor diferente. Es natural entonces que el destete sea muy duro para un niño que se sentirá abandonado y angustiado por estas privaciones, y reaccionará con caprichos, llantos y rechazo de la papilla. Si la madre insiste excesivamente en hacérsela ingerir, es fácil que el pequeño vomite, o bien podrán presentarse trastornos intestinales más bien ruidosos y que pueden prolongarse por un cierto tiempo. Ante semejantes manifestaciones de hostilidad, a veces muy violentas, las madres se sienten preocupadas y soportan mal las rabietas del bebé. A menudo llegan a perder la paciencia, y

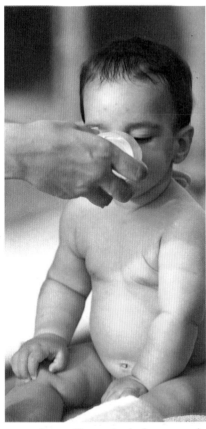

meten la papilla, casi a la fuerza, en la boca del niño. Otras madres insisten con mayor dulzura, tratando de distraer al niño y prolongando por largo tiempo el rito de esta alimentación, pero sin obtener mejores resultados.

Por fortuna, la ciencia de la alimentación de los niños, gracias a los progresos realizados en los últimos años, ha contribuido en cierto sentido a la resolución del problema, en perfecto acuerdo con los puntos de vista de los psicólogos, ya que de hecho los pediatras aconsejan, desde los primeros meses de vida del bebé, añadir a su dieta vitaminas en forma de gotas o zumos de frutas, y algo más tarde alguna papilla artificial o caldo de verduras. De este modo, los niños empiezan temprano a catar en pequeña cantidad nuevos sabores, a percibir nuevos olores y a acostumbrarse a la cucharilla, sin dejar de gozar todavía del placer de la lactancia de pecho o de biberón. También la introducción de una papilla salada es muy favorable a un destete sin problemas. Si el niño no da cuenta en seguida de toda su ración, se agregará a la comida siguiente una bue-

na cantidad de leche. En la práctica, si se procede al destete de un modo gradual, sin una particular rigidez, es muy difícil que se produzcan graves rechazos alimentarios.

En los niños algo mayores, que siempre habían comido bien y que habían aceptado de buen grado el destete, el repudio de los alimentos puede tener diversas causas, pero siempre denota algún desorden psicológico debido a carencia afectiva, o pequeños traumas. Los ejemplos más típicos y comunes son los trastornos alimentarios que se inician coincidiendo con el nacimiento de un hermanito o con el ingreso en el parvulario.

En el primer caso, el niño expresa sus celos hacia una madre que ya no se dedica enteramente a él y que ahora divide sus cuidados y su tiempo con el nuevo miembro de la familia. Por temor a haber perdido su afecto, trata de llamar nuevamente la atención sobre su persona y con este fin vuelve a "hacerse pequeño". Si ya había aprendido a comer por sí solo, finge estar desganado, prolonga sus comidas, pide a su madre que le explique cuentos mientras come, se muestra caprichoso ante los diversos alimentos, y con frecuencia también quiere leche como su hermano. Con semejante comportamiento trata de centrar de nuevo en su persona la atención de la madre.

Cuando el niño va a la escuela por primera vez, sobre todo si es el mayor de otros hermanos que se quedan en casa, puede ocurrir que se produzca una regresión a causa de los celos y de nuevo se niegue a comer.

Con frecuencia los padres se preocupan por la inapetencia del niño, fundamentalmente antes de los cinco años de edad, y su ansiedad les obliga a adoptar conductas contraproducentes para el infante que puede manifestar verdadera aversión por los alimentos. La variedad alimentaria, una cierta permisividad horaria y una adecuada distensión durante el momento de las comidas, ayudarán a superar el conflicto.

La alternancia paulatina de la leche materna y más tarde el biberón con otros sabores, por ejemplo jugos de frutas, acostumbran el paladar del niño preparándolo para el momento del destete y la incorporación de papillas. Este procedimiento, obviamente asistido por la indicación del pediatra, contribuirá a evitar futuros inconvenientes alimentarios.

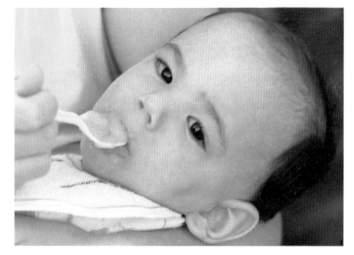

Con ello puede suceder que la madre, preocupada, ya no insista en mandarlo a la escuela y lo tenga en casa, y de este modo el niño habrá logrado el objetivo que inconscientemente se había fijado: ocasionar la preocupación de su madre y obligarla a volverse atrás en sus decisiones. Si los padres saben preparar de antemano al niño de cara a la llegada de un nuevo hermano o hermana, si hacen todo lo posible para impedir que sienta celos, y si del mismo modo consiguen hacerle aceptar el parvulario como una nueva y dichosa experiencia, más que como una dolorosa separación, podrán evitar fácilmente estos trastornos.

No obstante, hay otros que parecen carentes de una base específica. Se trata, a menudo, de dificultades que no tardan en aparecer en aquellos niños cuyas madres se muestran particular-

mente sensibles en la cuestión de la alimentación.

Muchas veces, estas madres han sido también niñas inapetentes o difíciles en la elección de los alimentos. Por haberse visto obligadas a comer, piensan que sus hijos son como eran ellas y actúan tal como lo habían visto hacer a sus madres. Muy al contrario, el mejor método es el de dejar que los niños coman solos, sin forzarlos, y evitar que la alimentación se convierta en una complicada cuestión de obediencia, de premios o de castigos, es decir, una situación llena de tensiones emotivas. Si el alimento es variado y está bien cocinado, el niño abandonado a sus medios comerá lo que baste para sus exigencias, y si está libre de toda imposición o insistencia, comerá con tranquilidad incluso aquello que antes rehusaba por sistema.

Hay experiencias que siempre son perturbadoras para el niño y que pueden conllevar, entre otros, trastornos vinculados a la alimentación. El caso del nacimiento de un hermanito, por ejemplo, puede llevar al niño, que ha comenzado a comer solo, a llamar la atención de la madre presentando problemas: jugando con la comida, ensuciándose con ella o ignorándola.

Si el niño puede elegir los alimentos, comer lo que realmente desea y dejar de hacerlo si está ya satisfecho, libre de una constante vigilancia para que coma, lo que convierte el horario de las comidas familiares en una tortura, tanto para los adultos como para él mismo, resolverá por sí mismo el trance y se nutrirá convenientemente.

El control de los esfínteres

Entendemos por esfínteres aquellos anillos musculares, situados en la vejiga y en la porción terminal del intestino, a través de los cuales son expulsadas, respectivamente, la orina y las heces. Estos anillos musculares son capaces de contraerse y aflojarse, y les corresponde la función de retener o permitir la salida de los excrementos.

Estas formaciones musculares son controladas por el sistema nervioso de un modo harto complejo. Aquí bastará con decir que dicho control es en parte voluntario y en parte independiente de la voluntad.

El control voluntario, es decir, el que depende de la voluntad y conocimiento del sujeto, está del todo ausente al nacer y no hace su aparición hasta finales del primer año de vida. Antes de este período, el niño todavía no está neurológica y psicológicamente maduro (ambas cosas van a la par) para advertir la emisión de las heces o la orina, y menos para controlar eventualmente tales emisiones.

Función refleja

En los primeros meses de su vida, prácticamente en el primer año, el niño evacúa de modo automático y reflejo, es decir, cuando la vejiga o el intestino están llenos. En realidad, es muy frecuente que la descarga, en especial de las heces, siga inmediatamente a la comida o se realice durante la misma, y ello se debe a que, al llenarse el estómago, éste tiende a estimular por vía refleja el último tramo intestinal.

Se trata, por tanto, de una función refleja, totalmente ajena a la voluntad o al control del pequeño. A menudo, este tipo de regulación refleja ocurre también al sentar al niño en el orinal, en cuyo caso el contacto con las paredes del recipiente es lo que sirve de estímulo. Sin embargo, es evidente que tampoco en este caso cabe hablar de educación del control de los esfínteres (puesto que el término "educación" implica una participación activa y voluntaria de la persona a educar). Como máximo, se podrá hablar de una autorregulación automática, refleja e inconsciente que más tarde puede desaparecer, cuando,

en virtud de la maduración neurológica y del desarrollo psicológico, el control de los esfínteres se convierta en un hecho voluntario.

Es lógico que una madre prefiera tener pocos pañales sucios que lavar, en vez de muchos, pero, a pesar de esta ventaja de orden práctico, no es aconsejable, ni desde el punto de vista educativo ni desde el psicológico, una educación en el control de esfínteres demasiado precoz o demasiado severa.

Autorregulación

Como promedio, el niño empieza a ser capaz de controlar la evacuación de orina y heces, de un modo activo, consciente y voluntario, en el segundo año de su existencia, pero necesita mucho tiempo para adquirir un control completo y definitivo. Los incidentes, en especial los nocturnos, pueden seguir manifestándose en edades mucho más avanzadas, incluso a 4, 5 y 6 años, o tal vez más, de modo tolerante esporádico y especialmente en ocasiones de leve malestar o de auténtica enfermedad, y en períodos de especial ansiedad. A menudo, eso sucede incluso durante el día, cuando el niño está absorto en una determinada actividad, por ejemplo un juego que le interese de modo particular.

Importancia del control de los esfínteres

En la historia de la evolución psicológica del niño, todo aquello que se refiere al control de los esfínteres reviste enorme importancia y un interés particular, puesto que no se trata solamente de acostumbrar al niño a mantenerse limpio. La adquisición de esta función abarca un sector importantísimo de la naciente personalidad del niño, puesto que el tiempo y las circunstancias en que se consiga este control no dejarán de influir no sólo en los hábitos intestinales, sino también, por extraño que pueda parecer, en el carácter y la manera de reaccionar del niño en aspectos que aparentemente nada tienen que ver.

De los 10 o 12 meses en adelante, las regiones esfinteriales empiezan a volverse mucho más sensibles y, por consiguiente, el hecho de evacuar o retener los excrementos comienza a convertirse en fuente de sensaciones vivas y total-

El niño es un pequeño personaje, complejo y absorto, con una enorme capacidad de sorpresa y cuyas prioridades están lejos de ser las de los adultos. Su interés por algunos juegos puede mantenerle ocupado durante horas, esclavo de su maravillosa imaginación. Por ello, no debe resultar sorprendente que durante una edad en la que ya ha controlado perfectamente sus esfínteres tenga algún «accidente» durante el día. Esto puede ocurrir con normalidad cuando se encuentra abstraído en algún juego que le resulta particularmente atractivo, tanto si está solo como si comparte la diversión con algún amigo o hermano. La adecuada comprensión del adulto ante estos «accidentes» será beneficiosa en un momento en que el niño está estructurando su personalidad.

Durante la noche, es posible que el niño de cuatro o cinco años pierda ese control de esfínteres aprendido y que amanezca mojado para sorpresa o irritación de la madre. Esto puede tener más de una explicación, pero por lo general no reviste demasiada importancia.

madre, que lo halaga, se muestra contenta cuando él ha "hecho caca".

No debe sorprender a nadie la afirmación de que las heces son el primer y preciado regalo que el niño hace a su madre; de hecho, se enorgullece de ellas y, si pudiese jugaría e incluso se las metería en la boca.

El hecho de que tales cosas que salen de su cuerpo y que son acogidas con tanta alegría por su madre, deban ser consideradas al propio tiempo como porquerías que no se deben tocar y que huelen mal, no es fácilmente comprensible para su pequeña mentalidad y contribuirá a crearle no pocas preocupaciones en su primera infancia.

Muy pronto, pues, el pequeño se da cuenta de que el mundo de los adultos, y la madre en particular, conceden gran importancia al hecho de que haga o no sus necesidades en el orinal. Con notable rapidez, advierte que, si evacúa donde y cuando se le pide hacerlo, la madre se muestra satisfecha, mientras que, en el caso contrario, expresa su descontento. Descubre, por tanto, que los demás están muy interesados en esta nueva actividad suya y que no se trata tan sólo de un nuevo juego, excitante y agradable, sino que es, al mismo tiempo, una especie de deber que su madre le exige.

El niño descubre así un nexo de causa y efecto entre un acto suyo y la reacción de la madre; es más, descubre que tiene sobre la madre un cierto poder, el de procurarle placer o disgusto, y que va ligado al hecho de darle, cuándo y cómo ella desea, esas "cosas" de su interior.

La educación de los esfínteres

A la adquisición del control de los esfínteres, con la higiene personal que esto lleva aparejado, se unen acontecimientos psicológicos de muy considerable alcance. Por esto, todos los expertos en el tema de la infancia admiten que cuanto acaece en este período reviste especial importancia en lo que respecta a la manera de aceptar y elaborar el niño esta primera forma de autodisciplina que le es impuesta por su entorno. Por esta razón, hay que evitar los errores.

Es difícil, por no decir imposible, explicar cómo se educa al niño en el control de los esfínteres. Precisamente por tratarse de una situación compleja, no se puede ni se debe reducirla a unas

mente nuevas, al mismo tiempo placenteras y desagradables. En tanto que el placer ha estado hasta ese período vinculado a una actividad primordialmente pasiva, como la de recibir e ingerir el alimento, ahora se convierte en algo activo, vinculado a la nueva capacidad de actuar sobre el propio cuerpo, al retener o expeler unas materias que, precisamente por el hecho de provenir del interior del organismo, son contempladas por el pequeño como cosas auténticamente "suyas" y, por consiguiente, particularmente preciosas y ricas en significado. El niño ve confirmado este sentimiento, totalmente espontáneo y natural, por el comportamiento de la

normas genéricas y esquemáticas, ya que todo niño tiene su período y su modalidad óptimos para ser educados en este control. Por otra parte queda ampliamente abarcada. Aparte de la personalidad del niño con innatas disposiciones orgánicas, también queda abarcada al respecto, la personalidad de los padres y, con ellos, el tipo de educación que a su vez hubieran recibido. Una madre rígida y perfeccionista difícilmente soportará que el pequeño se ensucie, que no observe los horarios y que no se habitúe dócilmente a tales disciplinas. Esa madre tenderá a imponer muy pronto, normas y horarios, se preocupará de que el niño aprenda en seguida a conservarse limpio, y se mostrará asombrada y contrariada si observa que su pequeño empieza a mostrar una voluntad suya y no está dispuesto a dejar controlar por los demás sus funciones excretoras.

No es raro que la educación de la limpieza, o sea el control de los esfínteres, se convierta en agotadora prueba de fuerza entre madre e hijo, precisamente porque está en juego, psicológicamente hablando, algo más que el hecho de ensuciar o no unos pañales.

A partir de los dieciocho meses, el niño está en condiciones de que se le comience a instruir sobre el control de sus deposiciones y de sus micciones. Como en todo, la edad en que ello se consiga sufrirá las variaciones personales que nacen del distinto temperamento y de las circunstancias que rodean a cada niño. El niño celoso, angustiado y nervioso es probable que aprenda más tarde que el niño equilibrado y tranquilo.

La experiencia ha demostrado que el sistema más eficaz para conseguir el control de esfínteres consiste en la supresión radical de las gasas. Durante muchos meses, el niño se ha habituado de un modo totalmente inconsciente a ensuciarse en ellas y a ser cambiado en cuanto va sucio o mojado. De hecho, ésta es la función de las gasas y para ello se utilizan desde el nacimiento; por lo tanto es lógico que al niño le cueste comprender que debe ensuciarse en otro sitio distinto de donde lo ha hecho siempre y que en general le resultará más incómodo.

Nuestro método se basa en los siguientes puntos:

1) No es fácil que el niño comprenda el problema antes de los dieciocho meses.

2) La vejiga urinaria no adquiere la tonicidad necesaria para una buena retención antes de esta edad, y ello depende de la madurez del sistema nervioso.

3) Para el niño resulta más cómodo ensuciarse en las gasas, y por ello no acepta fácilmente la pérdida de tiempo que supone estar sentado más o menos tiempo en el orinalito.

4) Considera como muy natural ensuciarse en las gasas, pues para esto se le han colocado siempre, y además está acostumbrado a que se le cambie cuando va sucio.

Partiendo de estos conceptos, proponemos que, en principio, se utilice el sistema siguiente:

Alrededor del año y medio, procurando que el momento coincida en una época del año de temperatura agradable, en la que el niño va más ligero de ropas, se suprimirán las gasas de un modo radical, día y noche. La madre procurará estar pendiente al máximo del niño y cada vez que se ensucie se le recriminará de forma suficientemente comprensible para él. Al mismo tiempo se le preguntará con frecuencia si siente necesidad de orinar o defecar, y aunque su respuesta sea negativa se le sentará durante unos minutos en el orinalito. Al principio, en la mayoría de las ocasiones, por inhibición, no hará nada, pero en cuanto alguna vez se consiga que haga pipí en el orinalito, se le felicitará efusivamente para que se sienta gratificado. De este modo, el niño empieza a darse cuenta de que si se ensucia encima se le riñe y si lo hace en el orinalito se le premia. Instintivamente, para evitar la riña, tiende a retener sus necesidades, con lo que contribuye positivamente a aumentar el tono de los esfínteres. Muy pronto comunicará su evacuación después de haberla realizado pero no tardará en aprender a avisar sus necesidades antes de realizarlas, generalmente, con el tiempo tan justo que deberá acudirse a él con carácter de urgencia.

Una buena medida de colaboración será disminuir ligeramente la ingestión de líquidos, especialmente a partir de media tarde, con lo que disminuirá la cantidad de orina eliminada, y de un modo más marcado por la noche, permitiendo una mejor educación del control nocturno. Si no se trata de un niño habitualmente estreñido, se le puede preparar una dieta astringente (arroz,

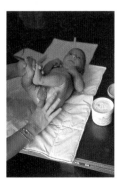

El niño, a lo largo de los primeros dieciocho meses de vida, se ha acostumbrado a ensuciarse en el pañal, lo que determina la inmediata atención de la madre, que le asea y muda de ropas. Esta situación debe considerarse especialmente a la hora de enseñar al niño a controlar sus esfínteres y también más adelante, porque es posible que contenga su necesidad hasta el último instante, máxime si está jugando, y requiera una urgente intervención del adulto.

manzanas, zanahorias, etcétera), con lo que limitará el número de deposiciones, las hará mas consistentes y quizás con un horario más-fijo.

Durante las primeras noches de dormir sin gasas mojará la cama, sin duda alguna, pero si se procura hacerle orinar al acostarse, durante la noche y en seguida que se despierte, en pocos días se conseguirá que la noche sea seca. Normalmente, a los pocos días de haberse suprimido las gasas el niño suele avisar de que se ha ensuciado, y si se le reprende por ello pronto se habituará a pedirlo antes de hacerlo. Al principio se deberá tener en cuenta que cuando lo pida será justo al llegar a los límites de su capacidad de retención, por lo que deberá sentársele en el orinalito con suma rapidez.

Este método ha dado excelentes resultados en un elevado porcentaje de casos, y el promedio de tiempo de adaptación ha sido sorprendentemente bajo, de una a dos semanas, contando siempre con una eficaz colaboración por parte de las madres aconsejadas, quienes han dedicado una atención exhaustiva al problema durante la experiencia. Sin duda hay fracasos en un pequeño porcentaje de casos, que en general se deben atribuir a irregularidad en la supresión de las gasas, falta de energía en las represiones, falta de atención por parte de la madre o falta de colaboración por parte del niño, que no comprende (por inmadurez) o no quiere comprender (por falta de interés) el problema.

Cuando no se consiguen buenos resultados un mes después de haber suprimido las gasas, es preferible desistir y adoptar otros métodos como el de la eliminación temporal de las gasas, colocándolas nuevamente en los momentos más comprometidos; el mantenerle sentado al orinalito en períodos de tiempo más frecuentes y prolongados, etcétera. Si después de estos intentos de educación de los esfínteres el niño sigue presentando incontinencia a los tres años de edad, será conveniente consultar al pediatra, pues se puede tratar de un niño con problemas patológicos de las vías urinarias.

Muy pronto el niño siente tendencia a efectuar sus evacuaciones como los adultos y puede presentar un rechace hacia el orinalito, especialmente cuando valora los períodos de tiempo que le mantiene inmóvil privándole del juego. En el caso concreto de los varones, sienten pronto inclinación a hacer pipí de pie, y en muchos casos se ha visto a niños a quienes se les han podido suprimir las gasas cuando han aprendido, por imitación de su padre, hermanos o en el parvulario.

La enuresis

La enuresis es la emisión involuntaria y repetida de orina tras el tercer año de vida en sujetos que no presentan lesiones o enfermedades orgánicas. La persona enurética es aquella que no consigue retener la orina y emitirla voluntariamente cuando nota el estímulo que lleva a la micción, aunque logre contenerla (dentro de ciertos límites de tiempo) hasta encontrarse en las circunstancias adecuadas para satisfacer su necesidad.

Los recién nacidos no poseen la capacidad de retener la orina y vaciar la vejiga a intervalos regulares. Sus emisiones son muy frecuentes y tienen lugar apenas se reúne una cierta cantidad de líquido en la vejiga; la emisión se produce durante el sueño o la vigilia, independientemente del control de la voluntad. Como hemos visto, los niños de muy corta edad todavía no poseen una capa-

No se puede hablar de enuresis hasta que el niño que no consigue retener la orina no haya cumplido los tres años. El bebé y el niño pequeño no están capacitados para retener la orina y vaciar la vejiga, por lo que la emisión se produce de forma involuntaria. Existen dos tipos de enuresis: la primaria, o enuresis propiamente dicha, es cuando el niño no ha llegado nunca a controlar sus esfínteres. Se dice en cambio «enuresis secundaria» cuando, después de haber adquirido el dominio sobre sus esfínteres, el niño vuelve a orinarse encima con cierta regularidad.

No debe confundirse la enuresis con la distracción. Es bastante frecuente que el niño deje escapar un poco de orina si está entretenido con sus amigos o si se halla desempeñando alguna actividad que le divierte.

cidad adecuada para controlar los movimientos de sus músculos, capacidad que se adquiere gradualmente con el ejercicio continuo y que se alcanza por completo mucho más tarde, alrededor de los siete u ocho años. Asimismo, el control de los órganos internos, dirigido a través del sistema neurovegetativo y que actúa de modo casi automático, se establece gradualmente, a medida que progresa la maduración orgánica y funcional del sistema nervioso. Se comprende, pues, que antes de una determinada edad los niños no consigan contener la orina debido a la inmadurez de su aparato nervioso, y que, según el ritmo de maduración propio de cada sujeto, el control del esfínter urinario se logre en épocas variables. En general, los niños consiguen primero la capacidad de controlarse durante el día; durante la noche, al amortiguarse la consciencia de lo que ocurre en el cuerpo, el control de los esfínteres depende únicamente de los automatismos fisiológicos.

No se puede hablar de niños enuréticos hasta que hayan cumplido los tres años, o los tres y medio incluso, y sigan mojándose porque sólo a esa edad se consigue, en general, un desarrollo psicomotor suficiente para el control del esfínter de la vejiga. Si una vez superada esa edad el niño sigue mojándose, ya sea de día o de noche, o sólo de noche, cabe hablar de enuresis y empezar a preocuparse por este trastorno.

Enuresis secundaria

Además de la enuresis primaria, o sea la prolongación de la incapacidad para retener la orina más allá de una cierta edad, se observa a menudo una enuresis secundaria, que es la que se presenta en niños que ya habían adquirido el control de la vejiga y que de repente empiezan a orinarse encima con cierta regularidad.

¿Cuáles son las causas de la enuresis, ya sea primaria o secundaria? Si bien en otro tiempo quienes estudiaron este problema tendían a dar gran importancia a causas orgánicas, hoy sólo cabe aducir a éstas en caso de niños físicamente muy frágiles o neurológicamente inmaduros. Sin embargo, en la mayoría de los casos los niños enuréticos presentan también trastornos psicológicos y la enuresis asume para cada uno de ellos un significado muy preciso en el cuadro

de los problemas personales. Por tanto, la enuresis es, casi siempre, el síntoma de un desorden psicoafectivo más o menos acentuado, lo que no puede sorprender si recordamos la importancia que tiene en el desarrollo del niño la actitud mantenida por los padres con respecto al aseo personal y a la adquisición del control de esfínteres, y el significado que tiene para los pequeños, en cierto estado de su evolución afectiva, la emisión de la orina y las sensaciones a ella asociadas.

La imposición precoz del control de la vejiga, con una severidad y rigidez excesivas, provocan en el niño sentimientos de inferioridad, de incapacidad e incluso de hostilidad contra sus padres. No es raro el caso de niños que, en el seno de su familia, padecen enuresis y se mojan casi todas las noches, y que, por el contrario, son capaces de mantenerse limpios cuando pasan unos días en una colonia de vacaciones o en casa de un amigo, donde se sienten más autónomos y menos devaluados.

La enuresis secundaria, es decir, la reanudación de un comportamiento infantil pasivo y dependiente, aparece con frecuencia en niños ya mayorcitos y que llevan tiempo controlándose, pero que son emotivamente frágiles e inseguros, sobre todo en dos situaciones particularmente delicadas: el nacimiento de un hermano y el inicio de la actividad escolar. En ambos casos, los niños pueden experimentar sentimientos de abandono, ya que si les nace un hermanito temen perder el afecto materno y, por tanto, vuelven a comportarse de manera infantil, a fin de llamar sobre sí la atención de su madre. En el segundo caso, el niño poco seguro de sí mismo y aún poco autónomo, se siente todavía más insuficiente y más necesitado del apoyo familiar, y vuelve al comportamiento de la primera infancia.

Qué hacer ante un niño enurético

Una actitud tranquila y serena de la familia puede lograr una desaparición bastante rápida de la enuresis, acompañada por algunas medidas adoptables incluso en la enuresis primaria: ingestión de alimentos secos en la cena y hacer levantar al niño por la noche para que orine procurando que esté consciente de lo que hace.

La enuresis, es decir la emisión involuntaria de orina después de los tres años y medio sin que medie causa orgánica, constituye un trastorno que debe ser consultado con el pediatra. A partir de la edad mencionada, el niño ha desarrollado ya suficientemente su sistema psicomotor y está en condiciones de ejercer el dominio de sus esfínteres. Debe aclararse, sin embargo, que existen causas externas que pueden incidir en esta incontinencia y que afectan psicológicamente al niño. Entre éstas pueden mencionarse el nacimiento de un hermanito, el ingreso al parvulario o alguna conmoción familiar.

La actitud familiar ante el niño enurético puede llevar a una rápida desaparición de la incontinencia. En términos generales, el niño que deja de controlar sus esfínteres y se orina está lanzando un mensaje que debe ser comprendido y contestado por el adulto. Una carencia de afecto, una situación de abandono, el desplazamiento de la atención paterna, multitud de factores pueden llevar al niño a refugiarse en conductas típicas de una etapa previa de su desarrollo en la que era inmediatamente atendido por la madre.

Los casos más resistentes a toda intervención delatan trastornos afectivos de una cierta gravedad. El carácter agradable de las sensaciones experimentadas al orinar pueden, en cierto momento, ser muy apreciadas por los pequeños que se procuran por medio de ellas una cierta satisfacción que puede servir para tranquilizarle frente a temores infantiles relacionados con la posibilidad de crecer y convertirse en mayores.

En conclusión, nos parece necesario precisar dos puntos básicos. El primero es que, hasta los tres años o tres años y medio, no es necesario preocuparse si los niños se mojan todavía, especialmente durante la noche, puesto que antes de esta edad son muchos los que no han conseguido un desarrollo neurológico que les permita controlar la vejiga. Una actitud que no sea rígida ni punitiva puede facilitar la adquisición de este control. El segundo punto es que, si

después de esa edad el niño todavía es enurético o lo empieza a ser tras un período en que ha demostrado mantener el control, cabe empezar a pensar que existen en él trastornos de la evolución afectiva, más o menos asociados a una inmadurez neurológica acentuada.

Actitud de los padres

La actitud de los padres ante el niño que moja la cama después de los tres años, y después de haber experimentado que duerma sin gasas durante un tiempo mínimo de un mes, debe ser la de consultar a un médico. En primer lugar deberá establecerse si se trata de una verdadera enuresis o una incontinencia derivada de algún trastorno orgánico. Descartada esta posibilidad, podrá intentarse alguno de los múltiples tratamientos propuestos.

La respuesta de los padres ante la enuresis no debe ser punitiva ni aumentar con su irritación la angustia psicológica que le embarga, ya que este trastorno podría incrementarse en vez de corregirse. Es posible que, restándole importancia al hecho en sí y reforzando el afecto, la incontinencia tienda a desaparecer.

La formación de la personalidad del niño está sujeta a multitud de factores que pueden afectarle de un modo más o menos nocivo. Por tanto, ante la aparición de indicadores de perturbación, como la enuresis, los padres deben evitar las reconvenciones humillantes o algunos de los sistemas aplicados por ciertos especialistas, consistentes en actos violentos contra el niño.

Puede resultar interesante divulgar algunos conceptos terapéuticos que, sin solucionar, ni mucho menos, todos los casos, han resultado exitosos:

1) Considerando que en algunos casos la enuresis puede ser debida a que la capacidad de la vejiga sea exigua, es conveniente que el niño efectúe un entrenamiento diurno de retención voluntaria a partir del momento en que sea capaz de comprenderlo y ponerlo en práctica, con lo que puede conseguirse una distención de la vejiga que aumente su capacidad.

2) Para disminuir las diuresis nocturna, basta con reducir la ingestión de líquidos a partir de media tarde. Si bien ello no constituye un tratamiento en sí, pues el niño debería contener durante la noche independientemente de la cantidad de orina emitida, supone una ayuda eficaz para las restantes medidas terapéuticas.

3) Existe un elevado número de medicamentos con efectos favorables contra la enuresis, pero la realidad es que sus resultados son enormemente dispares. En ningún caso deberá instaurarse un tratamiento con medicamentos sin el expreso conocimiento del pediatra.

4) Son considerados como inadecuados los sistemas que ejercen un influjo violento sobre el niño, como son los castigos, los despertadores y los cortocircuitos eléctricos que le despiertan al mojarse, por los eventuales traumas psicológicos que pueden ocasionar.

5) El tratamiento más eficaz y más inocuo se halla en las influencias que se puedan ejercer en el terreno psicológico. En la mayoría de los casos, el pediatra y la propia familia pueden ahondar en el estudio del niño, su ambiente psicosocial y sus circunstancias personales. Dentro del ámbito familiar, es de primordial interés destacar la relación y grado de dependencia de la madre, la relación con los demás hermanos, la situación de hijo único, el grado de mimo y de sobreprotección. En el ámbito social, interesará conocer la relación con la escuela y el nivel de adaptación alcanzado. En la valoración de las circunstancias personales, es de sumo interés el estudio caracterológico del niño, al que de un modo general lo podremos encuadrar en uno de estos tres tipos:

a) El niño insolente, que se siente satisfecho de su enuresis, utilizándola para mantener la angustia de la madre.

b) El niño apático, indolente, que parece no darse cuenta de su problema.

c) El niño inestable y angustiado, que sufre con su enuresis y se siente culpable.

En cada caso el tratamiento será distinto, de modo que no existen reglas fijas. El médico será quien se encargue de proporcionar los consejos necesarios en cuanto al trato que precisa el niño. En general, ha resultado muy útil la elaboración de un calendario donde el propio niño lleva un control de sus noches secas o húmedas, y el establecimiento de premios a plazo fijo según el éxito del tratamiento. Ello estimula grandemente la voluntad de aquellos niños incluidos en los dos últimos apartados anteriormente citados, que son los que disponen de mayores probabilidades de éxito. En todos los casos, la actitud de los padres debe ser paciente y constante, tratando de evitar siempre los castigos y actitudes ridiculizantes. Debe pensarse que en un plazo más o menos largo, la enuresis siempre acaba por solucionarse.

Los malos hábitos

Existe una larga serie de actos que muchos niños realizan con gran frecuencia y que se convierten en hábitos. Hasta hace poco tiempo, eran erróneamente considerados como nocivos, se los calificaba de "malos" y se les daba el nombre de "vicios". Por suerte, se ha producido un cambio de opinión por parte de pediatras y puericultoras, y por consiguiente entre las madres. Este cambio se ha debido al hecho de conseguir un mejor conocimiento de las diversas fases del desarrollo infantil, de la vida emotiva del niño.

Hace veinte o treinta años, la única actitud educativa que se consideraba eficaz era la represiva, o sea la que tendía a eliminar estos "vicios". Hoy, en cambio, se juzga aconsejable quitarle importancia al problema sin permitir que estos hábitos se conviertan en una fuente de ansiedad para los padres y para el niño.

El estudio de la vida emotiva y afectiva del niño nos ha enseñado también que estos hábitos son, casi siempre, una manera de expresar un sentimiento o una emoción, es decir, son el síntoma de algo que no es necesariamente de ín-

dole patológica o propia para causar preocupación. La mayoría de las veces, los "malos hábitos" surgen cuando el pequeño tiene pocos meses y se mantiene dentro de unos límites perfectamente tolerables. Sólo se convierten en crónicos en algunos casos, como cuando se manifiestan en un niño que presenta también otros comportamientos más inquietantes, o cuando se cometen graves errores educativos.

Reseñaremos brevemente algunos de los hábitos más corrientes que suelen preocupar a las madres: la necesidad de chuparse el pulgar o "hacer la pipa", el hábito de balancearse, el de morderse las uñas, y la apremiante necesidad de sentirse mimado.

Chuparse el pulgar

Este hábito nace a partir de una actitud instintivamente presente en el recién nacido y en el lactante. Hemos visto, en el capítulo sobre la lactancia, cómo este instinto de succión (ya presente en la vida prenatal) tiene, aparte de la finalidad de ingerir la leche y permitir con ello la supervivencia, un valor intrínseco independientemente de lo que se succione. El niño experimenta un

placer que rebasa el sabor percibido o el significado comestible del objeto chupado.

Por lo demás, una buena dosis de este placer vinculado al acto de la succión o a tener algo en la boca, explica en gran parte por qué muchos adultos tienen afición a los caramelos, al chicle o a la pipa.

El lactante no sólo siente la necesidad de ingerir una cantidad determinada de leche, sino también la de ejecutar un cierto número de actos de succión, suficientes para satisfacer esta necesidad instintiva. Esta necesidad, muy variable según el niño, es bastante intensa en los primeros seis meses, y después va disminuyendo.

En general, el lactante empieza a chuparse el pulgar porque durante la jornada no ha podido divertirse suficientemente al succionar el pecho o el biberón, independientemente de la cantidad de leche que haya ingerido. En este caso, es muy útil darle mayor oportunidad para la succión, por ejemplo, prolongando artificialmente la tetada. Nadie debe preocuparse porque el niño se chupe sustitutivamente el pulgar, ni tampoco hay que impedírselo con coerción. En realidad, ver impedidos los movimientos que desea hacer provoca

El bebé, desde que nace y hasta aproximadamente los seis meses, manifiesta un continuo comportamiento de succión debido al reflejo típico que le permitirá alimentarse y que no queda satisfecho con la tetada. A partir de los seis meses, la succión reduce su intensidad.

El significado de chuparse el pulgar después de los dieciocho meses, puede estar relacionado con el goce que ello proporciona al niño, que de ese modo se consuela o satisface por causa de algún trastorno que no tiene por qué ser importante y, en general, es superado con rapidez.

en el niño, aunque sea de muy corta edad, un estado de profunda desazón y de tensión que pronto se convierte en irritación y después en cólera violenta, muy nociva para su equilibrio nervioso.

Algo diferente es el significado de chuparse el pulgar pasados los quince o dieciocho meses, o también cuando aparece después de cumplido el primer año. En tales casos, chuparse el pulgar, con el goce que de ello se deriva, asume el significado de un consuelo o, mejor dicho, de una autoconsolación de la que el niño tiene necesidad cuando está cansado o aburrido, o bien contrariado. Muy a menudo, se lo chupa antes de dormirse o bien cuando tiende a comportarse como en su más tierna infancia, cosa que de ordinario ocurre cuando está celoso de un hermano menor, o bien cuando quisiera, pero no se atreve o no puede, hacer las cosas que hacen los mayores y que tanto le atraen. Este tipo de succión del pulgar puede prolongarse hasta pasados los seis años, tal vez a temporadas, o coincidiendo con una enfermedad o una preocupación. No hay que pensar, sin embargo, que todo niño que se chupe el dedo constituye un problema grave, ya que incluso el más feliz de ellos pasa por momentos difíciles y trata de afrontarlos como mejor puede.

En vez de preocuparnos (al notar nuestra ansiedad, el niño puede sentirse ansioso a su vez y chuparse el dedo más que nunca), reprender o gritarle continuamente, cristalizando con ello un trastorno que acaso era tan sólo superficial y transitorio, es útil preguntarse por qué el niño necesita consolarse buscando de nuevo un placer muy infantil en proporción a su edad.

Preguntarse el motivo de una determinada manifestación, así como prevenirla o eliminarla, es una actitud general que representa la base de un sistema educativo correcto y, sobre todo, no dañoso para el niño. En cada caso específico, sólo haciéndonos la pregunta podremos esperar entrever una respuesta en base a la que actuar, de modo que la vida del pequeñín sea más amena y tranquila. En la mayoría de los casos, el niño deja de chuparse el pulgar antes de la segunda dentición, a no ser que la madre haya armado un drama excesivo al respecto. Sin embargo, en algunos casos, el chuparse el pulgar puede dar lugar a deformaciones importantes del paladar y los dientes.

El chupete

El chupete se le daba antes al niño inquieto o afectado por cólicos; hoy, se suele dar al niño cuando llora porque tiene hambre o tarda en conciliar el sueño. Este placer no le causa ningún perjuicio, por lo que no le debe ser negado. No obstante, el chupete, sustituto evidente del pulgar, sólo se le debe dar cuando el niño demuestra necesitarlo y no debe dejársele pemanentemente. Normalmente, entre los seis meses y el año el niño abandona espontáneamente el chupete porque encuentra otras acti-

En la opinión de algunos pediatras de reconocida valía, la utilización del chupete después de los ocho meses puede resultar contraproducente para el organismo del niño ya que la continua ingestión de saliva, provocada por el chupeteo, es susceptible de ocasionarle ulteriores trastornos gástricos.

Al igual que lo aconsejado en relación con todas aquellas conductas que manifiesta el niño y que deben ser superadas con el tiempo, no debe quitarse el chupete por medios punitivos o drásticos, tales como untarlo con sustancias desagradables o similares. El chupete cumple una función para el niño y su eliminación debe responder a un proceso comprensivo por parte del adulto.

vidades más divertidas, especialmente si la madre, atenta a sus intereses nacientes, se ocupa constantemente de él. En determinados períodos, y acaso tan sólo por breves momentos, puede comprender que el niño todavía tiene necesidad de él. El problema que plantea la supresión del chupete solamente existe a nivel de los padres, quienes temen airadas y molestas reacciones por parte del niño. Nos cansamos de ver niños mayores de dos años que siguen usando chupete única y exclusivamente por comodidad de los padres. Jamás debe esperarse que el niño tome unilateralmente la decisión de prescindir del chupete, pero en general, su reacción ante la falta del mismo suele ser menos airada de lo que normalmente se espera. En especial si se sabe suprimir con gracia y con fantasía.

Supresión y gratificación

Es realmente curioso que muchos padres han afrontado el momento de la supresión con profundo temor y luego han quedado sorprendidos de lo fácilmente que el niño es capaz de olvidarse de algo a lo que ha estado tan apegado. Lo que

no puede hacerse es dejarle sin ninguna gratificación, sin nada a cambio del vacío que le provocamos. Por ello, siempre aconsejamos que, para eliminar el chupete, se aproveche mientras el niño duerme, procurando que al despertarse, encuentre junto a su almohada algún juguete, alguna golosina, que le haga feliz en el momento en que se le explica, del modo más sencillo posible, que «alguien» (aquí debe jugar la fantasía) se ha llevado el chupete porque ya es un chico mayor y, a cambio, le ha dejado aquel presente porque es un niño bueno y debe sentirse feliz. Este acontecimiento deberá ser comentado durante todo el día, a fin de que adquiera conciencia plena de lo que ha ocurrido. Cada vez que pida el chupete, se dispondrá de un firme argumento que consolide la voluntad de no entregarle otro. A la noche siguiente, quizá tenga alguna dificultad para conciliar el sueño, pero si se permanece a su lado, dándole la mano o contándole algún cuento, se sentirá tranquilo y adquirirá la seguridad y confianza necesarias para dormir sin necesidad de succionar un pedazo de goma.

El niño que se balancea

Muchos niños se balancean y otros mueven la cabeza de un lado a otro, sobre todo cuando se están adormilando, o bien durante la noche.

Algunos eruditos han observado que estas costumbres se detectan más a menudo en el niño que permanece solo largo tiempo, o que experimenta una cierta insatisfacción subjetiva. Pueden presentarse también en el niño que es muy querido y que está siempre bien acompañado.

No creemos que exista un sistema para alejarlo de ese tipo de actividad, para él oscuramente agradable y emocionante, y en modo alguno dañosa aunque pueda inquietar a los familiares. Por otra parte, impedirle hacer estos movimientos utilizando la fuerza o la constricción perjudicaría su equilibrio nervioso, todavía muy delicado. Mejor es dejar que el niño abandone espontáneamente este hábito, cosa que suele suceder entre los doce y los dieciocho meses, si sus necesidades emotivas se ven satisfechas. La ampliación de sus actividades de juego y el descubrimiento del mundo, la satisfacción que experimenta al manosear los objetos, al aprender a hablar o al gozar de la compañía de los demás, eliminarán paulatinamente la necesidad de esta solitaria actividad nocturna.

En todo caso, no está de más mostrarnos pródigos en manifestaciones afectuosas con los niños que tienen la costumbre de balancearse.

Morderse las uñas

Este hábito tiene un significado diverso con respecto a los antes citados. Ya no es la señal de una necesidad instintiva de satisfacción, sino la manifestación de una angustia latente que el niño no consigue expresar de otra forma. También en este caso, en vez de reprenderlo o de lamentarnos porque se muerde las uñas, lo que debemos hacer es preguntarnos por qué el niño está ansioso e insatisfecho y por qué no puede manifestar su ansiedad de modo más adecuado.

La necesidad de sentirse mimado

Sobre la necesidad de los mimos conviene aclarar ante todo que el niño no sólo puede ser mimado, sino que debe serlo y con bastante frecuencia. Necesita, como veremos seguidamente, contacto físico, presencia humana y atención amorosa. Desde luego, deberemos dosificar nuestras atenciones y nuestras caricias, deberemos aprender a conocer cuándo las pide, en vez de distribuirlas de modo rutinario y monótono. Cuando el niño está nervioso o irritado, y por tanto sufre, o bien cuando se muestra entristecido, no debemos reprimir nuestro humano impulso de consolarlo. Debemos tranquilizarlo con nuestro afecto y nuestra ternura, pero sin permitir que nuestra manera de actuar se convierta para él en un hábito opresor e infantilizante.

Al pequeño se le debe transmitir afecto y ternura, porque es a través de atenciones, mimos y caricias, que el niño, al sentirse querido, irá adquiriendo la seguridad necesaria en sí mismo para el buen desarrollo de su personalidad. No obstante, estas atenciones y mimos se le deben prodigar sólo cuando el pequeño lo requiera para no mimarlo en exceso.

La fase del no

Es sabido que, en cierto momento de la vida infantil, aparece el fenómeno de la oposición. El niño empieza a decir "no", a desobedecer y a ser caprichoso, en una palabra, a mostrar oposición al adulto. A veces parece como si cambiase de carácter y se vuelve esquivo, obstinado y difícil; a menudo se dedica a hacer lo contrario de cuanto se le pide, o bien reclama a gritos y con llanto un objeto, un juguete o un dulce, que seguidamente rechaza apenas obtenidos. Puede también estar sentado largo rato en el orinal sin el menor resultado, y después, con gran indignación de la madre, apenas lo abandona ensuciar el suelo o los pañales.

No sólo es caprichoso, sino que a veces parece querer provocar a los adultos. Incluso con su madre pasa de la ternura a la agresividad. Estas actitudes sorprenden con frecuencia a los mayores, tal vez acostumbrados hasta entonces a un niño siempre sonriente y sumiso. La mayoría de las veces, no sólo se trata de una sorpresa para los padres al encontrarse ante un pequeño al que ya no saben cómo manejar, sino también de un temor al pensar que ese nuevo comportamiento pueda preanunciar un mal carácter. Esta preocupación, que como veremos no responde a la realidad de los hechos, no deja de inducir a los mayores a asumir actitudes educativas inadecuadas y a veces totalmente erróneas, que, en vez de resolver las momentáneas y sólo aparentes dificultades, no logran más que agravarlas y, en cierto modo, convertirse en crónicos comportamientos que de otro modo sólo serían transitorios. Por tanto, aclaremos que la crisis o, mejor dicho, el período de la oposición es normal y representa incluso una etapa importantísima y fundamental del desarrollo psicoafectivo de la personalidad.

Es difícil delimitar la época de desaparición de la crisis de oposición, ya que puede manifestarse con mayor o menor precocidad, pero cabe afirmar que se produce, en la gran mayoría de los casos, entre el año y medio y los tres años. Coincide con la época en la que el niño comienza a moverse con cierta soltura, a utilizar el lenguaje como medio de comunicación y por último, lo que es un hecho de gran importancia, a controlar

sus esfínteres, es decir, a satisfacer sus funciones naturales en un momento y un lugar dado, y no cuando y donde experimente la necesidad.

Es muy difícil, y tal vez imposible, precisar cómo se manifiesta esta crisis de oposición, pero puede ser transitoria y muy leve, o bien bastante prolongada y muy acentuada, según el carácter del niño y, sobre todo, según la actitud de los adultos.

Necesidad de afirmación

Al nacer, el niño no posee todavía una personalidad propia, sino que se identifica, por así decirlo, con el ambiente, del cual la madre es, en los primeros meses, el representante más significativo. En realidad, el bebé no tiene consciencia de existir como persona y no se siente diferenciado de la realidad que lo circunda y de la que depende por completo debido a su impotencia física y sobre todo motora. Hasta cumplir los siete u ocho meses no adquiere consciencia de sí mismo y logra con ello establecer la diferencia, la distancia psicológica, entre él y los demás. Sin embargo, pasará mucho tiempo antes de que esta consciencia de sí mismo se afirme por completo. Para que esto ocurra, es necesario que el niño pueda experimentar un sentimiento de independencia respecto a los demás, es decir, un sentimiento de autonomía. Y cuando decimos independencia y autonomía no entendemos por ello rebelión o distanciación afectiva, sino la consciencia de existir en sí y por sí, es decir, de ser capaz de existir por sí solo.

De hecho, a medida que el niño crece, pierde poco a poco su estrecha relación con la madre primero y con el resto de la familia después, y aprende a existir y actuar como persona autónoma y autosuficiente. Por tanto, la crisis de oposición tiene, sustancialmente, el significado de una nueva y posible conquista de la autonomía, y en esto radica, precisamente, su importantísimo y fundamental aspecto positivo. Es en este período cuando el niño empieza a notar, primero vaga y oscuramente y después con una claridad cada vez mayor, que es un "yo" diverso y separado de las demás personas, y su primera y tosca manera de afirmar esta nueva consciencia de sí mismo consiste en declarar su naciente autonomía; pero puesto que la

mayoría de las veces todavía no puede obrar y menos pensar por sí solo, la única posibilidad que le queda es la de actuar y pensar diversamente de los demás, decir no, oponerse.

Un hecho importante es el de que, en este período, el niño empieza a utilizar el pronombre personal "yo" y el adjetivo posesivo "mío", expresando con ello la creciente consciencia de sí mismo.

También el inicio del control de los esfínteres indica que el niño ya no es pasivo frente a sus propias necesidades, sino que puede, mediante su voluntad, contenerse o evacuar. Del mismo modo, los progresos en su capacidad de movimiento le permiten moverse, desplazarse y tocar los objetos, cosa que antes sólo podía hacer de manera muy limitada e imperfecta.

Por tanto, el niño empieza a darse cuenta de que es alguien que puede actuar sobre las cosas y, en general, sobre el ambiente. Es durante este período cuando el niño comienza a sentir gran deseo de experimentación, una necesidad de investigar el mundo circundante y una extrema curiosidad por todo cuanto le rodea. Es así como la etapa del "no" coincide con ese afán investigador que convierte al niño en un ser inquieto, que lo toca todo y que destruye los objetos que llegan a su alcance.

De hecho, si no nos limitamos a una observación excesivamente superficial y si vamos más allá de un apresurado juicio de "caprichos" o de "obstinación vana", veremos que uno de los elementos esenciales que caracterizan la fase de oposición es, precisamente, el deseo del

El «no» es una instancia de individuación e independencia. Una búsqueda inicial de estructuración del "yo".

El cuadro de Goodenough muestra la relación existente entre las rabietas que manifiestan los niños y las niñas, y ambos, al octavo año.

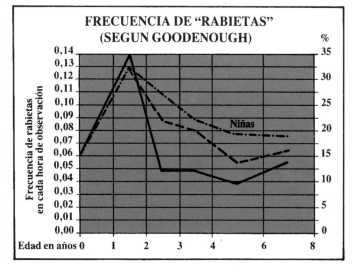

FRECUENCIA DE "RABIETAS"
(SEGUN GOODENOUGH)

niño de obrar por su cuenta. "Yo solo", dice, con lo que da a entender que cree poder lograr una cosa o, por lo menos, que siente un gran afán por probarlo, de medirse por fin con el mundo que, cada vez más amplio, se presenta ante él.

Pero puesto que todavía es poco apto y en cambio muy torpe, su manera de hacer por sí solo se reduce de momento a "obrar diversamente". Mientras dice "sí" no sólo hace lo que dicen los demás, sino que en cierto modo todavía se considera ser "los demás". Si dice "no" es diferente de los demás, y ello representa la mejor manera de ser él mismo. Al propio tiempo, esta oposición es sólo el primer germen, imperfecto, de la futura autonomía del individuo, y es por tanto una denuncia de la dependencia del niño respecto al ambiente.

De hecho, nos sentimos verdaderamente autónomos, o sea maduros psicológicamente hablando, si en nuestro interior nos sentimos libres para decir sí o no, para obrar de un modo mejor que de otro, sin experimentar la obligación de oponernos continuamente a todo y a todos, para estar seguros de tener una voluntad nuestra y, en último análisis, una personalidad propia.

Una vez comprendido el significado real y sorprendentemente positivo de la crisis de oposición, ya no nos resultará tan difícil adoptar la actitud afectivamente válida y educativamente útil. Ya no deberemos preocuparnos por los nuevos comportamientos del pequeño, sino que nos bastará con asistir tranqui-

lamente a esa útil "tempestad evolutiva", al saber que este momento señala el nacimiento de la personalidad autónoma del niño y que, más que preanunciar futuros desórdenes del carácter, es la raíz de la libertad interior, aquella libertad que es la condición esencial de un buen equilibrio emotivo.

Es necesario advertir que su necesidad de hacer y de querer, aunque con frecuencia se presente de manera extravagante y torpe respecto a lo que hacemos o queremos, representa el presupuesto de la futura capacidad de iniciativa, que después le exigiremos que dé pruebas. Por tanto, no debemos frustrar sus primeras y toscas tentativas de autonomía, sino que debemos dejarle hacer, dentro de unos límites razonables, sabiendo que éstas son las bases sobre las que el individuo edifica su propia autoestimación, es decir, el sentimiento de saber y poder actuar, de podérselas arreglar por sí solo, un sentimiento sin el que no es posible adquirir la seguridad que permite vivir satisfactoriamente.

Por tanto, ante todo convendrá quitar importancia a los rechazos, a los caprichos y a la obstinación, en una palabra, aceptar que empiece también a decir "no". Pero tampoco se deberá ceder sistemáticamente, puesto que entonces el niño no encontraría nada a lo que oponerse. Muy en especial, será conveniente tratar de mostrarnos coherentes, por ejemplo, no negarse primero y después ceder por pura exasperación, y sobre to-

Ese comportamiento de oposición a todo, que convierte al niño en un pequeño antagonista, constituye uno más de los episodios evolutivos y, en tanto sirve para la independencia del pequeño, no debe ser frustrado por los padres. Sin embargo, debe haber un límite, ya que una excesiva permisividad tampoco resultará operativa.

Todos los seres humanos experimentan temores que, de algún modo, les sirven para defenderse del peligro. En el caso de los niños, estos temores o fobias pueden llevarles en ocasiones a vivencias de verdadero pánico, con el consiguiente trastorno emocional.

do tener siempre presente que un niño es una persona a la que se debe comprender y educar, y no un potro al que se deba domar.

Las fobias

Fobia es una palabra que en su raíz griega significa temor. El temor, el miedo, es una emoción frecuente y fundamental en la vida de todo ser humano, e incluso, dentro de ciertos límites, es un fenómeno útil porque advierte la presencia de un peligro e impulsa a buscar los medios más adecuados para afrontarlo y evitarlo.

Sin embargo, resulta superflua y muchas veces nociva cuando rebasa ciertos límites y asume proporciones que impiden toda reacción útil.

De hecho, hay diversas maneras de reaccionar frente a un peligro: o se le hace frente y se procura superarlo, o se huye para eludirlo, y éstos son los dos típicos medios defensivos de los que dispone el individuo; pero si el peligro que amenaza es demasiado espantoso o nos sentimos demasiado débiles para afrontarlo, caemos entonces en un estado de pánico. Tal estado puede representar un verdadero trauma psíquico, que se produce con mayor facilidad cuanto más inmaduro e indefenso está el individuo. Es frecuente que, en vez de miedo, se utilicen hoy términos como ansiedad o angustia, que tienen significados no exactamente iguales, ya que de hecho ansiedad y angustia indican generalmente un temor que se refiere a un peligro no bien conocido en su naturaleza, a diferencia del miedo propiamente dicho, que se refiere a algo bien preciso y definido.

En realidad, la distinción fundamental entre miedo y ansiedad o angustia radica más bien en la procedencia del peligro, según provenga de nuestro interior o del mundo exterior.

Peligros externos e internos

Un punto importantísimo es el hecho de que los seres humanos, adultos o niños, padecen temor no sólo ante peligros externos (cosas, personas, acontecimientos), sino también ante peligros

procedentes de su misma personalidad. Cuando un sentimiento se nos hace odioso e insoportable tendemos a ignorarlo, a comportarnos como si no existiera, pero dado que no siempre es posible, no nos queda más remedio que proyectar tal sentimiento fuera de nosotros y transferirlo a la realidad externa. Con ello expulsamos aquella parte nuestra que juzgamos nociva, pero que nos turba y asusta como si fuese un peligro que estuviera a punto de dañarnos desde el exterior. El estudio de la psicología nos ha enseñado que muchas veces este peligro viene representado por un instinto o un sentimiento que experimentamos en nuestro interior y que tememos pueda ser peligroso.

Por lo tanto, no es extraño que las fobias representen un fenómeno tan frecuente en la vida infantil, tanto, que casi cabe definirlo como normal, siempre y cuando se manifieste como algo transitorio y con formas no particularmente graves o exageradas. Cabe afirmar, pues, que todos los niños, unos más y otros menos, padecen temores o miedos que varían según las diversas edades o, mejor dicho, los diversos momentos de su desarrollo. Estos miedos representan en cierto modo un momento normal de

Las conductas clásicas ante el temor son dos: enfrentar el peligro y sufrir las consecuencias o huir de él, y también sufrir los padecimientos psicológicos que conlleva la fuga.

En el capítulo de las fobias infantiles, como suele ocurrir con otras perturbaciones, los temores pueden ser sólo transitorios y desaparecer tras una adecuada comprensión paterna, o perseverar y constituir un trauma psíquico. La ansiedad emergente de este temor afecta perceptiblemente al niño por su inmadurez y desvalimiento.

La vida cotidiana es un universo constituido por innumerables acontecimientos y experiencias de signos opuestos y cuya incidencia en ese espectador asombrado y ávido de imaginación que es el niño resulta verdaderamente trascendental. Es evidente que el pequeño se enfrenta continuamente a frustraciones, miedos concretos, temores ambiguos y un sinnúmero de fenómenos a los que otorga una importancia muy diferente a la valoración del adulto.

su vida; son una manera, a menudo la única de que dispone para expresar y superar ciertos conflictos emotivos. Basta con pensar que el niño está expuesto, por su misma condición de individuo llegado al mundo pocos meses o pocos años antes, a conocer una serie infinita de cosas y situaciones nuevas, cuyo significado real no comprende y que, junto con su curiosidad, pueden despertar también sus temores, y que está expuesto a experimentar continuamente sentimientos de impotencia, de frustración y decepción, aunque se críe rodeado de cariño y halagos. Añadamos también que criar al pequeño al margen de toda frustración puede resultar antieducativo y muy nocivo para su equilibrio psíquico.

También es necesario subrayar que, en general, las fobias del niño son más

bien manifestaciones de ansiedad y angustia, en vez de miedo propiamente dicho, y que las raíces de tales fobias se encuentran en las relaciones con las personas, más que con las cosas o con los acontecimientos, a pesar de que el niño tienda a proyectar el objeto de sus temores sobre la oscuridad, los animales, ciertos ruidos, etcétera.

Obedece, por tanto, a una compleja serie de razones el hecho de que ansiedad y miedo sean mucho más frecuentes en el niño que en el adulto, y que el primero las viva con intensidad mucho mayor. Por ejemplo, ningún adulto piensa que ciertos aparatos o máquinas de uso cotidiano en el hogar puedan causar miedo, y sin embargo hay niños que se quedan aterrorizados ante la aspiradora, la lavadora, la radio o el teléfono. Se trata de cosas inanimadas pero

El temor a la oscuridad, a los fantasmas, ante algunos aparatos electrodomésticos o frente a determinados sonidos, como aviones, motores poderosos o sirenas ululantes, suele aparecer con bastante frecuencia en el niño, que se enfrenta con ellos desde su fantástica concepción de la realidad.

que funcionan como personas, cosa que le es difícil comprender a un pequeñín que está pasando a diario por todas estas nuevas experiencias.

Actitud de los padres ante las fobias

No siempre es fácil a los adultos comprender el miedo de un niño y aceptar el hecho de que tales temores no son, desde su punto de vista, ni tan absurdos ni tan irracionales como puedan parecer. Por tanto, será del todo inútil regañarlo, ya que con ello sólo se logrará asustarlo y desorientarlo todavía más. Convendrá explicarle con calma y paciencia, empleando palabras adecuadas a su mentalidad, cómo funcionan estos aparatos, o todavía mejor, permitirle alguna que otra vez que él mismo los haga funcionar. Es un hecho bien sabido que todos los temores se disipan cuando nos vemos capaces de controlar una determinada situación.

Estos miedos infantiles nunca llegan a turbar la serenidad del niño, pero tienen una profunda razón de ser. Sin embargo, esta razón está casi siempre tan oculta que no sólo los padres, sino incluso el pequeño, que es al mismo tiempo espectador y actor, logran realmente explicársela.

Los miedos más frecuentes

Enumerar las fobias infantiles es tarea imposible, ya que cada niño es capaz de fabricarse las suyas, con un carácter totalmente original y personal. No obstante, existen miedos o, mejor dicho, grupos de miedos particularmente frecuentes y a los que cabe considerar como típicos de la infancia. He aquí algunos de los más corrientes:

—Miedo a los desconocidos.
—Miedo a la oscuridad.
—Miedo a los animales, sobre todo a los feroces, capaces de correr y morder.
—Miedo a las cosas que emiten ruidos.
—Miedo a los ladrones o a las personas que roban, causan daños o incluso matan.
—Miedo a la muerte.

No es posible ni útil tratar por separado cada uno de ellos; baste decir que todos esconden en general otros temores que ni el propio niño identifica. Lo que

sí conviene es recordar que, en algunos de ellos, hay un elemento común representado por el temor a ser abandonado, carente del afecto tranquilizador de sus seres queridos, o sea, los padres y muy en especial la madre, y quedar expuesto a unas fuerzas desconocidas y poderosas a las que el niño sabe que no podría enfrentarse solo.

¿Cómo debemos comportarnos ante las fobias infantiles? Señalaremos, ante todo, que estos temores irracionales están por completo fuera del control del niño y que son, pese a su naturaleza fantástica, intensamente reales. Casi siempre desaparecen espontáneamente al cabo de uno o dos años, a menos que se cometan errores de bulto.

Por tanto, debemos evitar caer en el fácil error de considerar los temores de los pequeños como simples caprichos o bien como tonterías sin motivo alguno, sólo porque no comprendemos su razón. Tampoco el niño suele comprenderla, pero esto no le impide sufrir por su causa. Una vez más, el primer deber dictado por nuestro afecto será el de recordar que el niño es diferente de nosotros y que, por tanto, tiene sus temores como nosotros tenemos los nuestros, aunque los expresemos de modo muy diverso. Por tanto, deberemos evitar toda reprimenda, tratarlo con brusquedad o burlarnos de sus temores. En estos casos, rara vez nos damos cuenta de que podemos ser crueles con los niños.

Después de lo explicado, resulta casi inútil añadir que nunca debemos infundir miedo a los niños en un intento de reducirlos de ese modo a la obediencia y a la docilidad (por ejemplo, contando las historias del lobo que se lleva a los niños malos), sistema que, aparte de ser antieducativo, es psicológicamente muy dañino.

Por otra parte, debemos saber que el miedo del niño, aunque desprovisto de realidad es para él fuente de auténtico padecimiento, no debe inducirnos a adoptar una actitud excesivamente protectora, con la intención de alejar de él todo posible peligro. No sólo es imposible, sino que resulta dañino, ya que tal actitud de ansiedad por parte de los adultos no puede lograr sino convencer al pequeño de que el mundo exterior es verdaderamente peligroso y tener miedo es cosa normal. El niño no teme a los peligros contra los que podemos defenderle, sino a otros muy distintos. Lo que sí podemos hacer, en cambio, es

Uno de los medios de erradicar el temor del pequeño frente a ciertos objetos o aparatos, consiste en explicarle pacientemente su funcionamiento o utilidad, e incluso inducirle a que los manipule para que comprenda que está en condiciones de controlarlos.

Los temores del niño no son, en absoluto, caprichos o comportamientos absurdos, carentes de sentido. Muy por el contrario, son disfraces más o menos eficaces tras los cuales oculta una sensación de abandono, que le expone a fuerzas peligrosas y desconocidas frente a las cuales se siente impotente.

Las enfermedades

Es evidente que la atmósfera familiar y la reacción de los mayores frente a la enfermedad afectan profundamente al niño y a su manera de percibir tal o cual suceso, así como a la actitud emotiva que puede asumir en ciertos casos.

Debemos subrayar que la enfermedad debe y puede ser considerada como un acontecimiento molesto, desagradable y, si se quiere, preocupante, pero que de algún modo forma parte de la misma vida. Es un riesgo al que todos estamos más o menos expuestos apenas venimos al mundo. Es importante este argumento, aunque pueda parecer obvio, porque puede servir para reducir el ambiente dramático, por no decir trágico, que se forma a veces alrededor del niño afectado por un malestar o una dolencia que se curará sin dejar trazas. Una actitud semejante puede provocar, en primer lugar, un estado de ineficacia, de impotencia incluso, en las personas que precisamente han de atender como es debido al pequeño enfermo. A su vez, el niño se contagiará de la atmósfera de ansiedad y preocupación que notará a su alrededor y advertirá la incapacidad de esos mayores que son los que deben cuidarle. Hay que recomendar, pues, a las madres que nunca pierdan la cabeza, aunque sólo sea por no cargar el sufrimiento del pequeño con su ansiedad personal.

Es evidente que la enfermedad, ya sea grave o leve, transitoria o prolongada, representa algo sobre lo cual una madre ansiosa puede desahogar su tensión interior, una especie de pretexto justificado para descargar su propia aprensión. Esto es lo que debe evitar precisamente la madre realmente válida: el aprovechar la enfermedad del hijo para expresar sus dificultades psicológicas personales. Por ejemplo, no es posible estar de acuerdo con los padres que no envían a sus pequeños a la escuela por temor a que contraigan las enfermedades infecciosas propias de la infancia (sarampión, varicela, tos ferina, etc.), exceptuados, desde luego, aquellos casos en los que existen precisas contraindicaciones médicas. Estos padres han de saber que sus hijos acabarán, más tarde o más temprano, por pasar estas enfermedades, tal vez en cur-

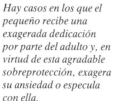

Hay casos en los que el pequeño recibe una exagerada dedicación por parte del adulto y, en virtud de esta agradable sobreprotección, exagera su ansiedad o especula con ella.

ayudarle a reforzar su personalidad, todavía frágil, para ponerle en condiciones de afrontarlos. Si exageramos en mostrar una simpatía excesiva ante sus temores, si los aceptamos por completo, corremos el peligro de alentarle a fomentarlos, creando con ello un círculo vicioso del que le será difícil salir.

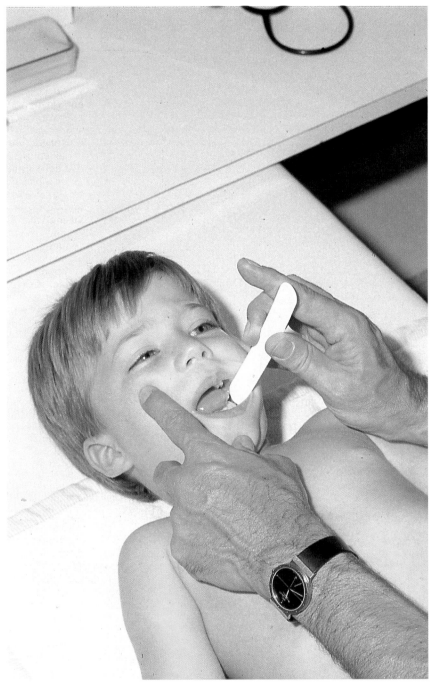

*En esa pequeña célula
centrífuga que es la
familia, sucede con
frecuencia que la
aparición de una
enfermedad en el niño se
rodea de una atmósfera
de dramatismo. Siempre
es preocupante asistir a
la enfermedad de un
niño, sin embargo los
problemas de salud son
inherentes a la vida
misma y presentan todos
ellos una importancia
diferenciada. Una
respuesta trágica al
malestar del pequeño es
inmediatamente
detectada por él y no le
favorece en absoluto.
Por ello, es importante
considerar el ambiente
psicológico familiar que
debe envolver al infante
cuyo poder de
recuperación es
notablemente superior al
de cualquier adulto. El
conocimiento de las
medidas preventivas
básicas, la consulta al
pediatra y una gran dosis
de serenidad constituyen
actitudes responsables y
efectivas.*

sos escolares en los que una ausencia prolongada pueda causarles problemas más considerables.

En realidad, en estos casos es frecuente que el temor a las enfermedades sea el pretexto inconsciente para no alejar al hijo, para seguir teniéndole bajo una capa protectora que, si bien le aleja del contacto con los gérmenes, impide al niño ampliar el conocimiento del mundo que le circunda.

Subrayemos también que, en una situación de este tipo, el niño no puede menos que crearse la idea de que el mundo ajeno a su hogar es fuente de males y por tanto muy peligroso, y que es mejor mantenerse alejado de él cuanto sea posible.

En otras palabras, el miedo a las enfermedades acabará por convertirse en el símbolo de todos los fantasmas que nos amenazan desde el mundo externo.

En un contexto análogo, hemos de recordar que ciertas preocupaciones excesivas referentes a la salud acaban por crear en la mente del niño una imagen errónea de sí mismo, la de un individuo "delicaducho" cuando en realidad no lo es, o tal vez ha acabado por serlo porque éste es el papel que la familia tiende a adjudicarle y que el niño, todavía inmaduro, acepta inconscientemente. Esta imagen de sí mismo como persona "de salud frágil" invadirá, poco a poco, la idea global que el niño tiene de sí y acabará fatalmente por considerarse débil y delicado no sólo ante los resfriados y anginas, sino en general frente a toda

realidad, es decir, ante los deberes, las responsabilidades y los riesgos que la vida propone constantemente a cada uno de nosotros, ya sea pequeño o mayor. Es mejor pasar una gripe que puede ser curada con facilidad, que no enfermar pero vivir con un perpetuo temor a la enfermedad.

Cabe añadir, asimismo, que estudios muy serios sobre esta materia han demostrado contundentemente que muchas enfermedades, incluso de naturaleza típicamente infecciosa, pueden ser superadas mucho mejor si se afrontan sin excesiva ansiedad y sin sentimientos de impotencia, es decir, en una condición de buen equilibrio psíquico. Hemos comentado antes que una madre

ansiosa puede, sin darse cuenta, explotar la enfermedad del hijo para descargar su propia tendencia a la ansiedad; del mismo modo los niños inconscientemente pueden utilizar su enfermedad

El miedo a la enfermedad puede convertirse en un espectro que represente los temores del pequeño.

para manipular el ambiente que los rodea, para obtener cuidados y mimos que temen perder, para evitar cosas o situaciones que les resultan desagradables, y para expresar su malhumor ante los mayores. Este es el caso típico en el que un sentimiento, una emoción o un desorden de índole psicológica se transforman en un trastorno del cuerpo.

Señalemos de nuevo que estas cosas ocurren a un nivel de inconsciencia, o sea que el niño no advierte en absoluto que el dolor de garganta tal vez dura unos días más porque de este modo consigue que su madre se encuentre siempre a su disposición. No se trata, pues, de que el niño "haga comedia". Si de engaño se trata, ante todo se engaña a sí mismo (como hacemos también los adultos), y con toda buena fe.

Y en el caso en que el niño haga comedia (cuando finge un dolor de barriga para librarse de visitar a unos parientes aburridos) de poco sirve desenmascararlo o castigarlo con ironía o irritación por esta mentira; sería mucho más útil preguntarnos por qué debe recurrir a tales trucos, en vez de expresar lo que piensa. En todo caso, será preciso tratar de convencer al pequeño para que no emplee sistemáticamente estos malestares fingidos y la preocupación que causan a sus familiares, para manipular las situaciones en su beneficio. Habrá que ayudarle también a no exagerar, a no considerarse un inválido por haberse hecho un corte en la rodilla, ni un enfermo grave porque su resfriado le cause unas décimas de fiebre.

No culpabilizar al niño

Otro punto que es útil tratar, aunque sea brevemente, es el del uso que los mayores pueden hacer con sus dolencias y enfermedades para lograr algo del niño; por ejemplo alegar dolor de cabeza para conseguir que el pequeño se esté quieto, dándole a entender, abierta o indirectamente, que precisamente a causa de sus juegos ruidosos la madre padece frecuentes jaquecas. Una maniobra de este género significa, en el fondo, decirle al niño: "Me encuentro mal por culpa tuya". Muy diferente es, en cambio, decirle al niño (si tiene edad para entenderlo): "Oye, me duele mucho la cabeza y deseo tomar un medicamento y reposar un par de horas. Te ruego que busques un juego tranquilo

para que yo pueda descansar". De este modo, en vez de culpabilizar al niño, le otorgamos nuestra confianza al pedirle su colaboración para solucionar una pequeña molestia.

Más a menudo de lo que suele creerse, los niños se sienten responsables y a veces con un dramatismo considerable aunque no lo den a entender, de las enfermedades de las personas a las que aman, aunque los padres no cometan nunca el lamentable error de soltarles disparates como: "¡Me matarás a disgustos!", o "¡Acabarás por destrozarme los nervios si no te estás quieto!", frases que, pronunciadas a la ligera y sin ninguna mala intención, son tomadas al pie de la letra por el niño y pueden servir de base a futuros trastornos emotivos.

Es imprescindible utilizar la mayor sinceridad y un gran tacto al preparar a un niño, sobre todo si es muy pequeño, para una visita al médico o una estancia en la clínica en el caso de una intervención quirúrgica.

No obstante, todavía hay quien cree mejor contarle mentiras piadosas al niño o, lo que todavía es peor, pillarlo desprevenido, por ejemplo diciéndole: "Vamos a dar un agradable paseo y después veremos a un señor muy simpático que quiere jugar contigo". Resulta que el señor simpático es el dentista, y el hecho de encontrarse frente a una situación totalmente diferente de la esperada aumentará desmesuradamente la ansiedad del niño, aparte de que éste se sentirá invadido por la indignación y el despecho por haber sido engañado. Y no hablemos de la absurda costumbre de hacer servir al médico o las inyecciones como amenazas para que "sea bueno".

Hay quien se justifica al respecto, alegando: "No se lo digo antes para no asustarlo". En realidad, al no prepararlo lo asustamos mucho más, ya que le obligamos a afrontar sin preparación alguna una situación que para él es difícil. En realidad, en tales casos son los mayores quienes tienen miedo de afrontar la ansiedad y el temor del pequeño y prefieren dejar que éste se las arregle como pueda, desencadenando un sentimiento de profunda desconfianza del niño hacia los adultos.

En general, si los padres preparan a los niños con tranquilidad y afecto, con seguridad y sin ansiedades se enfrentan muy bien al médico e incluso a la intervención, y se enorgullecen de demostrar su valor en tales circunstancias.

La educación del niño y la salud mental

La vida en sociedad es compleja y difícil, ya que comporta la adaptación de unas escalas de valores y categorías, la adecuación a una competitividad y, sobre todo, el poder soportar el incumplimiento de muchas ilusiones. Es importante el desarrollo físico del niño o de la niña, pero es obligado también el seguir e impulsar su desarrollo psíquico, ayudando a formar esta trama sutil e invisible que es su personalidad.

Muchas facetas de la personalidad vienen dadas por la herencia, pero muchas otras pueden adquirirse a través de las influencias que se van recibiendo en la infancia y en la juventud. Una gran parte del carácter se adquiere de forma mimética, es decir como resultado de lo que se ha visto hacer a los padres, a la familia, al medio ambiente. Otra parte puede ser moldeada por los padres y educadores, impulsando, guiando o limando cuanto sea necesario. Del acierto de esta guía educacional depende la salud mental del hijo que, en resumidas cuentas, se traducirá en su felicidad en la edad adulta.

Bases para un desarrollo mental equilibrado

Al mismo tiempo que se van cumpliendo las distintas etapas del desarrollo físico del niño, es preciso no descuidar aquellos factores ambientales cuya influencia sobre el ser que se encuentra en plena evolución vayan a configurar su personalidad. Es necesario pues, dedicar ahora unos capítulos a todos aquellos aspectos que van a influir en el desarrollo de las actividades psíquicas del niño así como considerar los trastornos que deberían evitarse para que disfrute de una completa salud mental.

En este sentido, vamos a describir inicialmente unas normas generales de educación que permitan y estimulen el desarrollo de la personalidad del niño del modo más equilibrado posible. Trataremos a continuación la conducta a seguir para proporcionarle una correcta higiene mental, para terminar con los principales trastornos del comportamiento que, sin constituir enfermedades mentales propiamente dichas, plantean problemas de adaptación familiar, escolar o social.

En los capítulos siguientes intentaremos centrar al niño en cada uno de los ambientes en que habitualmente se desenvuelve: familia, escuela y grupo de amigos. La influencia que cada uno de ellos puede ejercer en su personalidad, merece que tratemos de profundizar en los principales aspectos que entrañan.

Alteraciones del comportamiento y la afectividad

A pesar de tomar todas las medidas necesarias para proporcionarle una buena salud mental, es frecuente que, en el curso del desarrollo de la personalidad, el niño presente trastornos que pueden afectar en mayor o menor grado su comportamiento y sufra tensiones emocionales que afecten de algún modo su afectividad. Lejos de tratarse de trastornos mentales importantes, son capaces de crear un estado de angustia en los padres, quienes esperan del pediatra una eficaz solución. Dejando aparte aquellos que afectan profundamente la personalidad, describiremos a continuación algunos de estos trastornos.

Las crisis de celos

Los celos pueden surgir por distintos motivos y manifestarse de formas diferentes. En general son una reacción normal ante un hecho que ha interferido la cotidiana existencia en una estable situación familiar. En parte representan un recurso de autoprotección. Nunca deben interpretarse como un sentimiento de odio, pues no pueden existir celos si no existe amor. Los celos entre hermanos no se producirían si no hubiese una co-

Es importante dar al niño los principios nutritivos e higiénicos que precisa para su desarrollo físico, pero lo es todavía más proporcionarle aquellos elementos que posibiliten y desarrollen al máximo sus facultades psíquicas y cuyo logro sea una personalidad equilibrada. Estos elementos los recibe el niño a través de los círculos que le rodean: la familia, la escuela y los amigos.

Hay que procurar evitar que el niño sienta celos, ya que de este sentimiento pueden derivarse complicaciones y problemas psicológicos e incluso fisiológicos.

rriente afectiva intensa entre ambos y hacia los padres. Si existiera indiferencia, no podrían sentirse celos.

El motivo más frecuente de la crisis de celos en un niño suele ser la llegada de un nuevo hermano al hogar. Ante este hecho, surge el deseo de mantener su propio lugar en la familia. Es una reacción prácticamente instintiva, presente aun en los más pequeños. Lo hemos comprobado incluso en aquellos casos en que la diferencia de edad entre los hermanos es mínima. Generalmente, en estos casos surgen unos celos casi imperceptibles, pero se pueden captar en una mirada, un gesto, una actitud.

La forma de manifestar los celos varía según el temperamento, la edad y el ambiente que le rodea. Hay niños que se contentan con llamar la atención de los mayores que están ocupados en el cuidado del hermano pequeño, pidiendo cualquier cosa innecesaria, enseñando sus juguetes, o simplemente, haciendo algo que les está prohibido. En otros casos pueden adoptarse actitudes propias de un niño de menor edad con el fin de colocarse en un plano más cercano al hermanito y conseguir así los mismos cuidados y atenciones. Otros reaccionan con lloros injustificados o mal humor en general, especialmente cuando se toma al hermano en brazos o pretenden tomar un biberón o el pecho cuando aquél lo hace. En casos más graves puede aparecer una enuresis o encopresis en niños que ya controlaban perfectamente sus esfínteres, o manifestarse con una introversión o aislamiento, con importante repercusión en la personalidad.

No siempre los celos son motivados por un hermano menor, en algunas ocasiones se pueden ver crisis motivadas por un hermano de mayor edad, en especial si existen circunstancias que motivan para éste unas mayores atenciones o cuidados, por ejemplo, a consecuencia de una enfermedad o minusvalía.

Pueden ser motivos de celos otros familiares con los que el niño convive o con amigos y compañeros del colegio. En estos casos, más que de celos, podríamos hablar de rivalidad, pero no debe olvidarse que puede llegar a suponer serios problemas. Muchos padres y maestros ignoran la problemática que entraña la rivalidad y en lugar de ayudar a vencerla, la estimulan para conseguir que los niños se superen a sí mismos. Este tipo de competencia o rivalidad no suele ocasionar serios trastornos en la

personalidad, pues es más extrovertida e incluso puede desahogarse a través de la energía empleada en juegos y deportes.

Actitud ante los celos

La actitud de los padres y educadores, ante la crisis de celos, es muy importante. Ante todo, deben aceptarse los celos como una situación normal, como una alteración emocional reactiva a una situación ambiental normal, pero no por ello debe dejarse de adoptar una actitud equilibrada dirigida a paliar, en lo posible, las huellas que en la personalidad del niño pueden ocasionar las crisis de celos. En primer lugar deben tomarse medidas preventivas, preparando adecuadamente al niño ante el nacimiento del hermano. Siempre se dispone de tiempo suficiente durante el embarazo para informar al niño de la presencia de un hermano en el vientre de la madre. Hablándole con cariño del pequeño ser que alberga el vientre materno, dejándole que lo acaricie y, si tiene edad para

Ningún niño ha dejado de sentir celos ante la llegada de un hermano. Es un sentimiento natural, consecuencia del instinto de conservación. Depende del carácter del niño y del comportamiento de los padres, que estos celos sean un trastorno pasajero o se conviertan en un problema profundo que puede, incluso, afectarle en su vida de adulto.

El sentimiento de los celos es un trastorno emocional que el niño puede padecer a cualquier edad. Cuanto mayor es el niño más intenso es este sentimiento, que provoca cambios de actitud y comportamiento. Los padres y educadores deben estar atentos a estos cambios para paliar en lo posible los celos del pequeño, y ayudarle a asumir y adaptarse a su nueva situación.

ello, permitiéndole que perciba los movimientos del feto. Comentarios amables sobre todo lo que deberá hacer para ayudar a la mamá en los cuidados del bebé, dejándole participar en la elección del nombre, se contribuirá a que el niño espere con ilusión el nacimiento de su hermano. Una vez nacido, se hará participar a los hermanos mayores de todo lo que con aquél esté relacionado, creando responsabilidades simples que les hagan sentirse útiles. Cuando la crisis de celos ya muestra los primeros síntomas, lo primero que debe hacerse es estudiar detenidamente al niño, determinando con la mayor exactitud posible la motivación. No se menospreciará al celoso ni al que ocasiona los celos, procurando mantener constantemente a cada uno en el lugar que le corresponde. Se estimulará la relación entre ambos y se hará ver al mayor, si tiene edad para ello, que puede ser muy útil en los cuidados al hermanito menor, que por ser tan pequeño precisa mayor atención, y que con ello hará muy felices a sus padres.

Los celos, por regla general, son tanto más intensos cuanto mayor es la edad del niño que los sufre, pudiéndose decir que los trastornos más importantes del comportamiento pueden verse en niños de edades comprendidas entre los cinco y ocho años. Ello supone, por otra parte, una ventaja que debe aprovecharse al máximo, pues cuanto mayor es el niño más fácilmente comprende la nueva situación familiar y es más capaz de superar la crisis.

Cuando los celos motivan trastornos evidentes en la conducta o, en casos más graves, alteración de la personalidad, no debe dudarse en consultar al pediatra o al psiquiatra infantil para que se instauren las medidas terapéuticas más oportunas.

La inestabilidad

La inestabilidad, hipermotricidad y agitación son fenómenos que inducen frecuentemente a los padres a consultar al pediatra. Es realmente difícil poder precisar cuándo estos estados pueden considerarse como anormales. La edad infantil se caracteriza por la existencia de una vitalidad difícilmente controlable, pero en algunos casos el estado de agitación que presenta un niño entra de lleno en el terreno de la patología.

El estado de inestabilidad puede presentarse bajo dos aspectos fundamentales: a) la inestabilidad motora: niños alborotadores que no están un momento tranquilos y que sufren intensamente cuando las circunstancias les obligan a permanecer quietos, y b) la inestabilidad psíquica: niños que son incapaces de fijar su atención, que cambian de actividad constantemente y que tienen escaso poder de concentración. Ambos casos pueden considerarse como normales en niños menores de tres años, época en la que existe una hiperactividad fisiológica, probablemente dependiente de su grado de madurez cerebral. Es normal que un niño entre los 12 meses y los 3 años se desplace constantemente de un lugar a otro, que trate de trepar por todos lados, que toque todo lo que tiene a su alcance y que cambie constantemente de juego. Cuando la hiperactividad se mantiene después de esta edad, se debe pensar seriamente en analizar sus causas, pues es posible que exista algún conflicto que deberemos tratar de solucionar.

La causa más frecuente de inestabilidad es la existencia de tensiones a nivel familiar o escolar: poca dedicación de los padres, ambiente de nerviosismo familiar, crisis de celos, separación matrimonial, déficit de integración escolar, etc. Más raramente puede ser debida a una debilidad mental o a un déficit intelectual.

Como siempre, el mejor tratamiento será el orientado a solucionar las causas: equilibrar las tensiones familiares, adecuar la integración escolar, aumentar la dedicación y solicitud hacia el niño, etc., teniendo en cuenta que algunas veces, para conseguirlo, será preciso recurrir a algún tipo de medicación tranquilizante, aunque nunca deberá utilizarse como única solución al problema.

La agresividad

Cuando surge un conflicto entre la necesidad de satisfacción inmediata de un instinto o un deseo y la realidad que impone frustraciones, es cuando el disgusto puede manifestarse de forma agresiva. Es realmente poco frecuente el niño agresivo. La agresividad en sí debe considerarse patológica, pero no es raro que el niño sufra auténticos arranques de ira, justificadamente o no. Ello depende de su temperamento. Desde el pacífico hasta el agresivo existe toda una escala de valores, dependientes exclusivamente de su carácter. La ira puede surgir en cualquier momento en un niño especialmente predispuesto. Una situación que pueda considerar injusta, la no consecución de algo apetecido, pueden ser suficientes para desencadenar una rabieta. De un modo general podemos decir que, durante el primer año de vida, las causas más frecuentes están relacionadas con el hambre y el sueño. Después del primer año, con las prohibiciones impuestas por los adultos y las crisis de celos. Por regla general, a no ser que esté consentido y malcriado, el niño es justo y sabe lo que le corresponde. Si de pequeño está acostumbrado a recibir concesiones y prohibiciones equilibradamente y siempre en un mismo tono y hacia idénticas situaciones, adquirirá un sentido de justicia adaptado a la educación que ha recibido. En este caso, una rabieta por no concederle algo que justamente solicita, no podrá ser reprendida, pues la prohibición habrá surgido de forma inesperada o en una situación de nerviosismo mal reprimido. Por el contrario, si está acostumbrado a recibir concesiones a todos sus deseos, reaccionará con una rabieta injusta a una negativa, pero no podrá culparse de ello más que a los educadores que le han consentido.

Ante un berrinche sin importancia, lo mejor es no hacerle caso, a no ser que aparezca la violencia. En la mayoría de los casos, el niño acaba por callar y distraerse con cualquier cosa. Es aconsejable pedirle que exponga los motivos del enfado, pues en muchas ocasiones no sabe porqué ni de qué protesta. Si el motivo es justificado, se le da la razón, pero no se le concede lo que desea, haciéndole ver que no deben pedirse las cosas con una rabieta.

Cuando la ira se vuelva agresiva, debe pensarse ya en la existencia de un trastorno de conducta. La mayoría de niños agresivos son inadaptados a su familia o a su ambiente. Para establecer un correcto diagnóstico será preciso efectuar un profundo estudio de su personalidad y su problemática a través de adecuados tests psicométricos. No debe intentarse suprimir la agresividad mediante concesiones especiales, pues el niño acabaría por utilizar su agresividad para conseguir cualquier cosa. Tampoco resulta beneficioso el castigo violento, pues aumenta la apetencia agresiva. La actitud más adecuada por parte de los padres es solicitar el consejo de un psiquiatra infantil, quien, ahondando en la personalidad, desglosará su problemática y ofrecerá las explicaciones y soluciones pertinentes para cada caso.

Hay niños que, por tener un temperamento más nervioso, son más proclives a sufrir explosiones de ira. El modo de evitarlas no está en concederles todo lo que piden, sino convencerles con paciencia, cariño y razonamientos.

Una agresividad muy manifiesta y frecuente es la manifestación de algún trastorno de adaptación a la familia o al ambiente. Ni los castigos demasiado violentos ni las concesiones son beneficiosos. Es preferible, tras intentar hablar con el niño sobre el tema, pedir el consejo de un psiquiatra infantil.

La apatía

Resulta difícil establecer un límite de normalidad respecto a la actividad infantil, pero en algunos casos resulta bastante evidente para la atención de los padres que el niño desarrolla una actividad inferior a la que puede considerarse como normal para su edad. De modo general se le etiqueta como perezoso, sin pensar que ello puede ser un grave error.

Hay niños que, de pequeños, presentan un cierto retraso motor; se trata de bebés muy tranquilos que no manifiestan un gran interés por lo que les rodea, que no tocan nada, que son capaces de permanecer solos, tranquilamente, sin reclamar la presencia de la madre, que tardan en mantenerse de pie y en iniciar la deambulación. Este comportamiento puede obedecer a múltiples causas: a una debilidad física o mental, a un aislamiento afectivo, a una carencia de cuidados maternos, a una actitud reactiva frente a un exceso de autoritarismo de los padres, o simplemente a un retraso de la evolución motora dentro de la normalidad.

La actividad del niño ya mayorcito, tanto en sus juegos como en su vida escolar, va paralela a su desarrollo. Cuando éste se efectúa lentamente, bien sea por unos cuidados inadecuados, bien por una constitución orgánicamente débil, la actividad se resiente de ello y tardíamente puede aparecer la apatía, que se manifestará con una disminución de su afición por los juegos activos, por el aprendizaje o por la relación con otros niños. El niño se aísla, se mantiene ausente, desconectado del ambiente que le rodea y fracasará en su esfuerzo escolar. Para evitarlo, será preciso conseguir un desarrollo óptimo cuidando una adecuada alimentación, un control médico frecuente y facilitándole la práctica de ejercicio al aire libre, juegos con otros niños y deportes, amén de unas vacaciones en el mar o montaña, que obran milagros en las constituciones más débiles. Si padece enfermedades que disminuyen su actividad física, se tratará de suplirla mediante entretenimientos que ejerciten su capacidad intelectual, tales como lecturas apropiadas para su edad, juegos manuales, etc. Se evitará compararle con otros niños más fuertes físicamente y se realizará en lo posible todo aquello que es capaz de hacer. La apatía puede surgir en niños desarrollados normalmente, a causa de

distintas situaciones y casi siempre en la edad escolar. En general, se trata de niños normalmente activos durante sus primeros años de vida y que, súbitamente, pierden el interés tanto por el estudio como por los juegos. Esto ocurre con mayor frecuencia durante la denominada «crisis de crecimiento», época en la que el organismo realiza un enorme esfuerzo y un gran consumo de energía para desarrollarse, restándola de otras actividades.

Esta actitud pasiva suele manifestarse en todos los aspectos de la vida infantil: comen lentamente, frecuentemente se les encuentra distraídos, se visten con torpeza y lentitud y, en cuanto no tienen tareas que cumplir, se tumban, manifestando que se sienten cansados. Por contraste, tienen madres activas, agitadas, superprotectoras, que les angustian con constantes recriminaciones. Esta actitud materna debe ser analizada de un modo preferente antes de un primer intento de solucionar el problema en el niño.

A menudo, la pasividad es consecuencia de un exceso de deberes escolares. Los errores pedagógicos en este sentido son muy acusados, aunque, por fortuna, hay una tendencia a la supresión del agobio escolar. El niño que dedica un buen número de sus horas al estudio, necesita un tiempo libre para jugar y distraerse; cuando se le obliga a continuar rindiendo fuera del horario escolar, lo más probable es que acabe por hastiarse del estudio y adopte una actitud pasiva y rebelde. La falta de suficientes horas de sueño es otra de las causas más frecuentes de apatía y, en general, suele deberse más al descuido de los padres que a unas excesivas obligaciones de estudio. Es muy importante procurar al niño en edad escolar un descanso nocturno prolongado y tranquilo, por lo que deberán prohibirse las sesiones de televisión y las veladas familiares hasta muy tarde.

Apatía y estado físico

Cuando se observe una acusada disminución de actividad en un niño habitualmente movido, es preciso consultar al pediatra. Muchas veces, la apatía puede ir acompañada de adelgazamiento y ligeras elevaciones febriles que pueden pasar desapercibidas y ser los únicos datos de la fase inicial de algunas enfermedades (tuberculosis, anemia, hepatitis, etc.) que deben ser diagnosticadas y tratadas lo antes posible. En su revisión

El niño apático es aparentemente un chiquillo tranquilo, que puede permanecer solo durante largos ratos sin reclamar la presencia de otra persona ni hacer ningún estropicio. Bajo este comportamiento esconde una falta de impulso e indiferencia ante los estímulos. La apatía a menudo es consecuencia de una causa física (retraso en la evolución motora, en el desarrollo general, etc.) o de rebeldía ante unos padres demasiado activos, autoritarios o superprotectores.

> **Al niño apático por temperamento hay que estimularlo constantemente para que participe en los juegos y ponga interés en lo que hace, así desarrollará normalmente su capacidad de aprendizaje, que de otro modo quedaría aletargada.**

Un comportamiento apático en un niño que habitualmente es activo es síntoma de enfermedad física, en el caso de que vaya acompañado de alteraciones orgánicas como fiebre, adelgazamiento, inapetencia, o de un trastorno psicológico que deberá ser detectado y corregido para evitar que dañe irremediablemente su personalidad.

general, el médico podrá darse cuenta de la existencia de unas inadecuadas condiciones higiénicas, de un déficit nutritivo o de un ritmo de vida inapropiado. A veces podrán detectarse pequeñas anomalías de la audición o de la visión que causan una minusvalía, la cual actúa como única motivación de una aparente pereza.

Es muy importante no confundir el niño apático con el niño asténico. La astenia es uno de los síntomas que más comúnmente nos indica la existencia de una enfermedad física. Es un estado de fatiga con acusada disminución de la actividad, sin una causa evidente que la justifique. El médico, con un detallado examen, podrá descubrir la enfermedad que la origina, así como aquellos defectos de higiene general o mental que la condicionan: déficit de sueño, alimentación mal equilibrada, fatiga intelectual, falta de distracción, inadecuación de los juegos, etc.

No puede tacharse de perezoso al niño que rinde al máximo con un nivel intelectual bajo. Los padres y los educadores deben pensar que no todos los niños son igualmente inteligentes. Algunos, sin estar mal dotados, son lentos en la percepción de las enseñanzas y les cuesta seguir el ritmo de su clase. Es un deber del maestro saber captar el grado de inteligencia de sus alumnos con el fin de poder exigir a cada cual lo que le corresponde y dedicar una mayor aten-

ción a los que más lo necesitan. Un defecto muy extendido en algunas escuelas es seguir las enseñanzas al ritmo de los más perspicaces, prescindiendo alegremente de aquellos que, por ser menos listos, no tienen más remedio que inhibirse. Es una posición muy cómoda que calibra perfectamente la categoría del maestro. Cuántas veces se ha etiquetado a niños de apáticos o perezosos cuando, en realidad, son víctimas de incomprensión a nivel escolar, bien sea por un cociente intelectual algo bajo, bien por dificultades de asimilación, quedando marginados de la atención del maestro y fracasando en su vida escolar. La práctica sistemática de estudios psicométricos al inicio de las actividades escolares puede ser una ayuda valiosísima para los maestros, siempre que estén realizados por expertos y se utilicen convenientemente sus resultados.

La mentira

La tendencia a desvirtuar la realidad es muy frecuente en los niños, aunque su espontaneidad la acerca más a la fabulación que a la mentira. Una de las cosas que hace más maravilloso el mundo de los niños es la capacidad de fantasía que poseen, hasta tal punto, que muchas veces les es imposible separarla de los hechos reales. Ello no es ningún mal, sino todo lo contrario, una capacidad maravillosa que se va perdiendo a medida que se crece y se va estableciendo contacto con el mundo. Los adultos que poseen un alto grado de fantasía son los que mejor comprenden a los niños, porque en cierto modo no han dejado de serlo.

La mentira no suele aparecer hasta que el niño alcanza etapas, en el desarrollo, que le permiten distinguir lo real de lo imaginario y lo verdadero de lo falso. La mayoría de los niños dicen siempre la verdad hasta que alguien les hace sentirse molestos por ello, iniciando entonces la tergiversación de las realidades. La mentira se adquiere normalmente por imitación de otros niños y, más frecuentemente, de los mismos adultos, quienes utilizan los términos de diplomacia, disimulo o deseo de quedar bien para catalogar el hecho de no molestar innecesariamente, diciendo las verdades.

Las primeras mentiras propiamente dichas, que podríamos considerar como

Cuando un pequeño miente es debido más a su capacidad de fabulación y fantasía que a un deseo expreso de desvirtuar la realidad. Esta intención sólo aparecerá cuando el niño sea algo mayor y sea consciente de que el mentir le aporta algún bien o le evita algún mal.

mentiras útiles, surgen cuando el niño sabe que si dice la verdad será objeto de un castigo, e intenta evitarlo desvirtuando la realidad. Si entonces se le demuestra que siempre es mejor decir la verdad, reprimiéndole sin humillarle, se evitará con facilidad que convierta el mentir en un hábito. Si el niño sabe que las cosas ocurrirán de este modo, se habituará a decir siempre la verdad, no tratando nunca de ocultar sus errores o acciones reprensibles en un intento de eludir castigos que pueden considerar injustos.

Además del miedo a la reprimenda, el niño puede mentir a consecuencia de un complejo de inferioridad, recurriendo a la fantasía para atribuirse hechos falsos que puedan emular a sus hermanos o a otros niños. En los mayorcitos existen formas de mentira con una gran carga social. Así, no es raro que en la escuela, niños de escala social media, cuenten a niños de otras escalas más elevadas que su padre posee tal o cual automóvil -imaginario- para no sentirse ante ellos en inferioridad de condiciones.

La simulación no es frecuente, aunque se les acusa corrientemente de simular enfermedades para no ir a la escuela. Generalmente, si el niño recurre a simular una enfermedad para evitar acudir a la escuela, es porque sufre un problema respecto a su colegio, problema que debe ser investigado para tratar de solucionarlo. Es más frecuente, en cambio, que se simule un dolor abdominal para no comer un alimento que no apetece y, en este caso, una dieta rigurosa durante 24 horas suele solucionar con gran efectividad el pretendido dolor.

Cuando un niño miente, antes de imponer un castigo debe pensarse por qué miente. Puede existir un temor a una disciplina excesivamente rígida, una falta de sinceridad y confianza por parte de los padres, un deseo de parecer mejor de lo que se es. Se hará ver al niño que no sirve de nada mentir y que la verdad suele ser recompensada. En ningún caso se apurará al máximo una confesión; si no quiere decir la verdad, se le dejará y muchas veces acabará por decirla espontáneamente. Y, sobre todo, no se acusará nunca a un niño de mentir sin tener la seguridad de que lo hace. Para ello es necesario un profundo conocimiento de su personalidad y una seguridad plena en la eficacia de los métodos educativos.

El miedo

El miedo es innato en el hombre y se manifiesta con naturalidad durante la infancia. Del mismo modo que entre los adultos son escasos los valientes, son pocos los niños que no sienten miedo ante nada.

En los niños, el miedo toma unas características peculiares, en especial las que dimanan de la estimulación por parte de los adultos. No es extraño que muchos niños sientan miedo de la oscuridad si se les ha amenazado con encerrarles en un cuarto oscuro. Muchos padres, deseosos de que sus hijos sean precavidos y adquieran cautela ante peligros como el fuego, el tránsito o los animales, les

Para evitar que el niño mienta se le ha de hacer sentir que se le quiere y se le acepta tal como es, respondiendo a su sinceridad con razonamientos y comprensión y no con reprimendas y castigos.

inquietan excesivamente, fomentando en ellos el miedo cuando debería existir simplemente precaución.

En otros casos, los padres para conseguir un propósito educativo, no vacilan en atemorizar a sus hijos con absurdas amenazas. Es el caso del clásico y trasnochado «coco» del que, afortunadamente, los niños actuales se ríen socarronamente. Cuando un niño es sensible a estas amenazas, se mostrará sin duda atemorizado ante situaciones desconocidas para él y será frecuente la aparición de terrores nocturnos. Si el miedo es irracional y de tal intensidad que dificulta su actividad normal, constituye un auténtico estado de ansiedad. Es poco frecuente y obedece casi siempre a ciertas experiencias que les causan fuertes impactos emocionales. Una de las causas que más frecuentemente puede producir estados de ansiedad es un conflicto familiar mal disimulado o, en una mayor frecuencia, la separación o el divorcio. Cumpliendo el segundo año de vida, el niño puede darse cuenta perfectamente de una anómala situación familiar y sufrir una profunda huella en su subconsciente, con manifestaciones más o menos tardías. En otros casos, una brusca separación de los padres por fallecimiento de éstos o por hospitalización del niño, por ejemplo, puede desencadenar crisis de angustia que precisen enérgicas medidas terapéuticas. Ante estas situaciones, lo mejor es prepararle de tal forma que reciba el impacto con la mejor disposición posible. Si se le ha de hospitalizar sin que los padres puedan permanecer a su cabecera, deberá preparársele para esta nueva situación y se procurará que la separación sea lo más breve posible.

La actitud de los padres ante un niño miedoso depende de la causa del temor, del temperamento del niño y de la situación ambiental. Cuando sienta miedo por una cosa corriente, como un animal, el mar o la oscuridad, no se intentará hacerle afrontar la situación bruscamente. Si así se hiciera, no se conseguiría más que convertir el temor en pánico y dificultar aún más la pérdida del miedo. Se intentará demostrarle que ni el agua, ni los animales ni la oscuridad son elementos extraños ni peligrosos y se dejará que sea él mismo quien, cuando le plazca, dé el primer paso para comprobar la realidad.

Si el temor surge con motivo de una situación familiar anómala, no podrá conseguirse nada mientras no reine la paz alrededor del niño. En caso de que el

estado de temor raye en angustia, será preciso recurrir a un psicólogo para que oriente debidamente la mejor forma de corregir el problema.

En general, hay que protegerles de situaciones innecesarias y temibles, pero también debe tenerse en cuenta que las actitudes demasiado solícitas, por parte de los mayores, favorecen que se instaure un miedo superior a la protección pretendida. Cuando aparecen los primeros síntomas del miedo, es preciso afrontar la situación con simpatía y comprensión, evitando las burlas y permitiendo que el niño manifieste claramente sus temores, escuchándole y comentando con él la irrealidad de sus apreciaciones.

El hurto

El niño pequeño desconoce por completo los derechos de la propiedad privada y tiene muy desarrollado, en cambio, el sentido de la propia posesión. Suele tomar los objetos y juguetes de otros niños, pero al mismo tiempo es capaz de ofrecer todo aquello que considera suyo.

Alrededor del año, acostumbra a agudizarse el sentido de propiedad privada y ante otros niños guarda celosamente sus juguetes e intenta apropiarse de los que no son suyos. Se entra en la fase del «lo tuyo mío y lo mío mío». No puede hablarse de hurto propiamente dicho, pues no existe conciencia de ello. A medida que crece, se va formando gradualmente en él la noción de que hay objetos que le pertenecen y objetos que pertenecen a otras personas. Muchas veces hurta porque siente el deseo irresistible de poseer algo que es propiedad de otro, en general de otro niño. Se observa, con sorpresa, que ha tomado cualquier juguete de su amigo cuando ha ido a jugar a su casa. Muchas veces se trata de cosas insignificantes, sin valor material y sin una lógica concreta. Si se le recrimina por ello da la sensación que no lo comprende y rara vez siente remordimiento por su acto.

Las causas de tal conducta son variables. En algunas ocasiones se trata de una especie de juego por el que el niño trata de comprobar hasta cuánto podrá apropiarse. Otras veces, hurta para conseguir cosas que le sería imposible obtener por otros medios. Si es muy pequeño no vale la pena dar demasiada importancia a este hecho y lo mejor es devolver el objeto robado sin más comentarios. Si el niño es capaz de comprenderlo, se hará que lo devuelva él personalmente, bastando una sola vez para que se dé cuenta de la irregularidad de su acto. Si la tendencia al hurto persiste, dejando de ser ocasional para convertirse en un hecho frecuente, deberá pensarse que se trata de una conducta anormal y, en tal caso, lo más recomendable será consultar lo antes posible con un psiquiatra infantil.

El hurto, en los niños pequeños, es un comportamiento normal del que no hay que escandalizarse, pero que se debe ir corrigiendo para que no se convierta, a medida que el niño crece, en una conducta anormal y difícil de corregir.

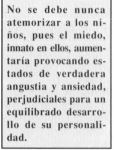

No se debe nunca atemorizar a los niños, pues el miedo, innato en ellos, aumentaría provocando estados de verdadera angustia y ansiedad, perjudiciales para un equilibrado desarrollo de su personalidad.

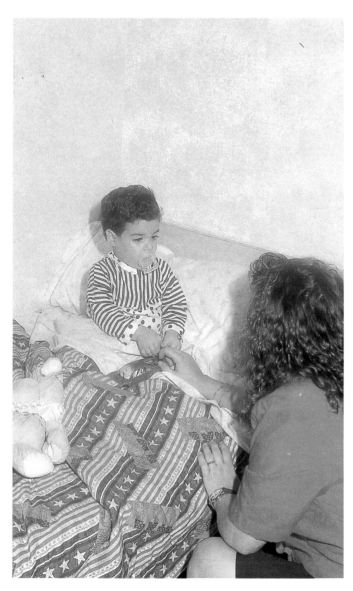

El niño siente miedo durante la noche o en los momentos que preceden a la hora de ir a dormir. Su necesidad de acostarse con la luz encendida o dejar la puerta abierta, son indicios de estos miedos normales que, no obstante, pueden persistir y convertirse en verdaderos trastornos.

tereses. Ya antes de los tres meses, los estímulos o la falta de ellos procedentes de la madre facilitarán o dificultarán la regulación del sueño.

Entre los tres meses y el año, el sueño es más profundo y el niño es más activo mientras está despierto; el adormecerse después de cada comida es cada vez menos frecuente. El despertar dependerá con menor frecuencia del hambre y mientras está despierto buscará satisfacciones afectivas.

En el segundo año, el niño mostrará desagrado por el sueño. En repetidas ocasiones se despertará llorando durante la noche, y reclamará la presencia de la madre cuya separación quiere evitar. En esta época aparecen los sueños y las ansiedades en torno a ellos, así como los ritos relativos a la hora del sueño.

Entre los tres y los cinco años, el sueño está, en general, mejor organizado, pero al niño todavía le cuesta dormirse y persiste, al despertar, el sueño y la ansiedad. Hacia los cuatro años rechazará la siesta.

Entre los cinco y los siete años, los niños empezarán a contar sus sueños y aparecerán las pesadillas.

Cambios en el desarrollo del sueño

Como acabamos de ver, en el desarrollo del sueño infantil hay cambios que dependen de las fases evolutivas y que pueden estar influidos por las características personales de cada uno.

Hasta los tres meses, son frecuentes los cambios en el sueño. Se relacionan con la reducción del tono muscular y el estado de saciedad. Al terminar la comida el niño se relaja y aparece el sueño. Los que comen mal y maman sin hacer fuerza no experimentarán ni la saciedad ni la fatiga y dormirán peor. Por lo tanto, las alteraciones del sueño en esta edad pueden estar relacionadas con una mala aplicación del régimen alimentario.

De los tres meses al año

A esta edad, el sueño se altera con frecuencia por la irrupción de los dientes, pero también puede alterarse por falta de estímulos afectivos o motores, por frenarse el deseo de movimiento del niño o por semiabandono por parte de la madre o figura materna.

Trastornos del sueño

En los primeros meses de la vida, el adormecimiento va unido a la sensación de hartura y el despertar a la sensación de hambre. Poco a poco, este ritmo irá cambiando y el niño se adaptará a su medio, el cual le creará unos hábitos.

Durante el primer trimestre de vida, el tiempo del sueño se reparte en ocho o diez fases, que no tardarán en unirse. Progresivamente, el niño, cada vez más activo, necesitará más ocupaciones e in-

En esta edad puede ser también motivo de perturbación la separación que se produce al sacarle del dormitorio de sus padres o la preocupación excesiva por parte de la madre del control de esfínteres, que puede generar en el niño un temor a no saberse controlar.

De los tres a los cinco años

En esta etapa, las alteraciones del sueño son generalmente poco importantes. Cuando se producen suelen ser síntomas que obedecen a una perturbación familiar. Con ellas el niño reclama sus derechos ya que existe en él un ansia de presencia. En estos casos los padres deben actuar con el tino necesario para complacer al niño y, a la vez, procurar no acostumbrarle a dormir acompañado por alguno de sus progenitores.

Comportamientos en el presueño

Los miedos

Suelen ser diferentes según la edad. Comienzan entre los dos años y medio y los tres y se mantienen hasta los cinco o más. El niño pide tener la luz encendida, y es frecuente el temor de que alguien se oculte debajo de la cama. Hacia los siete años pueden tener miedo a las sombras o a los fantasmas. Son, generalmente, miedos pasajeros que desaparecerán si los padres saben ayudarle a superarlos con su presencia y sus palabras. Los padres no deben preocuparse en exceso por este tipo de síntomas, pero sí prestarles toda la atención y dedicación que merecen.

Existen muchas conductas estructuradas por los niños antes de ir a la cama. Entre ellas, la exigencia de la presencia de la madre o la necesidad de dormir con algún juguete son mecanismos para combatir la angustia que les significa apartarse del dinamismo y la compañía diurnas para enfrentarse con la soledad y la oscuridad nocturnas.

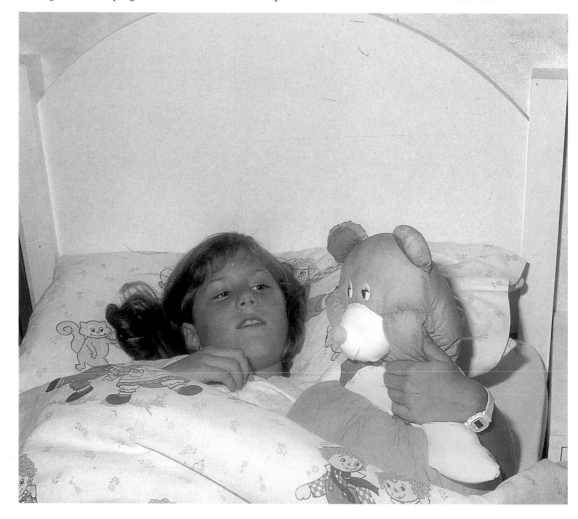

Los rituales de adormecimiento

Se crean entre los dos y los tres años y medio y pueden llegar a ser un auténtico ceremonial. El niño exige que la madre esté presente, que se quede junto a él después de haber apagado la luz y que le acune. Suele darse también la costumbre de chuparse el dedo pulgar, tener una tela en la mano y restregarla contra su cara. Otros quieren tener a su lado su muñeco preferido. Todos éstos son ritos para controlar su angustia, fórmulas mágicas para tranquilizarse. A veces este tipo de rituales es el primer síntoma de lo que será un desarrollo patológico del "yo", pero, generalmente, desaparece con el desarrollo. Es importante que los padres comprendan su significado y de acuerdo con él se comporten con el niño de manera comprensiva.

Conductas especiales o patológicas del sueño o durante el sueño

Terrores y pesadillas

Algunos autores describen indistintamente las perturbaciones denominadas terrores nocturnos y pesadillas o sueños angustiosos, considerando que sólo se diferencian por su intensidad. Otros, en cambio, distinguen más aspectos en su descripción.

Cuando existen pesadillas el niño se mueve, gimotea y se despierta. Puede entonces manifestar su ansiedad y dejarse consolar por los padres.

En los terrores nocturnos, tras algunos gritos, el niño se levanta o se sienta en la cama y da señales inequívocas de angustia. Grita, se agita y gesticula, parece que quiere defenderse como si estuviera viviendo un cuadro terrorífico. No reconoce a quienes le rodean, y una vez pasado el terror vuelve a dormirse. Al despertar no recordará nada de lo ocurrido. Los terrores pueden repetirse varias noches seguidas y a veces durante la misma noche. Cuando se repiten en días sucesivos, suelen tener un horario fijo.

Las pesadillas son fenómenos frecuentes en el niño desde muy temprana edad. Los terrores nocturnos son más raros y normalmente sobrevienen más

Las pesadillas y terrores nocturnos de los niños aparecen en edades muy tempranas y responden a angustias y conflictos inconscientes. En algunos casos habrá que recurrir al especialista ya que el apoyo y comprensión de los padres no será suficiente para remediarlos.

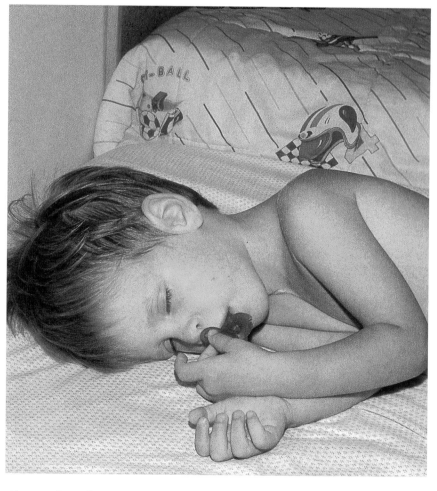

Las amenazas de los padres, la promesa de castigos o las desagradables frases tales como «si no obedeces te llevará el hombre de la bolsa», o «duérmete enseguida si no quieres que te ocurra...», cobran un significado terrorífico, absolutamente desproporcionado, y se convierten en la materia prima de pesadillas y angustias desesperantes.

díamente. Los primeros se consideran fenómenos normales y los segundos fenómenos patológicos.

Aunque sean diferentes, terrores nocturnos y pesadillas, ambos son manifestaciones de la angustia infantil y expresiones de un conflicto interno no resuelto. Algunos autores de tendencia psicoanalítica, ven en el origen de la ansiedad de las pesadillas, no sólo los conflictos actuales del niño sino sus miedos, que se remontan a un origen muy temprano y se reactivan en las condiciones regresivas y de aislamiento del sueño.

Este tipo de fenómenos, que manifiestan conflictos normales, pueden ser alarmantes si se prolongan en el tiempo y generalmente, en estos casos, adquieren mucha intensidad. La actitud de apoyo y comprensión por parte de los padres no resultará suficiente en algunos casos, en los cuales será necesaria la consulta con el psiquiatra o el psicólogo.

Sonambulismo

Se presenta preferentemente en los niños y suele aparecer entre los siete y ocho años. El sonámbulo se levanta en la primera parte de la noche y actúa como un autómata. Con los ojos abiertos, la mirada fija y moviéndose con pasos inseguros. Después de deambular durante un tiempo, que oscila desde unos minutos hasta media hora, el niño volverá a la cama por sí solo o se dejará llevar dócilmente. Al día siguiente no recordará en absoluto el episodio.

Según la mayoría de los especialistas, los niños que padecen este trastorno no presentan unas características psicopatológicas específicas. Algunos atribuyen el sonambulismo a cierta inmadurez, mientras que otros creen que depende de un factor orgánico más serio.

En cualquier caso, se trata de episodios ajenos a la voluntad del niño.

evolución. Además hay también un cierto grado de egoísmo, porque su afecto, el hábito de protección que han adquirido, sufre con este desprendimiento cotidianamente agudizado, que es ley de la naturaleza.

Los padres tienen la obligación de permitir que el espíritu de independencia de sus hijos goce de su legítimo ejercicio. Sin que tengan que acceder siempre a ciegas a todas sus reivindicaciones, deben comprenderle, a fin de marchar de acuerdo con él y no empujarle a la rebelión. Deben de ir adaptando su indispensable autoridad al nuevo ser que está emergiendo poco a poco en su hijo. Deben enseñarle a que pueda prescindir de ellos. Esta es la más alta ambición a que puede aspirar un educador.

Esta tendencia, en general, tiene más fuerza en los chicos que en las chicas. Pero, en todo caso, los padres no tienen ningún motivo para alegrarse de que su hijo no muestre manifestación alguna de independencia, pues esto significa que la necesidad de seguridad, el deseo de protección, prevalecen con exceso sobre la tendencia opuesta.

En cuanto a la conducta a seguir por parte de los padres, sería muy positivo que no piensen que su hijo es una excepción, que no interpreten este distanciamiento como una falta de afecto, que se acostumbren a la idea de que, en ciertas épocas de su vida, los niños son más difíciles de manejar. Que acepten el hecho de que sus hijos tendrán cada vez menos necesidad de ellos, y que procuren prepararles para que, un día, puedan prescindir de su tutela. Que se esfuercen en entender la disciplina, no como un fin en sí misma, sino como un aprendizaje de la autonomía.

El hecho de que los niños demuestren una mayor tendencia que las niñas a la cólera, no puede escindirse de ese principio social que identifica al hombre con la fuerza y el dominio y a la mujer con la debilidad y la sumisión.

El espíritu de independencia

El recién nacido que viene al mundo después de nueve meses de vida parasitaria, está destinado a convertirse en un adulto por sus propios medios. Se trata de una conquista con todo lo que la palabra implica de lucha. Lucha contra obstáculos interiores, psicológicos que nacen de la oposición que en el niño se establece entre su deseo de independencia y su necesidad de protección. Lucha, además, contra los obstáculos externos: la autoridad de los padres, la disciplina familiar y la escolar.

Se encuentran aquí conflictos permanentes, más o menos profundos y duraderos. El drama del conflicto de independencia consiste, en primer lugar, en que el niño, orientado hacia su porvenir, se anticipa a sus posibilidades reales de independencia. Pero también en que los padres, aferrados a una imagen, no quieren o no pueden cambiarla. Ellos no se adaptan a tiempo a la idea de su

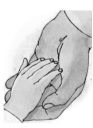

El niño y los demás

Durante los primeros meses de vida, el entorno social que rodea al niño se reduce casi exclusivamente a la familia. Hasta alrededor de los doce meses, la presencia de la madre y las muestras de afecto que ésta le pueda brindar, son poco menos que imprescindibles para un desarrollo sano. El papel del padre es considerado de vital importancia para la evolución psíquica del niño. A partir del tercer mes se convierte en un ser sociable. La relación del niño con los demás dan lugar a una gran variedad de reacciones: desde la timidez y el aislamiento, hasta la más abierta extroversión, incidiendo diversos factores en su conducta ante los extraños.

La escuela tiene una importancia fundamental en la formación del niño, no sólo a nivel intelectual y educativo sino en todo lo que tiene que ver con las relaciones sociales, preparándole para su posterior inserción en la vida social adulta.

Los amigos de su misma edad, en los primeros años, y la pandilla en la segunda parte de la infancia, tienen también un rol altamente positivo. Otros elementos que influyen en la formación del niño son los medios de comunicación, aunque algunos de ellos, sobre todo la televisión, pueden tener, a veces, una influencia perniciosa.

La llegada del recién nacido a casa

El regreso a casa, después de la estancia en la clínica, reserva para los nuevos padres grandes novedades. Por primera vez, la responsabilidad del bebé recae plenamente en la madre, que además se encuentra demasiado débil después del parto y tiene que enfrentarse con diversos problemas relacionados con el recién nacido y con el hogar que ha tenido abandonado durante unos días. Puede parecer un trabajo continuo, agobiante, y en algunos momentos, para muchas madres, la situación llega a hacerse angustiosa. Se siente una profunda depresión, con unas no demasiado justificadas ganas de llorar y muchas veces se culpa al marido de algo que no se sabe a ciencia cierta qué es. En este estado se unen la natural depresión que suele acontecer en el puerperio, el estado físico deficiente por el parto y la responsabilidad por el cuidado del pequeño ser. El secreto para sobrellevar airosamente esta situación radica en no perder el áni-

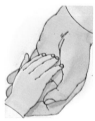

mo, no preocuparse excesivamente y pensar que en pocos días el trabajo se convertirá en rutina, todo se realizará con mayor desenvoltura y que el cuidado del niño no será en ningún momento algo insalvable.

En realidad, el mismo niño presentará problemas que en un principio podrán parecer extraordinarios. El primer lloro intenso hará que los padres se pregunten angustiosamente la causa y estén tentados de llamar al médico, para que les proporcione un alivio y una satisfacción. Durante la primera noche, se dormirá con "un ojo abierto", vigilando la respiración del bebé, por temor a que aplaste su boquita en la cuna y pueda morir asfixiado, hecho que difícilmente puede ocurrir cuando se toman las medidas oportunas. Cada tres o cuatro horas será preciso alimentarle, asearle, cambiarle de pañales, hacer que eructe y se duerma nuevamente, y después, atender el lavado de la ropita, cuidar de la esterilización y preparación de biberones, cuando los tome, etcétera, en un auténtico círculo vicioso del que parece que no se va a salir nunca.

Este pequeño, este diminuto ser que, a pesar de su tamaño, ha venido a ocu-

El papel fundamental de la madre ha sido recogido durante la historia de la humanidad por todos los quehaceres artísticos como un homenaje entrañable y emocionado hacia la protagonista principal de ese acto maravilloso y siempre sorprendente de dar la vida.

Las primeras semanas después del nacimiento del pequeño «tirano», los padres sufren el agotamiento que supone la atención del bebé. Una pareja bien estructurada procurará relevarse a fin de no transmitir la tensión que produce la fatiga a ese ser diminuto pero permeable que es el recién nacido.

par un lugar importantísimo en el seno familiar, provoca un cambio radical en el ritmo de vida hogareño y en la existencia de los padres. Pero para compensar esta pérdida de libertad personal de los padres, llega la alegría de presenciar la existencia de un nuevo ser enteramente dependiente de ellos, un auténtico gozo que da un nuevo significado a su propia vida.

El papel de la madre

Los primeros días pueden ser realmente difíciles, ya que no es raro que el bebé, al llegar a casa, aprecie de algún modo el cambio ambiental de la clínica al hogar y lo muestre con un estado de anormal intranquilidad, en especial por la noche, no durmiendo ni dejando descansar a sus padres. Después de varias noches de no poder dormir, es lógico que el agotamiento haga mella en los padres. Cuando así ocurra, la madre debe procurar aprovechar aquellos momentos que pueda durante el día para descabezar algún sueño y estar más descansada por la noche. Si es el marido quien dispone de algún tiempo durante el día para descansar, durante la noche pueden realizarse relevos que la hagan más llevadera.

Es muy importante que la madre no agote sus posibilidades, incluso para la propia relación con el bebé. Una madre fatigada, falta de horas de sueño, no puede responder con la misma naturalidad, con la misma ilusión, ante su hijo, que una madre que goza del normal y merecido descanso. Por ello aconsejamos que procure disfrutar de unos momentos de distracción durante el día que le aparten de su hijo —si tiene posibilidades de dejarle con alguien— y así reanudar la relación con el niño con una cierta relajación de la tensión nerviosa. La constante permanencia al lado de un bebé llorón, nervioso e irritable, provoca muchas veces un auténtico estrés que debe evitarse en la medida de lo posible. La fatiga, el nerviosismo, el cansancio, hacen reaccionar frecuentemente en forma poco correcta ante el bebé contribuyendo a aumentar su propio nerviosismo. Está perfectamente demostrado que el estado emocional de los adultos repercute directamente sobre el bebé, de tal forma que un niño que respire un ambiente tenso y malhumorado resulta a su vez mucho más irri-

table que un niño que goza de auténtica paz en el hogar.

El recién nacido, que trae consigo ilusión y alegría, trae también en su canastilla trabajo abundante para la madre, cuyo programa diario de actividades varía considerablemente. Al principio, el bebé absorbe casi por completo todo el tiempo de su madre, quien difícilmente podrá llegar a las demás labores del hogar si no dispone de asistenta, doncella fija o de la ayuda de algún miembro de su familia.

Afortunadamente, el recién nacido duerme muchas horas al día, lo cual permite que durante este tiempo se pueda efectuar el trabajo del hogar, pero ello no priva de que durante las primeras semanas sea realmente difícil conseguir una normal organización de la casa. Pero es necesario crear esta organización de vida, que beneficiará a todos los miembros de la familia. La madre podrá encontrar sus momentos de descanso o esparcimiento, el bebé no percibirá trastornos en sus horarios y el marido apreciará un desarrollo normal en el hogar, lo cual contribuirá a que se disfrute del recién llegado con toda la ilusión y en una armonía completa. Pero debe tenerse en cuenta que, al principio, a pesar de hacer todo lo posible para llevar una vida organizada, no dependerá exclusivamente de la madre y del niño el conseguirlo. Serán muchas las visitas que llegarán para conocer al recién nacido, y no siempre en el momento más oportuno.

El estado emocional de los adultos afecta al bebé de un modo directo y más de lo que los padres suponen. Un ambiente sereno, armónico, tierno y equilibrado redundará en beneficio de un desarrollo normal en el niño.

La madre que llega a casa con esa pequeña maravilla que acaba de nacer, debe afrontar una serie de situaciones: la responsabilidad por el cuidado del bebé, su propio fortalecimiento tras el estado de debilidad que supone el parto, la superación de una depresión profunda que le sensibiliza notablemente y que puede embargarle durante el puerperio. Todo ello en un momento en que el pequeño está ávido de madre. La respuesta a este estado en que se halla la mujer que acaba de dar a luz, está en la preparación para el parto.

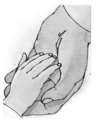

El padre y la madre deben compartir esa experiencia inédita que es tener un hijo. Para ello es necesario que los dos asuman con responsabilidad y conocimiento el nuevo estadio que ha iniciado la familia. En la ilustración, óleo de Pablo Picasso.

lugar de la casa tranquilo, con suave penumbra y libre de ruidos.

Durante el primer mes el bebé necesita una gran tranquilidad. En la práctica, con el único ser que debe continuar manteniendo contacto es con la madre, quien se cuida de su alimentación, aseo, vestuario, etcétera. El padre, abuelos, tíos y otros familiares no deben excederse en tomarle en brazos por mucha ilusión que ello pueda hacerles. El recién nacido debe pasar todas las horas del día en su cuna o en los brazos de la madre cuando le alimenta.

Para conseguir una buena organización desde los primeros días debe programarse el trabajo del modo más cómodo posible. Por ejemplo, el lavado de la ropita del bebé debe hacerse como mínimo una vez al día, pues de lo contrario se corre el peligro de una excesiva acumulación de prendas y llegar a no disponer de nada adecuado para ponerle. La utilización de pañales de celulosa desechables supone un gran alivio en este aspecto, y las fibras sintéticas han supuesto un gran aumento de comodidad. En otro aspecto, si se alimenta artificialmente al bebé, la esterilización y preparación de biberones para veinticuatro horas supone asimismo una importante reducción de trabajo. En resumen, la llegada del recién nacido a casa, y en especial si se trata del primer hijo, supone un cambio ambiental considerable del que se tiene que ser consciente y procurar contribuir de algún modo a que repercuta lo más favorablemente para todos. La madre debe intentar organizarse bien para no realizar trabajos baldíos, y el padre debe adquirir conciencia de las repercusiones que en la esposa ha tenido el parto y puerperio. Ambos deben darse cuenta de que el bebé necesita un ambiente cálido, amoroso, tranquilo y feliz. Los demás familiares pueden prestar una gran ayuda en todo aquello a que la madre no puede llegar, pero especialmente procurando no ocasionar molestias innecesarias.

Un hecho extraordinariamente frecuente en esta época, es la discusión acerca de la forma de tratar al bebé; discusiones sin importancia excesiva, generalmente a nivel matrimonial, pero que pueden complicarse si en ellas intervienen asimismo otros familiares. La comparación de lo que hace el bebé con lo que hacían los padres cuando eran niños, las costumbres de otros tiempos y las experiencias de los abuelos suelen

Es realmente difícil evitar estos trastornos, que repercuten mucho en el bebé, por cuando percibe una agitación anormal a su alrededor, pero ya que resulta inevitable este clímax que se crea en torno al recién nacido, debemos aconsejar que se traten de evitar en lo posible las voces demasiado elevadas, las conversaciones o estancias prolongadas en la habitación del niño, que se le tome en brazos una y otra vez, que se fume en su presencia, etcétera, procurando mantener al recién nacido en un ser constantes temas de conversación en estas discusiones, y pueden crear un cierto confusionismo en la madre inexperta. Por muy autorizadas que sean las opiniones de los familiares, la madre debe seguir un criterio recto y seguro; este criterio debe ser el de confiar plenamente en los consejos del puericultor como persona más calificada para ello.

El padre

El papel del padre es realmente importante. Durante las primeras semanas, su relación con el recién nacido no es muy directa, pero con su colaboración puede contribuir en gran manera a aliviar a la madre en sus cometidos. No es en absoluto un desprestigio a la condición de varón ayudar a su esposa en los cuidados del niño. La administración de biberones si el niño es criado artificialmente puede proporcionar un descanso a la esposa, especialmente cuando se trata del último del día o del primero de la mañana, permitiendo a la madre gozar de un número más prolongado de horas de sueño. Del mismo modo, resulta conveniente que el padre aprenda a cambiar los pañales y asear al bebé, pero en especial es muy importante que no interfiera los trabajos de la esposa, que es la que corre con el peso de las ocupaciones hogareñas. Debe ser comprensivo ante los eventuales fallos que puedan surgir en la buena marcha del hogar y no debe aturdir a la esposa con aquellos problemas que pueda solucionar por sí mismo y que puedan suponer para ella una sobrecarga.

Aquellos padres que no se interesan por el recién nacido, que le consideran como un ser amorfo e inanimado, que entienden como ocupación puramente femenina los cuidados generales del bebé, son aquellos que más tarde se contentan con juzgar y generalmente con criticar la indulgencia o severidad de la madre hacia el niño; son aquellos padres que, más tarde aún, son incapaces de comprender a su hijo, que no soportan que el niño llore, que haga ruido, que rehúse ciertos alimentos, que juegue con "sus" objetos personales, o que no le deje leer el periódico con tranquilidad.

El ejemplo que representa el padre para sus hijos nace ya en los primeros días de vida del niño; la relación durante los primeros meses será una base para el binomio padre-hijo, de una importancia grande para el futuro.

Los hermanos

Cuando el recién nacido no es el primogénito y en el hogar hay ya otros hermanos, debe contarse con la presencia de éstos para una correcta adaptación ambiental del recién nacido. Los niños pequeños se resienten a menudo de la llegada del nuevo bebé y es injusto culparles por esta reacción, especialmente si son hijos únicos, que han contado hasta entonces con la atención íntegra de sus padres. De repente, con la llegada del hermanito se les obliga a compartir el papel principal que desempeñaban hasta esta circunstancia.

Cuando el bebé que acaba de nacer debe incorporarse a una familia que ya tiene otro hijo, los padres han de ser conscientes de la perturbación que esto supone tanto para el primogénito como para el nuevo miembro. Todos los cambios que deban llevarse a cabo en la casa se harán antes de la llegada del hermanito para evitar que el hermano mayor se sienta todavía más desplazado.

Este pequeño ser que solamente duerme, come y llora, distrae la atención de la madre, y el hermano o hermanos sufren una nueva situación que viene a cambiar su ritmo de vida. Sin embargo, esta situación puede simplificarse y convertirse en algo natural si se prepara a los niños anticipadamente a la llegada del nuevo hermano. Debe hacérseles comprender que el bebé no pertenece solamente a los padres, sino que es de toda la familia.

Si se hace necesario trasladar al niño mayor a una habitación distinta de la que ocupaba anteriormente, se hará con la suficiente anticipación para que no relacione el cambio con su hermano. Se le debe hacer ver que se ha convertido ya en un hombrecito y que tiene necesidad de poseer su propia habitación. Al mismo tiempo, si tiene edad para ello, debe hacérsele participar en todo lo que concierne al recién nacido, como escoger el posible nombre, preparar todo lo que será necesario para acogerle y se procurará que tome conciencia de que deberá protegerle, cuidarle y enseñarle todas aquellas cosas de las que ya es capaz.

Es conveniente que, a la llegada de la clínica, los hijos mayores se hallen en casa y se les debe ilusionar con la llegada de "su" nuevo hermano. Si no cono-

cen el nacimiento de su hermano y se les ha mandado a casa de los abuelos durante la estancia de la madre en la clínica, cuando regresen a casa y se encuentren con el recién nacido ya instalado, probablemente preguntarán con extrañeza de dónde vino y por qué.

Durante los primeros tiempos de convivencia podrán observarse reacciones de protesta por parte de los hermanos mayores. Pueden pedir que se les bañe en la misma bañera que al bebé, solicitar un biberón al ver que el niño pequeño lo toma, y pueden desear, en conjunto, todas aquellas cosas a las que ya no estaban acostumbrados. En todo momento debe hacérseles ver y comprender su papel de hermanos mayores y recordarles constantemente que son ya unos hombrecitos que no precisan aquellas cosas que actualmente necesita el pequeño. El resentimiento y la protesta desaparecen rápidamente si los hermanos pueden representar el papel de ayudantes en todo lo que concierne al bebé; hecho relativamente fácil en las niñas, que muy pronto desarrollan su instinto maternal y saben tomar a su hermano como un muñeco al que se le pueden administrar biberones y poner vestiditos. Si su edad lo permite, el poder hacerlo alguna vez les proporcionará una sensación de importancia y utilidad que

Las relaciones entre el hermano mayor y el bebé pueden ser verdaderamente estimulantes cuando los padres hacen participar al primogénito en las tareas que rodean el cuidado del pequeño, convirtiendo así la presencia de ese chiquitín llorón e intruso en algo que pertenece a la familia en general y no a la madre o a los padres en particular.

No obstante la puesta en práctica de todos los recursos convenientes para que la incorporación del bebé no constituya una intromisión en el feudo del hermano mayor, éste demostrará de algún modo su insatisfacción por la aparición de la competencia. La tarea de paliar esta perturbación es muy delicada y deberá afrontarse con mucha comprensión.

Las reconvenciones de los padres ante las muestras demasiado efusivas o, por el contrario, demasiado agresivas del hermano mayor hacia el recién nacido deben ejercerse con dulzura y serenidad para no mellar aún más la sensibilidad del primogénito.

compensará con facilidad los posibles celos.

Indudablemente los padres, y en especial la madre, no dispondrán del tiempo que antes podían dedicar a los otros hijos, pero deberá procurarse pasar con ellos el mayor tiempo posible, y en este aspecto puede ayudar mucho el padre. Es necesario también demostrar a todos los niños que se les quiere por un igual, pero que el recién nacido, por ser tan pequeño, necesita que se le dedique un tiempo mayor. También es muy importante que los restantes miembros de la familia —abuelos, tíos, etcétera—, tengan conciencia del problema que para los niños mayores representa la llegada del hermano pequeño y repriman sus tendencias afectuosas al llegar al hogar, preguntando por el pequeño mucho antes que prestar atención a los mayores. Dedicar primero unas frases cariñosas a los mayores y preguntar a ellos mismos por su hermanito, les proporcionará una satisfacción que les hará sentirse importantes y considerar al hermano como algo propio.

Es muy común también que el niño mayor sienta reacciones distintas ante el bebé, y tanto puede inclinarse a darle continuamente besos como intentar golpearle, o tirarle del pelo o las orejas. Tanto en un caso como en el otro no se le debe advertir con brusquedad, sino hacerle ver que su hermano es muy pequeño y es mejor que le haga alguna caricia suave. Tampoco es conveniente que se le reprima constantemente, si grita o hace ruidos, con la advertencia de que va a despertar a su hermanito, ya que ello podría producirle un cierto rechazo. Si constantemente se están reprimiendo los impulsos del mayor a causa del pequeño, fácilmente se conseguirá que el primero tenga un sentimiento de antipatía por el segundo, al que hará responsable de su pérdida de libertad.

Los abuelos

Los abuelos juegan un importante papel en la vida del niño. Para ellos, el recién nacido representa un baño de juventud, un retorno al pasado, una mirada al futuro como prolongación de su propia existencia. La amalgama de sentimientos que albergan los abuelos para con sus nietos —reflejada en su encandilada mirada— se proyecta de forma distinta en la abuela que en el abuelo.

La abuela supone casi siempre una eficaz ayuda para la madre inexperta en sus primeros tiempos de maternidad, tomando un mayor partido en todo aquello que concierne a los cuidados del niño. Pero esta misma valiosa ayuda es a veces el origen de conflictos en las relaciones con los padres del recién nacido. De los abuelos se habla mucho menos, pues su relación con el recién nacido suele limitarse a la orgullosa mirada con que le observa, esperando verle crecer para poderse convertir en un excelente compañero de juegos, paseos y aventuras. Lejos de ser el mítico abuelo autoritario, para los niños se convierte en un incansable contador de cuentos y anécdotas, personaje conciliador, cariñoso y que a menudo aparece con sus manos llenas de regalos.

Las abuelas suelen tomar parte más activa en los cuidados de los nietos, aportando con su experiencia una ayuda muy valiosa para la joven madre. Sus consejos pueden ser muy importantes y fundamental su ayuda en la organización hogareña de las primeras semanas. De todos modos, su papel a veces no es tan fácil y agradable como el del abuelo, precisamente por la necesidad que se tiene de ella. Su interés por resultar útiles hace que muchas veces pueda parecer que intentan tomar iniciativas que corresponden exclusivamente a los padres, pero, en honor a la verdad, en muchas ocasiones los padres cometerían muchos disparates si no fuera por las abuelas. Es lógico que surjan roces, pues su concepto de la puericultura difiere muchas veces considerablemente de la realidad actual. Se les puede explicar aquello que desconozcan, y seguramente comprenderán y se entusiasmarán ante lo adelantado que les parece su nieto en relación a como fueron sus hijos.

Uno de los puntos de fricción más frecuente es un exceso de autoritarismo por parte de la abuela, quien no cree a sus hijos capaces de hacer algo de lo que ella posee una notable experiencia. Ante este hecho, lo primero que debe pensarse es si la culpa no será de los propios padres que, por su inexperiencia, juventud y ansia de libertad, no son capaces de recibir alguna sugerencia, pero que en cambio, en un momento de apuro, no dudarán en recurrir a ella, dando una clara sensación de inseguridad.

Si realmente se observa que la abuela pretende tomar la iniciativa en los cui-

dados y educación del bebé, se procurará esclarecer la situación haciéndole comprender que en su día tampoco ella hubiera querido que le impusieran unos criterios y línea de conducta que no hubieran coincidido con los suyos. Se le invitará a adquirir los conceptos actuales de la puericultura, y para ello siempre será útil que acompañe a la joven madre en alguna de las consultas que se realicen al pediatra, quien se encargará de ponerle al corriente de todas aquellas cosas que en el curso de los años han cambiado en cuanto a la forma de cuidar a los niños. Salvo en raras ocasiones en las que juega un importante papel el modo de ser personal, las relaciones abuelos-padres-niños podrán ser inmejorables si hay por parte de los mayores, comprensión, consideración y respeto mutuos. El mundo afectivo del niño será tanto más feliz si puede contar con tres hogares en lugar de uno solo. Los padres se sentirán tranquilos de poder dejar a su hijo al cuidado de los abuelos, con la seguridad de que el niño no se sentirá extraño, recibirá su régimen habitual a las horas convenientes, no se le sacará de la cuna al más leve gemido, y en general se le tratará en una línea de conducta que será una prolongación de la de los padres.

El papel de la abuela, sobre todo si es todavía una mujer joven, es importante para la familia en general y la madre en particular. Su experiencia le convertirá en una ayuda inapreciable y emprenderá su cometido con un gran amor hacia el bebé que forma parte de su propia existencia.

Nacimiento y desarrollo del sentido social

El niño, como ya hemos visto, es, al nacer, incapaz de darse cuenta de su existencia y de distinguir los objetos y las personas de la realidad externa como algo diverso de sí mismo. Necesitará largo tiempo antes de comprender que se encuentra entre otras personas, es decir, que se halla en una relación social; deberán pasar aún muchos meses para que se adapte a estas relaciones, que cada vez se harán más numerosas y complejas, y para que logre encontrar en ellas satisfacción y seguridad.

La sonrisa

En los primeros meses de su existencia, durante los que parece vivir en un mundo totalmente suyo, puede ser difícil comunicarse con él, porque no podemos servirnos de los medios a los que estamos habituados, como la palabra, la mímica facial y los gestos.

Hacia el tercer mes de vida, aproximadamente, aparece en el pequeño la llamada respuesta de la sonrisa (la época del tercer mes es puramente indicativa, ya que existen grandes variantes en más y en menos), es decir, el lactante sonríe cuando ve de frente un rostro humano. Esta reacción se da, en general, para el rostro materno, pero puede verificarse también ante una cara cualquiera, siempre que sea vista de frente. Si el rostro se presenta de perfil, la sonrisa desaparece como si el niño ya no fuese capaz de reconocer la imagen que tiene delante, aunque sea la de la madre.

Por lo tanto, hacia el tercer o cuarto mes de su vida, el niño está en condiciones de reconocer el rostro humano. Y por esto, se fija en esta época el comienzo del desarrollo del sentido social.

La crisis del octavo mes

En una segunda fase, el niño empieza a reconocer el rostro materno. Sólo entonces resulta capaz de ver y reaccionar frente a un rostro determinado, y no ante cualquier rostro de forma indiscriminada.

Está comprobado que a menudo, después de los seis meses, el niño reacciona

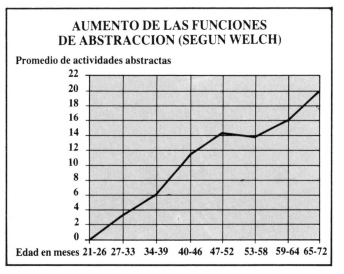

AUMENTO DE LAS FUNCIONES DE ABSTRACCION (SEGUN WELCH)

Promedio de actividades abstractas

| Edad en meses | 21-26 | 27-33 | 34-39 | 40-46 | 47-52 | 53-58 | 59-64 | 65-72 |

mal a la vista de personas extrañas. Tal reacción, casi siempre presente, se manifiesta de un modo muy variado; puede estar testimoniada tan sólo por un ceño fruncido o por una actitud un tanto perpleja, o bien llegar a expresarse ruidosamente con llanto y chillidos, hasta llegar a una auténtica crisis de angustia.

Los especialistas en infancia conocen muy bien este fenómeno, denominado "crisis de ansiedad del octavo mes", y saben que es perfectamente fisiológico. Podríamos decir que esta crisis viene determinada por la percepción de algo

El cuadro elaborado por Welch que aparece arriba da cuenta del aumento de las funciones de abstracción en la formación de conceptos durante la primera infancia y el período preescolar, incluyendo cada vez dos objetos reales, en un concepto genérico. La puntuación más alta fue de 21 soluciones acertadas.

En las dos fotografías de esta página y en la de la página anterior se ilustran algunas conductas sociales demostradas por niños pequeños.

los tres o cinco meses sonreía a todos los rostros, se vuelve, de repente, desconfiado y poco cordial con las personas que no conoce, y a veces incluso da muestras de angustia. Estaría, pues, fuera de lugar preocuparse de esta manifestación infantil, viendo tal vez en ella síntomas de un futuro carácter difícil, y mucho menos se debe reprender al pequeño por no mostrarse expansivo con los demás. No hace sino comportarse como su normal desarrollo emotivo le sugiere.

Los niños tienen una sensibilidad particular para percibir la personalidad ajena, y no saben esconder tras una máscara de hipocresía los auténticos sentimientos que le inspiran las diferentes personas. Anteriormente hemos visto cómo el padre es, en general, la primera figura que viene a interponerse en la estrecha y exclusiva relación dual constituida entre la madre y el niño. También hemos hablado de la gran importancia que la figura paterna, fuerte y tranquilizante, debería tener en la ampliación del mundo del niño y en la satisfacción de su deseo de establecer nuevas relaciones.

La sociabilidad

La sociabilidad varía muchísimo de un niño a otro, como también en la vida de los adultos, no sólo cambia de una persona a otra sino que puede ser muy diversa en las diferentes situaciones. Esta variedad forma parte de la personalidad de cada uno, pero no por ello hay que pensar que todos los niños deban tener igual sentido social ni que deban comportarse idénticamente en las diversas fases de su desarrollo. Hay el niño que fácilmente traba amistad con todos, que se inserta espontáneamente entre sus coetáneos y juega con ellos sin la menor dificultad; hay, en cambio, el niño que prefiere ser solicitado, e incluso invitado, y que sólo después de muchos titubeos acepta el unirse a los demás. Hay el niño que va al parvulario muy contento por la novedad, y aquel al que abruma el tener que aceptar esta situación nueva e inhabitual.

Sin embargo, existen límites muy amplios para esta variabilidad del sentido y de la adaptación social.

A menudo solemos decir que son la carencia y la dificultad de adaptación social, es decir, la incapacidad del niño

desconocido que turba los esquemas ya conocidos a los que el niño está acostumbrado, haciéndole temer la desaparición de las cosas y, sobre todo, de la persona que le es querida y que para él representa fuente de seguridad. Esto explica por qué el pequeño, que hacia

Es un dato observable que, por lo general, antes de los tres o cuatro años, los niños que se hallan en compañía de otros de esta misma edad parecen prescindir de los demás y elaborar juegos en solitario. Aprender a compartir constituye un proceso lógico que lleva su tiempo.

Aun cuando jueguen solos, los niños necesitan tener compañeros. La escuela cumple un papel fundamental en ese apartado tan significativo que es el aprender a vivir con los demás.

de sentirse a gusto con los demás, lo que debiera despertar nuestra preocupación. No tratamos aquí el problema del niño aislado, pero queremos precisar, no obstante, que una excesiva tendencia a permanecer solo, o una gran timidez, son indicio de un profundo desajuste psicológico. Debemos intentar eliminar dicho desajuste, no sólo haciendo desaparecer en lo posible los síntomas, sino también estudiando a fondo las causas que lo han determinado.

Generalmente, un niño emplea tres años a partir del momento en que viene al mundo, para aprender a convivir con los demás.

De hecho, si reunimos a un cierto número de niños de tres a cuatro años, veremos que cada uno de ellos, a pesar de estar jugando con los otros, parece que juegue por su cuenta. Los niños de esta edad no son capaces de organizar, todavía, un verdadero juego común, de ajustarse a unas reglas, de aceptar el punto de vista de los demás, de conservar con cierta continuidad el papel que en el juego deberían desempeñar.

Este modo de comportarse no es en realidad extraño, puesto que es perfectamente coherente con el estadio del desarrollo psicoafectivo, e incluso social, en que se encuentran los niños de tres a cuatro años. El hecho de que todavía no sepan estar con los demás no significa que dejemos de darles ocasión de tener compañeros. De hecho, los niños disfrutan de los amigos de la manera que hemos dicho, que, en realidad, es lo normal en su edad.

Entre uno y tres años es natural que un niño no quiera ceder sus juguetes y que, en cambio, considere lógico apropiarse de los de los demás. Resulta inútil llenarle la cabeza con razonamientos abstractos y morales sobre la generosidad y el altruismo. Es necesario, únicamente, explicarle con amabilidad, que si todos los demás niños hicieran como él, en poco tiempo no habría ni un juguete.

Empezar a vivir con nuestros semejantes, reconocer los mismos derechos para ellos que para nosotros, no es sencillo; por esto hemos sostenido la gran importancia del papel que la escuela ha de realizar en este sector particularmente delicado de la personalidad. A menudo, las madres se muestran reacias a mandar a sus hijos a jugar con los demás porque se dan cuenta que muchas veces los niños en compañía de otros se pelean, con los consiguientes llantos y lamentaciones.

En este sentido, la tarea de la madre es muy delicada; ante todo, será necesario que ella misma se convenza de que tales peleas, aunque a menudo tempestuosas, son pasajeras y totalmente normales, sin que indiquen violencia particular por parte de su hijo o de los demás niños. Por lo tanto, no debe consolar a la pequeña víctima diciéndole que los demás niños son malos y que conviene evitarlos, sino que tratará de quitar dramatismo a la cosa, convenciendo al pequeño de que es corriente discutir, pero que también, si se quiere, se pueden hacer las paces; le tranquilizará, además, diciéndole que unos cuantos golpes dados o recibidos no significan que aquellos niños no puedan volver a ser sus amigos. Nunca intervendrá personalmente para defender a su hijito, sino que le acostumbrará poco a poco a arreglárselas por sí solo, y así no le inculcará la desdichada sensación de ser débil e incapaz, o sea diferente de los demás niños.

Además, será mejor no regañar ni amonestar al niño tímido con continuas recomendaciones verbales, para intentar hacerle abandonar tal actitud.

Será más conveniente estimularle indirectamente confiándole encargos o determinadas tareas simples que disminuyan aquellos sentimientos de incapacidad e inadaptación que determinan sus dificultades.

Los primeros amigos

Contrariamente a lo que en general se cree, las relaciones de los niños con sus coetáneos no siempre son fáciles. Sucede a menudo que una madre queda desagradablemente sorprendida al darse cuenta de que su hijo no encaja con sus primeros amigos; lo que esperaba que fuese una tarde agradable junto a la amiga que tiene un hijo de la misma edad del suyo, se convierte en una experiencia de hechos para ella muy desagradables. Su hijo dista de mostrarse bien dispuesto hacia su coetáneo, lo ignora o bien, aunque comienza a jugar, recurre continuamente a la madre; puede también suceder que empiece a jugar pero que al poco tiempo se enfade con el "amigo" por los más variados motivos.

Otras veces, la madre advierte las dificultades del hijo cuando éste es enviado al parvulario, donde el niño se aísla, no participa en las actividades comunes, no consigue establecer ningún lazo positivo con los compañeros, o bien se muestra agresivo y posesivo respecto a los demás.

¿Por qué las relaciones con los otros no siempre son tranquilas, agradables y fáciles?

Es necesario recordar, ante todo, que la sociabilidad, es decir, la capacidad de convivir y de desarrollar actividades diversas (juegos, estudio, trabajo) con los demás, se alcanza gradualmente. El interés y el placer de estar en compañía de los otros niños se manifiestan lentamente en el pequeño, que, en sus primeros años, parece apreciar únicamente, la proximidad de los componentes del círculo familiar.

Seguidamente, los niños van aceptando estar con los demás, ocupados en diversos juegos, en los que, sin embargo, no colaboran.

Es hacia los 4 o 5 años cuando empieza a vislumbrarse la colaboración, la intervención de más personajes en el juego.

De cuanto hemos dicho resulta obvio que, antes de una cierta edad, las manifestaciones de agresividad entre sus semejantes son frecuentes y no deben, por tanto, asustar.

Otro tipo de comportamiento con los compañeros es el del aislamiento. Hay niños de carácter cerrado, poco expansivos, poco vivaces y poco comunicativos que, a la edad en que todos los ni- ños manifiestan un intenso·deseo de estar junto a los demás, muestran disgusto y tratan de evitarlos como sea. Son niños particularmente inhibidos, que temen la confrontación con los compañeros, que tienen siempre miedo a equivocarse y ser inferiores a los demás y que solamente se encuentran a gusto en el estrecho círculo familiar; o bien con cualquier compañero de inferior edad

El ambiente familiar que se caracteriza por sus escasas relaciones sociales, reduciendo la afectividad del niño a su propio seno, puede obstaculizar su vinculación con otros niños.

sobre el cual están bien seguros de poder asumir una posición de superioridad y predominio que les permita reafirmarse. Estos niños han crecido frecuentemente en familias con escasas relaciones sociales, completamente encerrados en la propia intimidad afectiva, en donde no agrada el contacto con los extraños y el mundo externo es visto como un enemigo, difícil y lleno de peligros, donde la novedad, los cambios socioculturales, inevitables en la evolución de la sociedad moderna, son considerados negativamente.

Hay otros casos, en que los niños inhibidos provienen, en cambio, de familias en que la fortuna, el predominio entre los semejantes y el mejor éxito están valorados al máximo; los propios padres dan mucha importancia al hecho de que el hijo destaque entre los otros niños, sobresalga entre los hijos de sus amigos, exigiéndole siempre las mejores prestaciones, ya sea en el campo escolar, en los deportes, en los juegos de habilidad, etcétera...

En el primer caso, el aislamiento y la inhibición del niño se hallan en relación con la dinámica de la familia; es decir, el comportamiento del pequeño no disgusta a los padres sino que, por el contrario, les agrada, ya que creen que responde a su punto de vista sobre la vida.

Sin embargo, cuando este niño deba separarse forzosamente de la familia y afrontar, con el ingreso en la escuela, una vida de grupo, se encuentra completamente privado de defensas ante las preocupaciones y la ansiedad suscitadas por una situación nueva para él, y sólo sabe reaccionar con una acentuación verdaderamente patológica de su inhibición. No participa en los juegos, rechaza las aproximaciones de los compañeros y no consigue aprender a pesar de ser inteligente.

En el segundo caso, el niño a quien la familia le exige siempre ser el mejor, se convierte en un problema para los padres, quienes se sienten frustrados en sus expectativas e intentan solucionarlo estimulando e incitando cada vez más al niño a una mayor actividad, acrecentando así en él sus sentimientos de incapacidad y de indignidad. El niño cree que no será nunca capaz de complacer a papá y a mamá, se desanima y teme todas las situaciones de confrontación y de competición de las que piensa salir siempre derrotado y merecer, por tanto, la censura de la familia. Esta segun-

da situación parece darse con mayor frecuencia en una sociedad como la nuestra, en la que el éxito es exigido continuamente y en la que la escuela se basa sobre el parangón entre el uno y el otro; en efecto, aún hoy en la escuela se clasifica a los alumnos en buenos, mediocres y malos. El resultado de esta distinción confirma cada vez más en los niños un sentimiento de insuficiencia o, por el contrario, de desprecio ante los menos inteligentes o menos dotados, en vez de valorizar las capacidades individuales que un observador atento y sensible no deja de encontrar en cada niño.

Por otra parte, no debemos preguntar demasiado ni con excesiva frecuencia a los niños; recordemos siempre que cada niño tiene su propio ritmo de desarrollo, ya sea intelectual o afectivo, y que en cada una de las edades sólo puede afrontar ciertos problemas y determinadas dificultades. Tal como no se puede ni se debe pretender una higiene perfecta en un niño de 3 a 4 años, no se puede ni se debe pedirle que dibuje como un

Un niño retraído, que muestra una marcada tendencia a permanecer al margen de los juegos de sus compañeros, puede incluso agradar a los padres que manifiestan la misma tipología en su vida adulta, contribuyendo de este modo a la marginación creciente de su hijo.

Cada niño tiene su propio ritmo de desarrollo y una variación de uno o dos años, en edades tempranas, puede significar una gran diferencia cualitativa en los intereses y capacidades de uno y otro.

niño de 6 años, ni tampoco se le debe exigir que su comportamiento, con respecto a los otros niños sea siempre perfecto, porque su mundo afectivo no le permite aún tener hacia los demás la tolerancia, reciprocidad y generosidad que se alcanzan sólo después de la adolescencia.

Incluso los niños con un desarrollo afectivo armónico se pelean con los demás, generalmente porque no han alcanzado aún la capacidad de renunciar a una satisfacción personal en favor del amigo. Los niños que juegan juntos después de los 5 años prefieren un determinado juego; el comportamiento más adecuado se da cuando una decisión se toma de común acuerdo y cuando se acepta que los papeles (hay siempre un protagonista principal rodeado de gregarios) se vayan cambiando alternativamente. Desgraciadamente, es muy raro que todo suceda tan llanamente; hay quien quiere siempre para sí el papel principal y no acepta cederlo, quien se cansa de hacer de segundón y quiere ser el jefe; el niño menos hábil, que pierde siempre y que, por tanto, quiere cambiar el juego porque no se resigna a perder, mientras que los demás están contentos de continuar, en vista de que en

el grupo hay ya el chivo expiatorio; de esta manera empiezan las peleas, los llantos y la momentánea enemistad. Obran con acierto aquellos padres que no suelen intervenir para zanjar las controversias más o menos iracundas (a no ser que se pase a la vía de los hechos) entre los compañeros, y que no imponen una solución autoritaria. Es preferible, de hecho, dejar que los niños, aunque sea gritando y alborotando, logren resolver entre ellos los propios asuntos, lleguen a expresarse unos a otros sus propios deseos e intenten encontrar por sí solos una solución que satisfaga a todos.

Si intervenimos frecuentemente en las discusiones y en las peleas infantiles, imponiéndoles una solución desde lo alto de nuestra autoridad de adultos, no aprenderán nunca a elaborar de modo autónomo un tipo de comportamiento maduro y adecuado en las relaciones sociales con el prójimo. Además, actuando de este modo, nuestro comportamiento no les permitirá experimentar toda una serie de situaciones que son el paradigma de aquello que es la vida del adulto en sus relaciones con los amigos, los colegas, los superiores y los parientes más cercanos.

> Las diferencias que se producen en los grupos de niños que juegan, causadas por sus diferentes personalidades, deben ser resueltas por ellos mismos sin la intervención de los adultos, excepto en el caso de que las discusiones resulten demasiado violentas.

El desarrollo de las relaciones sociales es fácilmente observable en las diversas formas de juego en común que practica en la infancia. El cuadro de abajo representa la frecuencia de actividades lúdicas en compañía de otros niños, desde el tercero al quinto año, y evidencia el predominio del juego individual hasta la edad de tres años, aproximadamente.

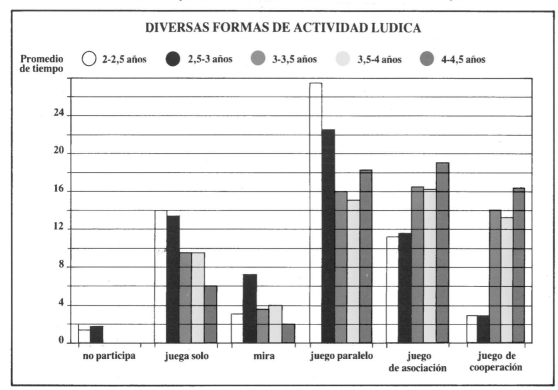

DIVERSAS FORMAS DE ACTIVIDAD LUDICA

Promedio de tiempo — ○ 2-2,5 años   ● 2,5-3 años   ● 3-3,5 años   ○ 3,5-4 años   ● 4-4,5 años

no participa · juega solo · mira · juego paralelo · juego de asociación · juego de cooperación

Importancia social de la escuela

Si los padres representan el principal papel en la estructuración de la personalidad del niño, los demás niños que cotidianamente se relacionan con él (sean hermanos, amigos o compañeros), desempeñan una función que, después del primer año, cobra una extraordinaia importancia. El niño, ya desde pequeño, siente un vivo interés por relacionarse con otros niños, observándoles e imitando en lo posible aquello que les ve hacer. Más tarde, sea en jardines públicos, en los parvularios o en las escuelas, la amistad y la camaradería nacen de forma espontánea, precisamente por esta atracción mutua que experimentan los niños.

Del contacto con otros niños puede quedar una importante huella en la personalidad infantil, de tal modo que es necesaria una cuidada vigilancia para conservar las directrices educacionales que los padres pretenden imponer. Al mismo tiempo, de la relación con otros niños pueden obtenerse provechosas experiencias que ayuden a conocer el temperamento del niño. Ante los de su misma edad suele mostrarse tal como es, y puede apreciarse su decisión, su timidez, su simpatía, su envidia, su generosidad, en fin, aquellos rasgos caracterológicos más peculiares.

Debe estimularse la relación entre niños y niñas de la misma edad, enseñándoles a vivir en común, a disfrutar de lo mismo y a respetarse mutuamente. Si se aprovecha la natural tendencia de agrupación que tienen los niños, no resulta difícil conseguir un buen grado de sociabilidad, bastando simplemente no interferir inadecuadamente sus apetencias.

Cuando en el hogar hay varios hermanos debe favorecerse la armonía entre ellos, enseñándoles desde pequeños las reglas de la convivencia. Si no hay tales hermanos, deberá buscarse en el parvulario un sustitutivo que estimule su espíritu de camaradería.

Papel de la escuela en la formación de la personalidad

Pasada la época del parvulario, cuando el niño cumple los seis años, llega el

momento de integrarle en una escuela adecuada para que inicie la primera enseñanza. La elección de la escuela puede suponer una ardua labor para algunos padres. A veces no existe problema alguno porque el parvulario ofrece una continuidad en el mismo centro o en otras escuelas asociadas. En otras ocasiones se desea que el niño o la niña vayan al mismo colegio que sus progenitores, pero muy a menudo existe un rechazo hacia la escuela o los sistemas educativos recibidos y se pretende proporcionar al hijo un enfoque más acorde con la época que le tocará vivir. En este aspecto, por ejemplo, se tiende cada vez más a proporcionar unos conoci-

La elección de la escuela constituye un hecho de importancia esencial para los padres y para el niño. Existen numerosas variables que intervienen en la selección de una u otra escuela y, entre ellas, una de las más importantes es la que se refiere a lo que se espera de la educación. En este sentido conviene conocer el centro educativo, ya que cualquier cambio que se produzca afecta al niño notablemente.

Esta gráfica realizada por Eggert muestra el desarrollo psicomotor durante el período escolar, en los niños normales y subnormales. Las investigaciones del autor confirman la íntima relación que existe entre el rendimiento motor y el retraso del desarrollo, sobre todo en los muchachos que padecen lesiones cerebrales. Los que inician su escolaridad con una lesión cerebral adquirida en edad temprana, así como los escolares que sufren ciertos impedimentos para el aprendizaje y los subnormales profundos muestran, con frecuencia, un desarrollo motor alterado o retardado.

DESARROLLO PSICOMOTOR EN NIÑOS NORMALES Y SUBNORMALES

Valor absoluto

Normales

Con impedimentos de aprendizaje

Subnormales

Años

Del mismo modo que el cambio de centro educativo puede afectar el rendimiento del niño, la inadaptación a la escuela afecta notoriamente a su personalidad. En este sentido, es válido tener en cuenta que no siempre el mismo centro escolar es el adecuado para todos los hermanos de una misma familia.

mientos idiomáticos paralelos a la enseñanza, lo cual condicionará la elección entre escuelas que impartan un determinado idioma. Otros aspectos que deben ser valorados antes de la elección se refieren a las características sociales, religiosas, de coeducación, etcétera. En todo caso, la elección debe efectuarse de una forma muy cuidadosa, pues una vez iniciada la enseñanza, la escuela constituye algo muy importante en la vida del niño, donde transcurrirá gran parte de su jornada diaria, muy despegado de la tutela paterna, para depender de un maestro y convivir con otros niños o niñas de su edad.

Aunque toda elección *a priori* no puede proporcionar garantías de éxito, la valoración de las características personales del niño y de las que ofrece la escuela pueden reducir considerablemente los lamentables cambios, que, una vez iniciada la escolaridad, tan desfavorablemente influyen en el rendimiento del niño. La inadaptación escolar, sea cual sea la causa, si no se soluciona eficazmente puede influir enormemente en la personalidad del niño. Si éste se siente satisfecho con el colegio escogido, con sus profesores y condiscípulos, y acude a él contento y despreocupado, los frutos que se recogerán serán sin duda todo lo óptimos que la capacidad intelectual del niño permita. Por el contrario, si el niño no acepta la escuela o se integra en ella con desgana,

no tan sólo el aprovechamiento será mínimo, sino que la inadaptación podrá repecutir desfavorablemente en la personalidad infantil. En este aspecto se debe tener en cuenta que no siempre la misma escuela será la idónea para todos los hermanos, y en este caso siempre será preferible que vayan a distintos colegios por incómodo que ello resulte.

Al escoger un colegio debe buscarse por un igual un buen sistema de enseñanza que una labor educativa paralela a la que tratan de instaurar los padres. En este caso, será preciso decidirse de entrada por una enseñanza liberal o autoritaria, como tendencias más marcadas en los actuales esquemas. Un sistema educacional autoritario en el hogar podría chocar con un sistema liberal en la escuela y viceversa, contribuyendo a crear un estado de confusión en el niño que supondría un grave quebranto para la estructuración de su personalidad.

Si el niño se integra plenamente a la escuela y acude feliz y contento a ella, se cuidará que su asistencia sea continuada para que no se sienta en inferioridad de condiciones respecto a los demás niños. Las prolongadas y repetidas faltas a clase suelen repercutir desfavorablemente en los niños que las cometen, pues les desconectan de las explicaciones del maestro y sufren un retraso que generalmente provoca un estado de inhibición. Por ello será preciso que las faltas de asistencia a clase se reduzcan a

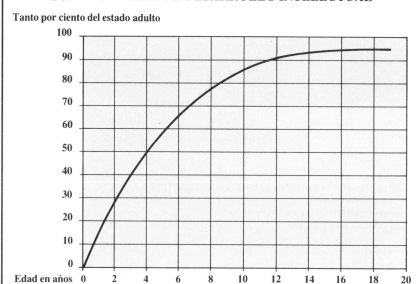

CURVA GENERAL DE DESARROLLO INTELECTUAL

Tanto por ciento del estado adulto

Edad en años 0 2 4 6 8 10 12 14 16 18 20

El cuadro de la izquierda, elaborado por Bloom según consta en su obra Stability and change in human characteristics *(Estabilidad y cambio en las características humanas), presenta la curva general de desarrollo intelectual vinculando las edades y el porcentaje de incremento.*

Que duda cabe que la enseñanza, los métodos pedagógicos, la formación de los educadores y las características de los colegios van cambiando en función de una mejor adecuación a las necesidades de una sociedad que pretende ser cada vez más libre y rica. En este proceso, la relación del niño con la escuela es cada vez más operativa y progresista. El ámbito escolar debe permitir al niño el desenvolvimiento de su iniciativa, de su capacidad crítica y de sus talentos sin aquel añejo marco de rigidez autoritaria que caracterizó durante tantos años a la enseñanza en general.

los casos puramente indispensables, sea cual sea la edad del niño. Cuando el niño se rebela contra el colegio se ha de pensar que existe un problema que debe valorarse a fondo. En algunas ocasiones el rechazo nace de la propia escuela, a cuyo sistema no se adapta el niño. Un exceso de severidad o de disciplina, un ambiente triste, aulas oscuras y mal aireadas, la falta de espacios libres, suelen ser mal captados por niños acostumbrados a unas condiciones de vida sanas y alegres. En otras ocasiones el problema se puede encontrar en el propio niño por una falta de integración con los demás niños, en la añoranza de una sobreprotección recibida en años anteriores o en un estado de salud deficiente.

El estímulo al trabajo

La sociedad actual valora, por encima de cualquier otra cualidad, la afición por el trabajo. El niño crece en un ambiente que le prepara adecuadamente a comprender que las principales metas que puede fijarse sólo podrán alcanzarse a través de un trabajo bien hecho. Espontáneamente, el niño tiende a hacer bien las cosas para agradar a los demás, pero al mismo tiempo espera una gratificación por medio de una sonrisa, una palabra amable, un beso. Esta tendencia natural, estimulada por las influencias ambientales, no debe desper-

diciarse inútilmente, sino motivarse lo suficiente para que el niño se sienta feliz.

Los actuales sistemas de enseñanza, basados en la espontánea participación como consecuencia de fuertes motivaciones, en los que intenta abolirse el espíritu competitivo, tratan de aprovechar al máximo la natural tendencia al "trabajo bien hecho" del niño. De todos modos, aventurando un cierto espíritu crítico hacia estos sistemas, se ha de convenir que no siempre es beneficioso privar al niño de la posibilidad de competición, porque su deseo de agradar con el trabajo puede agotarse prematuramente. El niño desea hacer las cosas mejor que los otros, tanto para complacer su orgullo como para valorarse ante los seres que más admira: los padres y los maestros.

Estos conceptos no pueden aplicarse a todos los niños en general, pues existen marcadas diferencias según los grupos caracterológicos. Así, hay niños que no trabajan más que bajo una atención continuada o por miedo a los castigos. Otros, de carácter nervioso y sentimental, rinden más si se establece una buena corriente afectiva con el maestro. Los niños tranquilos y dóciles trabajan con regularidad por un sentido innato de la disciplina. Los apasionados, trabajan a su ritmo peculiar, sin aceptar imposiciones, con ansia de aprendizaje y el firme deseo de ser los mejores en todo. Todos estos rasgos deben ser cuidadosamente estudiados y conocidos tanto por los padres como por los maestros, para orientar a cada niño por el camino en el que su educación vaya a resultar más eficaz.

Paralelamente a la afición por el trabajo, la curiosidad intelectual juega un importante papel de cara al rendimiento escolar del niño. Es perfectamente admitido que gran parte del éxito en la adaptación y rendimiento escolar dependerá del grado de curiosidad que el niño sienta por el aprendizaje, pero también es indudable que no basta con poseer esta curiosidad, sino que es necesario estimularla creando centros de interés y proporcionando fuentes de imitación. El niño, en sus diferentes etapas del desarrollo utiliza la imitación como medio de aprendizaje: en la marcha, en el lenguaje, en el juego, quiere comer solo, vestirse y asearse, imitando constantemente a los adultos que le rodean. Las niñas juegan con muñecas,

cohecitos y cocinas porque imitan a la madre. Los niños aspiran a ser de mayores lo mismo que su padre o que los personajes que más fuertemente le llaman la atención.

La escuela debe saber calibrar, madurar y orientar esta curiosidad de los niños para obtener con ello resultados óptimos en el aprendizaje. Debe respetarse el natural espíritu competitivo para que el niño se sienta satisfecho de sus adquisiciones y con ello evitar una progresiva desaparición de su innato espíritu de trabajo.

Participación de los padres

La colaboración de los padres en el proceso de aprendizaje del niño no se limita a una cuidadosa elección del centro escolar, dejando a partir de este momento toda la responsabilidad en manos de los maestros. Debe existir una participación activa durante todo el tiempo que dura la enseñanza, pues de nada sirve solicitar resultados en forma de buenas notas cuando no se ha colaborado en el alcance de los éxitos. Esta relación se puede desglosar en dos vertientes: a) en la actitud de los padres hacia el hijo escolar, y b) en los contactos periódicos con los maestros para el intercambio de puntos de vista.

Ante la supresión o al menos la notable disminución de los deberes escolares para realizar en el hogar, ha desaparecido la antipática misión de tener que obligar al niño a permanecer de codos sobre sus libros o cuadernos después de haber permanecido todo el día en el colegio. Para el niño que durante la mayor parte del día no ha tenido tiempo de entretenerse con sus juguetes favoritos, supone un enorme esfuerzo ponerse a estudiar o a realizar sus deberes al salir de la escuela, pero para muchos padres esta tarea significa la seguridad de mantener a los niños quietos durante el tiempo que duran los deberes. Esta actitud no es justa, por cuanto el niño debe satisfacer sus naturales apetencias de juego, y una frustración en este sentido puede significar una pérdida de interés por el estudio. Los libros y los juguetes deben tener un reparto equilibrado en el tiempo del niño; de otra manera se anula la voluntad de trabajo y la curiosidad por el aprendizaje y el niño se convierte en un ser triste, insatisfecho y sin interés por las cosas.

Las clases de expresión corporal, de música y de canto, la revelación de las posibilidades del propio cuerpo, constituyen una práctica que incita la imaginación del niño y le hace más libre, más espontáneo y más feliz.

Estimular la curiosidad del niño por el aprendizaje redunda en su interés por el trabajo escolar. Esta curiosidad abarca también el desarrollo de sus potencialidades físicas a través del conocimiento y práctica de la gimnasia y los diferentes deportes.

Los padres deben mostrarse interesados por las tareas escolares de sus hijos, atendiendo siempre a los comentarios que ellos hagan sobre su vida escolar, examinando los trabajos de los que se sienten orgullosos, de aquellos dibujos que consideran como pequeños tesoros, y explicándoles todas aquellas cuestiones que les planteen. Es indispensable elogiarles justamente los trabajos bien hechos y destacarles con amabilidad aquello que todavía no hacen bien. De este modo el niño toma conciencia de la importancia que tiene su actividad escolar y no puede considerar al colegio como el lugar donde le mandan para no estorbar en casa.

Deben acudir al colegio periódicamente para cambiar impresiones con los maestros. Muchas veces será preciso enterarles de algún rasgo temperamental del niño, que deberá ser tenido en cuenta para su mejor formación. Los profesores, que pasan un buen número de horas con el niño, podrán apercibirse en ocasiones de problemas tanto físicos como de carácter que pueden presentar y que los padres quizás ignoran. Es preciso establecer en común unas normas educativas para no interferir la labor mutua y procurar un paralelismo de ideas.

La colaboración entre la familia y la escuela se apoya en un profundo conocimiento recíproco y en una comprensión sincera de los problemas de cada medio. Debe realizarse un esfuerzo para que los contactos proliferen en todas las etapas de la enseñanza, con el fin de prevenir los fracasos escolares y de diagnosticar todos los trastornos que van a precisar una reeducación.

En modo alguno debe responsabilizarse exclusivamente a los maestros de la educación del niño, tanto en el aspecto intelectual como en el aspecto psicológico. La escuela actúa sólo como complemento que proporciona a los niños aquello que su ansia de saber les demanda, así como el ambiente apropiado para desarrollar las normas de convivencia social adquiridas en el seno familiar.

Los actuales procesos de aprendizaje dinámico se basan en que el alumno debe adquirir sus conocimientos y su educación con la ayuda del maestro, no con la imposición de sus criterios. Precisamente por esto se intenta que las normas educativas no difieran de las que orientan los padres; de ahí la necesidad de una íntima colaboración entre los padres y la escuela.

El rendimiento escolar

Cada día se exige más al niño en su período escolar. Todos los padres desean que su hijo sea el mejor y esperan de él el máximo rendimiento. La vista fijada en el porvenir incierto condiciona un extremado celo en los resultados escolares. Con el incremento de la población se prevé para el futuro una competencia extraordinaria en todos los campos y por esto al niño se le exige cada día más. Los fracasos escolares empiezan

en gran parte aquí, por no valorarse con equidad las posibilidades del niño. Para muchos de ellos aprender es cosa sumamente fácil; para otros, es preciso un tiempo, en general prolongado. En este segundo caso, los padres se inquietan y a veces exigen con exceso. El fracaso escolar puede atribuirse a distintas causas, y el hallazgo de éstas es imprescindible para remediarlo. Con mucha frecuencia el niño no se encuentra bien, está débil físicamente o agobiado por excesivo trabajo. A veces la falta de aprovechamiento escolar se debe a algún déficit de la audición, de la visión o retraso en el lenguaje. En otras ocasiones, el niño no está dotado para el aprendizaje, asimilando mal y con lentitud, o bien se le exige más de lo que puede dar de sí, sin que exista un déficit intelectual. En estos casos es preciso un meticuloso estudio del niño, tanto en el aspecto físico por parte del médico, como en el aspecto intelectual a través de estudios psicométricos.

Cuando surge el problema del fracaso escolar, las repercusiones a nivel familiar suelen ser amplias: desengaño de los padres que temen por el porvenir intelectual, profesional y social del hijo, con actitudes represivas que no siempre son justas; alteración de las relaciones con los maestros, por interpretaciones que a menudo son equivocadas, y reacciones en el estado de ánimo del niño, que sufre íntimamente la situación creada, adoptando casi siempre una actitud antisocial en el seno familiar, en la escuela o incluso con los amigos.

Ante la aparición de estos problemas, los padres deben dirigirse ante todo al pediatra, quien, conocedor profundo de las características somáticas y psicológicas del niño, podrá discernir entre las diversas causas posibles, aquellas cuya solución es más factible o merecen especial atención. En primer lugar descartará las posibles causas médicas: existencia de alguna enfermedad, estado de fatiga por el padecimiento de una enfermedad latente o por haber realizado una convalecencia demasiado corta de alguna enfermedad, existencia de algún problema de higiene escolar (en este aspecto lo más frecuente son los traslados excesivamente largos en autocar), déficit de sueño (el niño se acuesta demasiado tarde, la mayoría de las veces por culpa de la televisión), existencia de algún déficit visual, auditivo o de lenguaje, etcétera. En todo caso, si la problemática es incierta o las causas requieren estudios más profundos, podrá recurrir a la ayuda del psicopedagogo, quien podrá establecer un planteamiento global del problema y de la personalidad del niño, apuntando las soluciones que parezcan idóneas para cada caso.

En una minoría de ocasiones el fracaso escolar es debido a un déficit intelectual. El diagnóstico de tan delicado problema no es fácil ni puede realizarse a la ligera. El pediatra, normalmente, podrá hacer una presunción diagnóstica, pero no podrá establecer un diagnóstico de certeza sin la ayuda

La incorporación del niño a la escuela determina en los padres una actitud vigilante y, en ocasiones, de gran expectativa. Esto se debe a que se espera del pequeño un rendimiento que le pronostique una óptima integración en la sociedad competitiva de nuestros días. No obstante, cada niño es un mundo en sí mismo y en un grupo escolar surgen diferencias que, en el caso del niño lento, distraído o poco aplicado, angustia sobremanera a los padres. El fracaso escolar depende de multitud de factores y es necesario estudiar al niño afectado desde varios ángulos: físico, psicológico, psicométrico, etcétera.

Los departamentos de psicopedagogía con que cuentan algunos centros escolares realizan una efectiva labor en la detección precoz de los trastornos del aprendizaje que manifiestan algunos niños.

La actividad de grupo que los niños desarrollan en la escuela, ya sea de índole intelectual o de educación física, proporciona una variada gama de aspectos que resultan significativos para un maestro observador e interesado. Por tanto, es con frecuencia en la escuela donde se detectan las perturbaciones que pondrán en estado de alerta a padres y educadores. Hay aspectos en la personalidad del niño que son considerados tolerables por los padres pero que significan una perturbación en el ámbito de la escuela.

La formación de los padres reviste una particular significación a la hora de enfrentarse con la noticia de que el niño padece algún tipo de trastorno escolar.

de completas pruebas psicométricas. Llegado a este punto se suele plantear un problema que afecta directamente a los padres. Muchos matrimonios acuden al pediatra para plantearle con angustia el fracaso escolar de su hijo, esperando una solución rápida y cómoda. Descartadas todas las causas de índole médica, el facultativo apunta la necesidad de recurrir al psicopedagogo o psiquiatra infantil para que realice un completo estudio psicométrico del niño, y en este momento surge la barrera: «¡Nuestro hijo no es un débil mental y no necesita un psiquiatra!» ¡Cuántos fracasos y sinsabores se habrían podido evitar de no existir esta absurda postura! Lamentablemente, los débiles mentales suelen presentar signos clínicos lo suficientemente evidentes como para no precisar de análisis para ser diagnosticados. Son los niños normales quienes con un coeficiente intelectual dentro de la normalidad pueden sufrir trastornos más o menos banales que causen fracaso escolar, y el único modo de diagnosticarlos es a través de las

pruebas psicométricas.

Estas valoraciones pueden conducir en principio a tres eventualidades:

a) Que el nivel intelectual del niño sea superior al nivel medio escolar en que se encuentra, o sea, que puede rendir más y ello le hace sentirse incómodo.

b) Que exista coincidencia entre ambos niveles, en cuyo caso debe investigarse por otros caminos.

c) Que el nivel intelectual sea inferior al de la clase y el niño no sea capaz de seguir el ritmo.

Cuando exista esta última eventualidad, la actitud a adoptar dependerá fundamentalmente de la importancia del retraso, de modo que si es importante deberá instaurarse una enseñanza especial, y ante un retraso moderado se prodrá optar por incluir al niño en un nivel inferior o proporcionarle una ayuda pedagógica complementaria y paralela a la que en la escuela recibe. En cada caso el psicopedagogo será quien apunte la solución más beneficiosa para el niño, después de la valoración global de las circunstancias que le envuelven.

Tampoco pueden descartarse los errores pedagógicos, como causa de bajo rendimiento escolar, y entre ellos tiene una especial dimensión la irregular asistencia a la escuela y los cambios de colegio por causas más o menos justificadas. Tanto en uno como en otro caso se producen lagunas en el aprendizaje, cuya repercusión futura puede ser muy importante. Es un hecho a tener en cuenta por los padres cuando se realizan ceses de escolaridad por enfermedades, viajes o cambios de domicilio. En el aprendizaje de las distintas materias, existen etapas importantes cuyas sucesivas adquisiciones son fundamentales para acceder a niveles superiores. La falta de asistencia en estos momentos puede determinar un vacío de conocimientos que en cierto modo haga «perder el tren» al alumno, el cual se sentirá en inferioridad de condiciones frente a sus compañeros. A pesar de que la inteligente habilidad del maestro debe ser suficiente para paliar estas lagunas proporcionando confianza al alumno y ayudándole a recuperar el tiempo perdido, los padres deben ser conscientes de la necesidad de una asistencia regular a las clases para evitar lamentables fracasos.

Todo fracaso escolar, sea por la causa que sea, comporta casi siempre una alteración de la afectividad del niño, que muchas veces dificulta grandemente el tratamiento adecuado. Pero también puede ocurrir que sea un trastorno de la afectividad lo que condicione un fracaso o inadaptación escolar. Los celos, la inseguridad, la timidez o la angustia por una anómala situación familiar (como puede ser la separación de los padres), pueden repercutir desfavorablemente sobre el rendimiento escolar. El diagnóstico de estos trastornos es fundamental para poder establecer las medidas terapéuticas que consigan una correcta readaptación escolar.

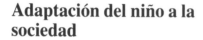

Adaptación del niño a la sociedad

Uno de los aspectos de la personalidad infantil que más se valora en los momentos actuales es la sociabilidad o facilidad natural para los intercambios y comunicaciones con los demás.

Hay niños que desde los primeros meses de vida ya muestran poseer un temperamento abierto a los demás, no extrañando la presencia o el contacto con desconocidos, de sonrisa fácil y que afrontan la separación de sus padres sin problemas. Son los niños que llegado el momento de acudir al parvulario se integran sin dificultad, hacen amigos fácilmente y no tienen problemas en sus relaciones con los adultos. En cambio, al-

Hasta los dos años los niños no participan de un juego colectivo ya que carecen de un sentido social. Es más adelante cuando organizan juegos de grupo.

gunos niños, de carácter introvertido, muestran recelo y desconfianza al iniciar sus contactos con las personas ajenas a la familia, les cuesta adaptarse al parvulario, tienen pocos amigos y se refugian constantemente en la vida hogareña.

La actitud educativa de los padres tiende en general a estimular la sociabilidad de los niños, forzándoles muchas veces a afrontar situaciones que les resultan penosas. Los niños retraídos pueden pasarlo verdaderamente mal en sus primeras relaciones sociales si no se les proporcionan los contactos de un modo progresivo, tanto a través de su adaptación escolar como de la asistencia a reuniones y fiestas familiares. Esta adaptación social debe hacerse gracias a la conquista sucesiva de círculos concéntricos que vayan ampliándose progresivamente.

Los amigos

Hasta aproximadamente los dos años los niños juegan "al lado" de otros niños, no empezando a jugar "con" otros niños hasta esta edad. En los dos primeros años de vida es muy difícil hallar un sentido social en los niños, ya que raramente se establece en esta edad la comunicación e intercambio que los caracterizan.

Entre los 2 y 3 años, los niños pueden agruparse alrededor de un juguete o una actividad común, y si se establece un contacto nunca suele sobrepasar los límites de una pareja. En esta edad, es perfectamente posible mantener la atención de un conjunto hacia una actividad determinada, en un ambiente de perfecta armonía. Las fiestas infantiles de niños de esta edad suelen ser un éxito, siempre que sean dirigidas por los adultos y se procure llamarles la atención hacia una actividad determinada, sea un juego o la contemplación de payasos, marionetas o dibujos animados. La conexión se establece de una forma superficial; los niños se observan atentamente unos a otros, efectúan leves contactos a nivel individual, pero en conjunto actúan de forma unitaria, dando la sensación de sentirse tan satisfechos de la alegría común como por el juego o espectáculo que contemplan. Por sí mismo son incapaces de organizar ningún juego colectivo, necesitando siempre que alguien les dirija.

El juego

El juego en conjunto no aparece de modo espontáneo hasta después de los 3 años, aumentando la capacidad asociativa de un modo paralelo con el crecimiento. A partir de los 6 o 7 años, el niño que sigue manteniéndose aislado debe hacer pensar que puede padecer un conflicto emocional o algún trastorno de su personalidad.

Al principio, el juego en grupo toma un carácter marcadamente competitivo, en el que el niño intenta siempre sentirse superior a los demás, ser el más fuerte, saltar más lejos, correr más. La competición pasa a ser una forma natural de las relaciones entre niños en edades comprendidas entre los 4 y los 7 años, y es un modo de liberar su agresividad. A partir de esta edad, hace falta un largo aprendizaje antes de que el niño llegue a comprender que dos actividades paralelas pueden convertirse en una actividad común, en la que cada uno aporta un criterio y parte de la actividad.

La culminación de este proceso de aprendizaje es una de las adquisiciones más importantes en el proceso de formación de la personalidad del niño, ya que es la base para disponer de un adecuado grado de sociabilidad. En tanto no se haya alcanzado este punto no será posible el auténtico juego colectivo ni las verdaderas relaciones sociales, pues éstos son los medios que facilitan el conocimiento de los demás niños como compañeros poseedores de su propia individualidad, que pueden desempeñar en el juego papeles complementarios al propio. La auténtica camaradería, el sentido de la amistad, suelen alcanzarse hacia los 8 o 9 años, edad en la que el niño es capaz, además, de apreciar cualidades positivas y negativas en sus amigos.

Las disputas

Paralelamente a la amistad se desarrolla una liberación de las tendencias agresivas del niño. Al principio, esta agresividad se manifiesta preferentemente mediante actitudes violentas, pero a medida que el niño crece aprende a servirse del lenguaje como medio de exteriorizar sus rivalidades con los demás. Este proceso es más precoz en las niñas, probablemente por la presión educativa que les solicita una imagen de femini-

Entre los cuatro y los siete años el juego suele adoptar connotaciones marcadamente competitivas y es esta pugna la que libera al niño de su agresividad. Cuando dos niños participan en un juego común, están practicando ese difícil arte de la sociabilidad y descubriendo ese sentimiento tan entrañable e íntegro que es la amistad.

A los ocho o nueve años esa amistad incipiente y exuberante adquiere un contenido más completo y el niño es ya capaz de detectar los rasgos positivos y negativos de sus amigos. Nace así la auténtica camaradería.

dad y por el hecho de su teórica inferioridad física.

Las disputas son algo corriente y natural en cualquier grupo de niños, estableciéndose fácilmente por diversos motivos, aunque lo más frecuente es que sean motivadas por sentimientos de posesión o de mando. Las disputas constituyen un signo inequívoco de sociabilidad, pues la agresividad busca el establecimiento de una conexión. Muchas veces resulta difícil establecer los límites entre los sentimientos de odio y simpatía entre los niños, algo que resulta incomprensible para muchos adultos. Por ello, en principio, no es conveniente reprimir las disputas banales, porque es fácil que se cree un sentimiento de frustración en los contendientes, quienes están intentando en ese momento reafirmar su personalidad.

Las pandillas

Estudiando el comportamiento del niño en su grupo o pandilla, se pueden obtener datos muy importantes para conocer algunas de las características de su personalidad. En la pandilla se estructura siempre una organización particularmente patente en el juego, en el que cada uno debe desempeñar su papel lo mejor que puede, bajo el control de los demás, velando todos en conjunto que se cumplan las reglas establecidas y que no se maltraten los derechos individuales.

Los amigos aportan al niño concepciones nuevas, nuevos aspectos que lo enriquecen y lo estimulan. El juego grupal suele ser con frecuencia una verdadera fuente de imaginación en la que todos y cada uno agregan un eslabón más a la sólida cadena que los mantiene unidos y entusiasmados. La aparición de disputas no significa otra cosa que un elemento más en el proceso de sociabilidad.

En todos los grupos destacan unos papeles, que van ligados a cada una de las personalidades de sus integrantes. Por encima de todos destaca el papel del jefe o líder, que se impone tanto por su propia personalidad como por el reconocimiento de los demás. Hay niños que poseen ideas muy claras respecto a la organización de juegos y consiguen fácilmente concesiones a su iniciativa, que suponen un reconocimiento de liderazgo o jefatura del grupo, pero otras veces esta situación la consiguen a base de imponerse utilizando un lenguaje agresivo y contundente, que proporciona mayor crédito a sus puntos de vista. En la mayoría de las ocasiones, el papel de líder es asumido por el de mayor edad, que puede dominar por la fuerza, que goza de una mayor experiencia, una personalidad más formada y es capaz de despertar sentimientos de admiración en los demás.

Para llevar a cabo un correcto proceso educativo es muy importante que los padres conozcan a los amigos de sus hijos, para poder saber qué influencias pueden ejercer en los mismos. Para muchos padres, el amigo o compañero de su hijo es un desconocido que le inquieta; puede ser un auténtico aliado en la educación, pero también a veces un enemigo que no se conoce.

Los amigos proporcionan al niño un mundo de informaciones e ideas nuevas, otros modos de comportarse, otras formas de ver las cosas, y muy a menudo otras verdades. Ante estas novedades, el niño puede sentirse fascinado. El amigo adquiere una gran importancia durante la adolescencia. Se le copia el modo de vestir, de comportarse, sus opiniones, sus aficiones y sus actitudes pudiendo cambiar los resultados de los esfuerzos educativos de toda la infancia. Se le suele acusar demasiado fácilmente de ejercer mala influencia, sin tener en cuenta que quizás sólo aporte otro modo de desenvolverse en la vida, que supone la evidencia de lo distintas que pueden ser las normas educativas entre una y otra familia.

Lo importante es que nuestro hijo, en su proceso madurativo, llegue a adquirir un auténtico sentido crítico que le permita sentirse seguro de su comportamiento y sepa contrastarlo con el de los demás. Cuando se conoce suficientemente al hijo y se está seguro de su formación, no deben efectuarse interferencias en sus relaciones con otros chicos o chicas de su edad, aunque no se eludirán los comentarios tanto favorables como desfavorables, y se proporcionarán todos los consejos que hagan falta. Si se sabe que el hijo es influenciable, se procurará conocer a todos sus amigos para poder aconsejarle mejor, tratando siempre, por encima de todo, de reafirmar los principios educativos vertidos en las anteriores etapas formativas, para ayudarle a consolidar su personalidad.

Influencia de los medios de comunicación

En los tiempos actuales no se puede eludir tratar la influencia que los medios de comumcación tienen en la formación de la personalidad infantil. Constituyen un hecho social tan importante que pueden considerarse como los elementos de transmisión de conocimientos más influyentes después de la labor pedagógica de padres y profesores.

Los niños tienen a su alcance, sin excesivo control por parte de los mayores, libros, revistas, periódicos, aparatos de radio y televisión, que les bombardean de un modo constante con imágenes y sonidos que pueden resultarles verdaderamente fascinantes. Del mismo modo que el poder educativo de los medios de comunicación es enorme, su asimilación indiscriminada, desprovista del control catalizador de los padres, puede resultar altamente nociva para la educación de los niños.

Los libros

En la actualidad se presta una gran atención a los libros infantiles, que poseen una presentación y calidad verdaderamente notables. Pueden encontrarse en las librerías gran variedad de obras dedicadas a los niños, en las que se les ofrecen desde los tradicionales cuentos infantiles atractivamente ilustrados hasta obras literarias y científicas adaptadas a sus distintos grados de madurez.

Los cuentos ilustrados suelen estar concebidos para el público infantil y se publican en formatos y tipografías adecuados para las distintas edades a que van dirigidos. Los niños pequeños sienten en general una gran atracción por

Las fiestas son una excelente oportunidad para que los padres conozcan más y mejor a los amiguitos de sus hijos y les observen participando en sus juegos. Normalmente los niños que rodean al hijo constituyen un motivo de curiosidad para los padres que desean saber quiénes son y cómo son.

La pandilla es un grupo muy particular en el que cada niño cumple un papel, generalmente el que mejor puede llevar a cabo, y donde todos vigilan que se respeten las reglas instituidas. Surgen así, espontáneamente, el líder, el organizador, el imaginativo y multitud de otros roles aceptados grupalmente.

este tipo de libros, en los que les es posible comprender su significado á través de imágenes muy llamativas, que suplen su falta de lectura. Todos los pequeños ojean con interés libros con ilustraciones, entrando en contacto con las tradicionales narraciones y cuentos que todos los niños han conocido.

Los cuentos ilustrados requieren que el niño los mire y alguien se los lea, llegando a aprenderlos mucho antes de saber leerlos por sí mismo, y es muy probable que nunca llegue a leerlos realmente, de tan conocidos que le resultan. Este tipo de narraciones proporcionan al niño la posibilidad de desarrollar la fantasía y la sensibilidad, y de adquirir una escala de valores fundamentalmente basada en el bien y el mal, pero lo realmente importante es que desarrollan el conocimiento y la afición a los libros, aprendiendo a cuidarlos y a conservarlos.

Cuando el niño ha aprendido a leer, puede empezar a mostrar una auténtica afición por la lectura y una preferencia por determinados tipos de libros, de un modo muy variable según el sexo y la edad. Esta afición puede encaminarse hacia distintos tipos de libros infantiles según el carácter del niño, de modo que algunos prefieren los libros de aventuras, otros las historietas ilustradas y otros los libros sobre animales, por citar los temas que gozan de mayor preferencia entre el público infantil. Frecuentemente las aficiones por los libros dependen de campañas publicitarias sobre personajes que los niños conocen a través de las series televisivas.

Al niño que tiene afición por la lectura deben ofrecérsele posibilidades de formar su pequeña biblioteca, estimulándole además a la adecuada conservación de los libros. Es necesario controlar lo que lee para poder comentar con él los temas de sus lecturas. Se procurará que los libros sean siempre adecuados a su edad, a fin de que sea capaz de comprender su contenido. Deben abundar las ilustraciones para que resulten amenos. Se tratará de que los temas a leer sean variados, aunque respetando siempre las preferencias del niño. Se le facilitarán obras instructivas que al mismo tiempo deleiten, permitiéndole entrar en conocimiento de los hechos cotidianos de la vida, como el conocimiento de los oficios y profesiones, la vida del campo, los grandes inventos de la humanidad, los países y ciudades del mundo, la vida de los animales, los diferentes deportes, el mundo de los transportes, y tantos y tantos temas de indudable interés formativo para sus años futuros.

En general, los libros infantiles no suelen entrañar peligros educativos, por cuanto han sido pensados y realizados para el público infantil. El principal error puede radicar en que el niño lea un libro que no es capaz de comprender por ser inadecuado a su edad, pero, en general, si no lo comprende, lo rechaza porque le aburre. Quizás el único problema puede estar ligado a determinados personajes que protagonizan los libros, cuyos hechos y actitudes no resulten todo lo pedagógicos que es de desear. Realmente es éste un tema algo polémico que alcanza de lleno a algunos de los personajes más populares, que son aquellos que además han sido ampliamente difundidos por la televisión.

De un modo general, no existen personajes que resulten nocivos para la educación, porque ninguno de ellos posee la fuerza suficiente como para tener tal influencia. En el mundo literario infantil coexisten múltiples personajes, unos buenos y otros malos, muchos de ellos de escaso interés, que el niño debe conocer y aprender a valorar, porque, en definitiva, la familia debe asumir el papel integrador con más fuerza que cualquier otro impacto exterior.

Los "comics"

Especialmente dirigidos al público infantil, muy a menudo los "comics" reemplazan ampliamente a los libros en la lectura habitual de los niños. Este tipo de publicaciones ha representado y representa todavía un fenómeno muy importante, con amplias repercusiones en el proceso educativo de los niños. Existen razones muy evidentes para el éxito de este tipo de publicaciones entre el público infantil. Principalmente, su menor precio permite que los niños los compren por sí mismos con sus pequeños "sueldos semanales". La mayor proporción de imágenes sobre los textos hace más fácil y cómoda su lectura. Los temas tratados suelen ser simples, divertidos, con mucha acción, y los personajes llegan a hacerse familiares a fuerza de repetición.

Aunque existen publicaciones ilustradas con una indudable intencionalidad

cultural, que tratan con dibujos y textos temas formativos para los niños, en general la lectura de tales historietas entraña diversos peligros: en primer lugar porque dan mayor importancia a la imagen que a la palabra, disminuyendo el interés por la lectura. A menudo las imágenes son brutales y vulgares, exaltando la violencia. El texto suele estar poco cuidado, utilizando términos vulgares. Muchas veces los "comics" están concebidos más para adultos que para niños, pero éstos los leen porque su formato, presentación y abundancia de dibujos les atrae.

Resulta preocupante que las estadísticas efectuadas en diversos países llamen la atención sobre el hecho de que los jóvenes delincuentes leen tales historietas en una mayor proporción que los no delincuentes, con una preferencia por los temas de tipo policíaco y de ciencia fic-

La importancia del cómic entre el público infantil es enorme y por ello deben distinguirse las historietas educativas o formativas de las que pueden resultar perturbadoras.

ción. Lo que no es fácil de definir es cuál de los dos fenómenos es causa del otro. Probablemente existe una interacción, por la que el delincuente necesita refugiarse en un mundo imaginario para no constatar tan claramente su marginación social, y por otra parte, la lectura exclusiva y continuada de "comics" es causa y efecto de un limitado bagaje cultural. En un mismo sentido, las publicaciones denominadas "del corazón" y las fotonovelas sentimentales, pueden ser motivo de hondas decepciones en jovencitas habituadas a su lectura.

El cine

La influencia que pueden ejercer los filmes en la educación infantil resulta controlada por los padres en tanto los niños no alcanzan una edad que les permita seleccionar y visionar películas por su cuenta. Durante la primera infancia, los niños acuden al cine acompañados de sus padres u otros adultos, quienes se responsabilizan de la elección del filme que van a ver.

La sociedad actual no presta demasiada atención a los niños en el aspecto cinematográfico, y normalmente resulta difícil encontrar en las carteleras un programa adecuado al público infantil. En principio, el cine no resulta uno de los espectáculos más apropiados para que los niños asistan con frecuencia. El ambiente enrarecido de las salas de proyección no es muy beneficioso para los niños, y los más pequeños suelen cansarse fácilmente. De todos modos, la mayoría se aficionan pronto al cine y celebran con regocijo las contadas ocasiones en que pueden presenciar una buena película.

En los primeros años, los filmes más apreciados son los de dibujos animados. Niños y niñas de 8 o 9 años de todo el mundo se han encandilado ante las fantásticas imágenes creadas por los magos del dibujo animado. A partir de esta edad, los niños disfrutan plenamente con los filmes de aventuras, en los que la acción y la violencia juegan un papel importante. Las niñas, por regla general, muestran una mayor inclinación por los relatos de fondo sentimental y romántico.

En plena adolescencia, cuando los chicos y chicas gozan ya de libertad para acudir al cine sin el estricto control paterno, la influencia que pueden recibir

de las películas visionadas es muy variable, sin que pueda establecerse una relación causa-efecto de un modo general. En ciertos momentos, una escena erótica puede provocar un impacto que altere el normal desarrollo emocional y psicológico, pero en otras circunstancias, la misma escena puede resultar formativa. De igual modo se podría hablar de las escenas de crímenes y violencia. De hecho, las imágenes que ofrecen a la juventud los distintos filmes constituyen un caudal de experiencias que pueden ser buenas, malas o indiferentes, pero que no deben traspasar los límites de una experiencia. Lo importante es que los chicos dispongan en el momento de visionarlas del grado de madurez necesario para establecer un juicio crítico, y la confianza suficiente con los padres para informarles de lo que se ha visto y comentar como ha sido interpretado.

Por otra parte, el cine, al igual que la televisión, puede resultar beneficioso

Normalmente, los padres son los encargados de elegir las películas que pueden ver sus hijos, acompañándolos personalmente a las salas de proyección. Este hecho debería ser suficiente para garantizar que el niño no se verá sometido a una influencia nociva o simplemente perturbadora. No obstante, la programación de filmes infantiles no siempre es lo suficientemente amplia ni totalmente ajena a escenas que se hallan fuera de la experiencia del niño.

cuando se corresponde con el grado de desarrollo mental del niño, y formativo cuando ofrece un contenido cultural en el tema tratado. No se debe olvidar que el cine es universalmente reconocido como un arte, y una buena película puede suponer una información cultural no inferior en importancia a una obra de Picasso o al conocimiento de las leyes de Mendel.

La televisión

Entre los distintos medios de comunicación, la televisión ocupa un lugar importante y se ha convertido en un hecho tan habitual que constituye, en muchos casos, un centro de atención en la vida familiar.

Para los niños supone un extraordinario atractivo —que tiene mucho de mágico para ellos— gracias al poder hipnótico de la pantalla luminosa, en la que se asocian imágenes en movimiento con el sonido. El niño, ávido de asimilar nuevas experiencias, se convierte en el espectador ideal de la televisión porque le ofrece una continuada serie de hechos que le parecen fantásticos, al tiempo que le posibilitan aumentar notablemente su caudal de conocimientos.

Muchos niños se sienten atraídos por la televisión desde muy pequeños, y antes del año pueden ser capaces de reconocer sintonías pertenecientes a determinados anuncios o programas. Tanto los personajes vivos habituales como los que corresponden a dibujos animados son fácilmente reconocidos por niños pequeños, pasando a engrosar la galería de ídolos que todo niño posee. La televisión se convierte en seguida en una auténtica caja mágica poseedora de la verdad, porque el niño no puede comprender que las imágenes que contempla o los sonidos que oye puedan contener nada que sea falso. Aquí radica una

Que duda cabe que la televisión se ha convertido en un miembro más de la familia en la sociedad de nuestros días y que los niños, ávidos de incorporar nuevas experiencias, se sienten atrapados por la fascinación de las imágenes y el sonido. Este hecho, en sí mismo, no es perjudicial, pero lamentablemente las programaciones no suelen ser siempre oportunas para ellos ni los padres demasiado rigurosos en la elección de lo que el pequeño puede o no ver en la pequeña pantalla.

de las grandes posibilidades, pero también uno de los grandes peligros de la televisión, porque además de atraer extraordinariamente la atención de los niños, constituye un medio de poderosa influencia educativa que, en muchos casos, desgraciadamente, no es aprovechado en forma adecuada por los responsables de la programación.

La televisión supone una auténtica ventana abierta al mundo desde el círculo familiar, que puede aportar grandes conocimientos y estimular la curiosidad intelectual de los niños, pero muchas veces se convierte en un elemento desintegrador del vínculo familiar, en especial cuando pasa a ser una constante de todas las actividades hogareñas. Cuántas veces la televisión acapara la atención de los distintos miembros de la familia, de modo que impide el correcto entendimiento entre ellos. Cuántas veces el diálogo se ve sustituido por el silencio que impone la contemplación de un programa televisivo.

Vista de este modo, la televisión se convierte en un auténtico elemento perturbador de la vida familiar, resultando los niños los más perjudicados. En muchos hogares, la vida de familia se ve seriamente alterada a consecuencia de la televisión, al permanecer sus distintos miembros pendientes de sus programas favoritos, cambiando los horarios de las comidas, del sueño y del estudio. Los niños pueden eternizar sus comidas ante un televisor en marcha, pueden retrasar su hora habitual de acostarse con la excusa de ver tal o cual programa, y pueden olvidar fácilmente sus libros de estudio ante el encanto de los dibujos animados. Algunos de los fracasos escolares pueden tener su raíz en estas situaciones. La asidua contemplación de la televisión hace disminuir el tiempo que puede dedicarse a la lectura, apreciándose en los niños de hoy menores aficiones literarias.

Psicólogos de los países desarrollados han mostrado una clara preocupación por establecer las consecuencias de la relación niños-televisión. Las estadísticas efectuadas en Estados Unidos son muy significativas, al mostrar el número de horas que permanecen los niños ante el televisor: durante la edad escolar, los pequeños norteamericanos permanecen de 6.000 a 12.000 horas ante la pantalla, que equivalen a un tiempo similar al que asisten a la escuela, lo cual es verdaderamente alarmante.

Esta masiva atención infantil por la televisión no resulta aprovechada en un sentido formativo, porque las programaciones no suelen alcanzar el nivel educativo necesario. La UNESCO ha realizado en diferentes países una prospección sobre la influencia de la televisión como medio de adquisición de conocimientos, y se obtuvieron unas conclusiones muy elocuentes: influencia negativa en cuanto al rendimiento escolar, e influencia positiva en cuanto a la adquisición de cultura general. Este segundo hecho ha supuesto un cambio evidente en el desarrollo intelectual infantil. Los niños de hoy poseen más cultura —edad por edad— que los de hace cincuenta años. El contacto cotidiano con los hechos que tienen lugar en el mundo, servidos por los espacios informativos, les proporcionan una conexión con los hechos políticos, culturales, sociales, deportivos, etcétera, del mundo, enriqueciéndoles con esta cultura "de periódico" que resulta indispensable para todo individuo que desee desenvolverse ágilmente por el mundo.

Es evidente que la televisión ofrecida libre e indiscriminadamente a los niños puede ejercer una influencia negativa en cuanto al rendimiento escolar. Se ha comprobado que la mayoría de los niños en edad escolar se acuestan demasiado tarde y descansan un número de horas insuficiente, por prolongar en demasía sus veladas ante el televisor. Para muchos padres supone una auténtica batalla conseguir que sus hijos se acuesten antes de iniciarse los programas nocturnos, y acaban por permitir a los niños que vean la televisión hasta horas inadecuadas para ellos. A la mañana siguiente estos niños estarán fatigados, y muy probablemente su rendimiento y su atención en la escuela se verán resentidos por ello.

La televisión, por tanto, debe llegar a los niños catalizada por el espíritu analítico de los padres, quienes deben ser capaces de limitar el tiempo de permanencia ante el televisor y efectuar una correcta selección de los programas que van a resultar más adecuados para los niños según su edad.

Aparte de las emisiones escolares propiamente dichas, hay programas que pueden aportar valores positivos en el terreno intelectual, si tratan de temas históricos, geográficos, artísticos, científicos, etcétera. La mayoría de niños poseen actualmente amplios conoci-

El consumo, la droga más o menos difundida en los países desarrollados, atrapa en su red de color y movimiento televisado al pequeño telespectador imaginativo que desea todo lo que ve, asistiendo a un desfile de atracciones que le maravilla.

mientos que les apasionan, como por ejemplo, la vida y costumbres de los animales, gracias a interesantes series televisivas.

Queda por analizar un aspecto importante de la influencia que tiene la televisión en los niños: es el que hace referencia a la violencia en la pequeña pantalla, como elemento desencadenante de agresividad en el niño. Es norma general que los niños tiendan a escenificar todo aquello que ven y consideran interesante. Si la televisión ofrece un partido de baloncesto, por ejemplo, es muy probable que los pequeños espectadores sientan un irresistible deseo de jugar a baloncesto, representando lo que han aprendido en la pequeña pantalla. Un grupo de niños puede ver atentamente y en silencio una película del oeste americano, pero al terminar, nada podrá detenerles para que interpreten sus propias escenas de indios y vaqueros.

La gran mayoría de telefilmes que los niños tienen ocasión de ver contienen una extraordinaria carga de violencia, que puede despertar la agresividad en niños frustrados o reprimidos, con alteraciones en la personalidad o con problemas de adaptación escolar o familiar.

Los niños emotivamente estables no es fácil que resulten seriamente influidos por la violencia de los telefilmes visionados.

De todas formas, en algunas ocasiones el héroe de la película, el personaje que se apropia del interés y simpatía de los niños, es un ser que practica la violencia con la aprobación de la sociedad que le rodea, resultando que perjudica más como fuente errónea de educación que como elemento desencadenante de agresividad.

Son de destacar algunas actitudes de muchas madres, sin duda francamente negativas.

Indudablemente, más allá de la especulación televisiva dirigida al público infantil, la pequeña pantalla puede —y debe— ser un vehículo de información, un instrumento que abra las perspectivas del niño y estimule en él su afán de conocimientos. No obstante, su influencia suele ser nociva, sobre todo en lo que tiene que ver con los telefilmes que preconizan la violencia.

La familia atraviesa hoy por una etapa en la cual las necesidades económicas exigen a los padres permanecer muchas horas fuera del hogar y, por tanto, regresan a él sometidos a una gran tensión y fatiga. La televisión les ofrece la oportunidad de contar con un «canguro» valioso y sencillo. Es así como el niño, absorto y fascinado, asiste no sólo a la proyección de programas idóneos sino también a un bombardeo publicitario que le explota como consumidor.

Convertir a la televisión en un "canguro" que entretiene a los niños, para poder salir; autorizar que los niños se acuesten tarde viendo la televisión las vísperas de festivos, porque al día siguiente no han de ir a la escuela, sin preocuparse de los valores positivos o negativos de la emisión; utilizar la televisión como instrumento coercitivo, prometiendo como premio verla hasta más tarde. Estos errores deben ser más frecuentes de lo que se supone, porque, a pesar del control que los padres creen ejercer, la mayoría de los niños ven todo lo que quieren.

La publicidad

Los niños de hoy viven bajo la constante influencia de la publicidad. Si en los momentos actuales el fenómeno publicitario ocupa todos los momentos de la vida en común, se está viviendo una época en la que tristemente se explota al niño como consumidor. Esta orientación directa de la publicidad hacia los niños hace que deba ser considerada a la hora de revisar las posibles influencias de la sociedad en el proceso de formación de la personalidad del niño.

Cuando todavía los niños no han visto resueltos todos sus problemas sanitarios, alimentarios, educativos o de recreo, reciben constantemente mensajes que tienden a condicionar su comportamiento ante el consumo y a crearles necesidades nuevas que en la mayoría de los casos no van a poder satisfacer. Ya que los niños están privados del poder de decisión económica, crearles necesidades supone una crueldad social porque les obliga a un enfrentamiento familiar del que no siempre pueden salir victoriosos, lo cual puede producirles un evidente daño.

Los anunciantes utilizan a los niños como intermediarios para presionar a los adultos. Los niños tienen que convencer a los padres para que compren. Dentro del conjunto publicitario de los distintos medios de comunicación, pero de un modo más exagerado a través de la televisión, la publicidad dirigida a los niños ocupa un porcentaje muy elevado. Los anuncios ejercen un fuerte impacto en la mente infantil, ya que los niños creen sin reservas lo que en ellos se les dice. De este modo, además de inducirles al consumo, se les crean necesidades que solamente tienden a satisfacer

los intereses del gran mundo comercial.

La utilización de un lenguaje especial en la publicidad infantil, así como de aquellos personajes que por su popularidad o significación resultan más atractivos a los niños, son medios coercitivos que a menudo resultan insuperables. ¿Cómo se podrá privar a un pequeño de probar los deliciosos pastelitos que toma un famoso futbolista, o de tener los juguetes que se relacionan con diversos personajes de los telefilmes infantiles? Los medios que se utilizan en la publicidad infantil son altamente persuasivos. Al carecer el niño de sentido crítico, su mundo está formado primordialmente por una cultura de persuasión. Incluso en muchos aspectos los mismos educadores tienen que inculcar hábitos en los niños, antes que educarles en estos hábitos. Ello hace que los niños resulten tan sensibles a la publicidad.

La solución a los problemas que plantea la publicidad en relación con los niños no depende en particular de los padres, pues es un hecho que debería ser analizado y reglamentado a niveles más elevados. La sociedad debería ser consciente de esta problemática, y tratar de hallar una reglamentación de la publicidad en la que quedaran eliminados todos los efectos perjudiciales para la formación de los niños.

En principio, deberían dejar de utilizarse las medidas persuasivas que asociaran directa o indirectamente a los productos comerciales cualidades o valores que no les sean propios. No debería utilizarse a los personajes de programas infantiles en los anuncios de productos dirigidos o no a los niños. Los productos dirigidos a los adultos no deberían llevar nunca regalos para los niños, quienes se convierten en vendedores del producto en su propio domicilio. No debería fomentarse el enfrentamiento entre niños y padres por razones económicas a través de alusiones tales como "pídeselo a los Reyes".

En tanto la sociedad no tome conciencia del problema que en los niños plantea la publicidad los padres pueden tomar, como única medida, la actitud de inculcar en sus hijos la motivación real de la publicidad, que es el vender más, sin que ello sea equivalencia de calidad. A medida que los niños vayan adquiriendo sentido crítico irán quedando más inmunes al constante bombardeo publicitario a que están constantemente sometidos.